MICHAEL BÜNKER

Briefformular und rhetorische Disposition im 1. Korintherbrief

MICHAEL BÜNKER

Briefformular und rhetorische Disposition im 1. Korintherbrief

VANDENHOECK & RUPRECHT
IN GÖTTINGEN

GÖTTINGER THEOLOGISCHE ARBEITEN

Herausgegeben von Georg Strecker

BAND 28

CIP-Kurztitelaufnahme der Deutschen Bibliothek

Bünker, Michael:
Briefformular und rhetorische Disposition im 1. Korintherbrief/Michael Bünker. –
Göttingen : Vandenhoeck und Ruprecht, 1983.
   (Göttinger theologische Arbeiten ; Bd. 28)
   ISBN 3-525-87381-6
NE: GT

D Wien

Publiziert mit Unterstützung des Fonds zur Förderung der wissenschaftlichen Forschung. – © Vandenhoeck & Ruprecht, Göttingen 1984. – Printed in Germany. Ohne ausdrückliche Genehmigung des Verlages ist es nicht gestattet, das Buch oder Teile daraus auf foto- oder akustomechanischem Wege zu vervielfältigen. – Druck- und Bindearbeit: Hubert & Co., Göttingen.

Vorwort

Die vorliegende Arbeit wurde im Sommersemester 1981 an der Evangelisch-theologischen Fakultät der Universität Wien als Dissertation approbiert. Sie erscheint nun - nach zwei Jahren - unverändert im Druck; dennoch wünsche ich mir, daß sie ihre Aufgabe in der aktuellen theologischen Diskussion erfüllen möge.

Daß eine Wiener Dissertation als "Göttinger Theologische Arbeit" im Druck erscheinen kann, verdanke ich dem Herausgeber dieser Reihe, Prof. Dr. Georg Strecker. Der österreichische "Fonds zur Förderung der wissenschaftlichen Forschung" in Wien gewährte einen erheblichen Druckkostenzuschuß.

Mein besonderer Dank gilt an dieser Stelle Herrn Prof. Dr. Kurt Niederwimmer, meinem verehrten Lehrer im Neuen Testament.

Wien-Floridsdorf, Juni 1983   Michael Bünker

INHALT

II. TEIL:
RHETORISCHE DISPOSITION
IM 1. KORINTHERBRIEF

Einleitung

Wer nach der sozialen Zusammensetzung der korinthischen Gemeinde fragt, wird aufgrund der Dürftigkeit der verwertbaren Quellen keine erschöpfenden und sicheren Antworten erwarten dürfen. Dies gilt auch, obwohl die Quellenlage, gerade was die Gemeinde in Korinth betrifft, noch ungleich besser ist als etwa für die Gemeinden in Philippi und Thessalonich. So bleibt jegliches Unternehmen dieser Art ein mühseliges Sammeln von Mosaiksteinchen, die nur aus gewisser Distanz und damit notwendigerweise unscharf als Gesamtbild erscheinen. Die wichtigsten Quellen für eine solche Untersuchung der sozialen Schichtung der korinthischen Gemeinde finden sich in den beiden Korintherbriefen des Apostels Paulus. Dabei handelt es sich im Wesentlichen um prosopo- und soziographische Aussagen in diesen Briefen, die uns über einzelne Personen oder aber Personengruppen und deren Status bzw. deren Rolle und Aufgabe innerhalb der korinthischen Gemeinde Aufschluß geben.

Hier ist eine weiterführende Frage angebracht:

Ist es nicht möglich und nötig, über solche vereinzelten Angaben hinaus die Korintherbriefe selbst als ganze als soziales Faktum zu betrachten, wenn die Korrespondenz zwischen dem Apostel Paulus und den Korinthern - wie alle Korrespondenz - durch ganz bestimmte soziokulturelle Faktoren mitbeeinflußt und geprägt wurde? Gerade daß es sich dabei um Briefe handelt, die als Medium der Kommunikation zwischen Paulus und der Gemeinde dienten, unterstützt die Berechtigung und Notwendigkeit dieser Fragestellung, ist doch der Brief, wie kaum eine andere literarische Form, an ganz bestimmte, auch hinsichtlich ihrer sozialen Stellung identifizierbare Personen gerichtet, ein Umstand, der nicht zuletzt durch die Verwandtschaft zwischen Brief, Rede und Gespräch unterstrichen wird. Dies war ja mit ein Grund, warum Überlegungen zur Brieftheorie Aufnahme in die antiken Lehrbücher der Rhetorik gefunden haben.

Es geht also, um das Bisherige zusammenzufassen, um einen methodischen Primat: Bevor noch einzelne sozio- und prosopographische Aussagen und typische Verhaltensnormen einer Gruppe Gegenstand soziologischer Auswertung werden, soll die Quelle, die einer solchen Auswertung letzten Endes zugrunde liegt, auf ihre eigene soziale Bedingtheit hin untersucht werden. Auf unseren Gegenstand angewandt heißt das: Die vornehmliche Quelle für eine Untersuchung zur sozialen Schichtung und zur Soziologie der korinthischen Gemeinde sind die beiden Korintherbriefe des Paulus. Diese Briefe sind nun ihrerseits als soziokulturell bedingte Literatur zu verstehen, die als Medium der Kommunikation zwischen Apostel und Gemeinde in ganz bestimmte soziale Schichten weisen. Es geht also in der vorliegenden Untersuchung um den Versuch der Ermöglichung einer Literatursoziologie der Paulusbriefe, unternommen am Beispiel der Korintherbriefe.

Dabei geht es konkret um zwei Fragen:

Wieweit partizipiert Paulus in den Korintherbriefen an dem Bildungsgut, das antike (frühkaiserzeitliche) Brieftheorie und Rhetorik dem (relativ) Gebildeten anzubieten hatten?

Und weiter: Läßt sich die Annahme bestätigen, daß Paulus in den Korintherbriefen auf den Bildungsgrad bzw. die dadurch bedingte soziale (höhere) Stellung der Adressaten solcherart Bedacht nimmt, daß er sich ihnen in seiner Rede- und Ausdrucksweise anpaßt?

Beides zusammengenommen: Sind die Korintherbriefe Dokumente der schriftlichen Kommunikation mit (relativ: gemessen am Gros der korinthischen Christen) Gebildeten und sozial (relativ) Hochstehenden?

Gerade die Briefform - im Unterschied etwa zu den Evangelien - sollte uns den Versuch einer Antwort auf diese Fragen erleichtern: Die frühe Kaiserzeit kannte eine ausgeprägte und - im großen und ganzen - einheitliche Theorie des Briefes, die allen Gebildeten vornehmlich durch die Schule geläufig war. Wieweit die Korintherkorrespondenz (und damit Paulus selbst) Anteil an dieser Brieftheorie der Gebildeten hatte, soll im ersten Teil der vorliegenden Arbeit untersucht werden.

Daneben gilt es ein Zweites zu bedenken: Wir haben die Korintherbriefe zu verstehen als verschriftlichte Rede, weshalb es wenig überraschend (und auch altbekannt) ist, daß sich in ihnen gewisse, mehr oder weniger deutliche Spuren und Hinweise auf eine rhetorische Bildung des Paulus finden. Ebenso wie die Partizipation der Korintherbriefe an der Brieftheorie der Gebildeten verweist auch die Partizipation an der Rhetorik, deren Kenntnis wiederum vornehmlich (aber nicht ausschließlich) durch die Schule vermittelt wurde, in höhere gesellschaftliche Schichten. Deshalb steht im zweiten Teil der Arbeit eine Untersuchung des rhetorischen Dispositionsgeschickes des Paulus mit der Frage nach seiner Kenntnis der Schulrhetorik im Mittelpunkt.

Die vorliegende Arbeit läßt sich also sowohl als Beitrag zur Verhältnisbestimmung von "First Century A.D. Literature" und "Early Christian Literature"[1] verstehen, als auch - und dies in höherem Maße - als Beitrag zu einer Soziologie des Urchristentums[2].

Sie hat ein doppeltes Ziel:

a) Inhaltlich: Aus der sprachlichen Gestalt der Korintherbriefe, die selbst soziokulturell bedingt ist, soll die soziale Stellung der an dieser brieflichen Kommunikation vornehmlich Beteiligten erhoben werden.

b) Methodisch: Die soziokulturelle Bedingtheit der sprachlichen Gestalt der Korintherbriefe soll durch eine Analyse ihrer Partizipation an und Geprägtheit durch antike Epistolographie und Rhetorik erhellt werden.

Hinsichtlich beider Ziele steht die vorliegende Untersuchung in ganz bestimmten Traditionen, auf die im Folgenden, um den eigenen Standpunkt deutlicher hervortreten zu lassen, kurz eingegangen werden soll.

1. Stiluntersuchungen und rhetorische Analysen

a) Stiluntersuchungen

Mehr als vereinzelte Untersuchungen und Studien zum Stil des Apostels Paulus liegen nicht vor. Dies ist wohl auch damit zu begründen, daß bisher vornehmlich der Stilvergleich zwischen Paulus und anderen literarischen Quellen seiner Zeit als einzige Möglichkeit einer Stiluntersuchung galt[3]. Dabei erhebt sich dann aber alsbald die Schwierigkeit, mit einer Vielzahl, ja einem ganzen Bündel von Einflüssen auf den Stil des Paulus rechnen zu müssen, die alle, wenn anders der vollkommene Stilvergleich die vollkommene Stiluntersuchung ausmachen soll, berücksichtigt werden wollen.

H. Böhling hat dieses Bündel der Einflüsse so angegeben: "Will man in der Bestimmung der Redeweise Pauli möglichst sicher urteilen, so müßte eine sehr eingehende philologische Erörterung angestellt werden. Diese hätte zu untersuchen das Sprachverhältnis: 1. zwischen Paulus und der hellenistischen Umgangssprache, 2. zwischen Paulus und den Septuaginta, 3. zwischen Paulus und der apokryphischen bzw. pseudepigraphischen Literatur, 4. zwischen Paulus und der klassizistischen Literatur, 5. zwischen Paulus und der hebräischen Literatur".[4] Es ist mehr als verständlich, daß angesichts dieser methodischen Vorgabe, die ja aufgrund des Verständnisses der Stiluntersuchung als Stilvergleich zurecht besteht, das Hauptanliegen der Exegeten darin bestand, einen der fünf von Böhling genannten Einflußbereiche mit den Briefen des Apostels zu vergleichen und das Maß des Einflusses auszumachen.

Die Ergebnisse dieser Untersuchungen stehen zwischen den beiden Möglichkeiten, entweder griechischen[5] oder jüdischen[6] Einfluß auf den Stil des Paulus anzunehmen, wobei sich eine Fülle von Zwischenpositionen sachlich rechtfertigen läßt[7].

Der Stilvergleich - soviel läßt sich sagen - zeigt uns Paulus als ein typisches Kind der hellenistischen Synagoge, was auch seine Partizipation an hellenistischem Bildungsgut einschließen würde, ohne ihn aber einseitig darauf festlegen zu können[8].

Die neueren Untersuchungen zum Stil des Paulus verfolgen - im Unterschied zu den Stilvergleichen - aber ein anderes Interesse: Ihnen geht es entweder um die enge Beziehung zwischen dem Stil (verbum) und der Theologie des Paulus (res)[9], oder um eine Neubegründung der Stiluntersuchung als Teilmethode der Literarkritik, entweder im Zusammenhang von Echtheitsfragen[10] oder - ganz allgemein - zur Bestimmung literarischer Gattungen[11].

b) Rhetorische Analysen

Schon J. Weiß hatte die Forderung aufgestellt, "den zu erklärenden Text als einen gesprochenen und für das Ohr bestimmten" aufzufassen, den man gleichsam "mit dem Ohr" lesen müsse[12]. Allerdings hat Weiß mit dieser Forderung nahezu ausschließlich auf stilistische Beobachtungen am Text abgezielt und so blieb es der jüngsten Vergangenheit vorbehalten[13], diesen Ansatz so zu verstehen, daß die Briefe des Paulus konsequent als Reden in Briefform aufzufassen seien und demgemäß nach den Kriterien antiker Rhetorik, die sich als Theorie der Rede (ars bene dicendi) versteht, zu analysieren wären. Einen ersten Anlauf in diese Richtung unternahm K.P. Donfried in seiner Studie "False Presuppositions in the Study of Romans"[14], die im Kern eine kritische Auseinandersetzung mit R. Bultmann's Arbeit über den Stil der paulinischen Predigt darstellt. Donfried geht dabei sehr stark von epistolographischen Überlegungen aus und bemüht sich zu zeigen, daß Röm. einen "letter-essay"[15] darstelle, etwa den Briefen Epikurs vergleichbar.

Hier ist eine Zwischenbemerkung angebracht: Jede rhetorische Analyse der Paulusbriefe wird sich, gerade wenn sie sich bemüht, die Texte des Paulus als Reden aufzufassen und - wie es J. Weiß verlangte - mit "dem Ohr zu lesen", den Umstand nicht außer Acht lassen dürfen, daß es verschriftlichte Rede und verschriftlichtes Gespräch ist, die Briefform also wesentlich zur Gestalt und Ausprägung der paulinischen Aussagen dazugehört. Die sich daraus ergebende methodische Doppelung zwischen epistolographischer und rhetorischer Analyse liegt also in der Sache selbst begründet und steht darüber hinaus auch nicht im Widerspruch zur rhetorischen Tradition der Antike, die sich ja immer auch für die verschriftlichte Rede und das verschriftlichte Gespräch, also den Brief, zuständig und verantwortlich wußte. Dies wird besonders bei der Theorie des Freundschaftsbriefes ganz deutlich.

So ist es auch nicht verwunderlich, daß W. Wuellner in seiner Arbeit zu "Paul's Rhetoric of Argumentation in Romans"[16] die eher im Bereich der Epistolographie gebliebenen Ausführungen Donfrieds aufgreift, aber einen entscheidenden Schritt in Richtung auf eine rhetorische Analyse im eigentlichen Sinne darüberhinaus macht: "My proposal is that a study of the rhetorical nature of argumentation in Paul's letters, will help us out off the two impasses created by the fixation with form- und genrecriticism on the one hand, and with specific social or political situations on the other hand ." (S 152). Von dieser Voraussetzung her versucht Wuellner, Röm. als Rede aufzufassen, die er als Ganze dem epideiktischen Genus zuordnet (S 165f). Was nun den Aufbau dieser epideiktischen Rede (= Röm) betrifft, macht Wuellner folgenden Vorschlag:

Röm 1,1-15 = exordium; Röm 1,16-17 = transitus; Röm 1,18-15,13 = confirmatio; Röm 15,14-16,23 = peroratio. Große Schwierigkeiten bereitet dabei vor allem der Abschnitt Röm 1,18-15,13, den Wuellner etwas großzügig als confirmatio bezeichnet (S 168), die er sich im Detail folgendermaßen unterteilt denkt: 1,18-11,36 fungiert als argumentatio im engeren

Sinn des Wortes (S 170: probatio), während der paränetische Abschnitt
12,1-15,13 als "argumentative appeal to commitment" (S 170) bzw. exemplum
(S 171) in der Gestalt einer digressio (S 171) aufzufassen sei. Gerade an
diesem Punkt werden aber entschieden die Mängel eines Vorgehens, wie
es Wuellner unternimmt, sichtbar: Der Versuch, ganze Briefe - noch dazu von der Länge des Röm.! - entsprechend der dispositio einer schul-
mäßigen Rede aufzuteilen, hat zwar ohne Zweifel den Vorteil für sich,
die Gesamtstruktur der Briefe als geschlossene und einheitliche Argumentationsgänge des Paulus deutlich zu machen, steht aber zugleich in der
Gefahr, durch Vergröberungen in den Bereich einer Allgemeinheit zu ge-
raten, in dem genauere Konturen verschwimmen und das Eigentliche einer
paulinischen Rhetorik - entgegen der Intention des Exegeten - zu ver-
schwinden droht.

Dies gilt in gewisser Weise auch für den Versuch, den H.D. Betz unternommen hat[17]: Er stellt Gal gemäß den Kriterien griechisch-römischer
Rhetorik und Epistolographie als "Apologetischen Brief"[18] dar, der dem
genus iudiciale zuzuordnen sei. Betz kommt zu folgender Gliederung des
Briefes: Gal 1,1-5 = praescript; Gal 1,6-9 = exordium; Gal 1,10-11 =
transitus; Gal 1,12-2,14 = narratio; Gal 2,15-21 = propositio; Gal 3,1-
4,31 = probatio; Gal 5,1-6,10 = paraenesis; Gal 6,11-18 = peroratio.

Wir sehen: In der so erhobenen und behaupteten dispositio kommt die
Mischform zwischen Brief (dem Bezeichnungen wie Präskript und Paränese zugehören) und (Gerichts-) Rede deutlich zum Ausdruck. Dies berücksichtigt zu haben und die traditionellen Bezeichnungen der Teile
der Schulrede nur für bestimmte Teile des Gal. in Anschlag zu bringen,
scheint - gemessen an der Arbeit von Wuellner - der Vorteil des Ver-
suches von Betz zu sein.

Die Kritik muß allerdings dort einsetzen, wo Betz - wie schon in seiner
Untersuchung von 2 Kor 10-13[19] - Paulus ganz in die sokratische Tradition einreiht und ihm ein Rhetorikverständnis unterschiebt, das weder
generell der Antike, noch (speziell) dem Apostel entspricht[20].

Fassen wir zusammen: Sowohl die Stiluntersuchungen, als auch die rhetorischen Analysen zu den Paulusbriefen zeigen, daß eine Trennung zwischen Form und Inhalt unzulässig ist. Es hat sich weiter ergeben, daß
eine rhetorische Analyse nicht möglich ist ohne Überlegungen zur Epistolographie anzustellen, wobei aber die Unterscheidung von epistolographischer und rhetorischer Analyse nur methodisch gerechtfertigt
werden kann und soll.

2. Ansätze einer Literatursoziologie

Es ist ohne Zweifel in einem hohen Maße den Arbeiten von G. Theißen
zuzuschreiben, daß neuerdings in verstärktem Maße in der Untersuchung
neutestamentlicher Texte (etwa der Evangelien) literatursoziologische
Aspekte mitberücksichtigt werden.

Literatursoziologie[21] läßt sich ganz allgemein definieren als die Untersuchung der wechselseitigen Bedingtheit von Literatur und Gesellschaft[2]
Bei dieser Untersuchung hat sie vornehmlich die Trias von Autor (die Pr
duktion), Werk (das Medium und die Distribution) und Gesellschaft (die
Konsumation) im Blick[23].

Dabei sind zwei Kriterien im Auge zu behalten:

Erstens definiert die Literatursoziologie nicht nach ästhetischen Qualitä-
ten, sondern ausschließlich nach sozialen Gegebenheiten, was unter Literatur zu verstehen ist[24].

Das zweite Kriterium, das in diesem Zusammenhang erwähnt werden muß,
betrifft die Unterscheidung von sozialer und soziologischer Interpretation[25].

Während jene das literarische Werk hinsichtlich der von ihm geschilderter
sozial bedingten Probleme, Ereignisse und Konflikte analysiert, konzentriert sich diese allein auf das Werk, indem es dieses selbst als soziales
Faktum versteht und fragt, warum es kreiert bzw. produziert, unter
welchen Bedingungen es von jemandem (einer Gruppe) rezipiert wird,
warum es sich dieser oder jener Form anpaßt und in welcher Beziehung
es zur jeweiligen Gesamtkultur steht.

Überträgt man dieses zweite Kriterium auf die bisherigen literatursoziologischen Untersuchungen zur neutestamentlichen Literatur, so wird alsbald klar, daß etwa G. Theißen[26] in dem beschriebenen Sinne soziale
Interpretation treibt, die sich nicht zuletzt durch den oben beschriebenen methodischen Primat von einer soziologischen im engeren Sinn des
Wortes unterscheidet.

G. Theißen hat nun für seine soziale Interpretation eine wohlfundierte
und ausgewogene Methodologie geliefert[27], die in ihren Grundzügen der
positivistischen Richtung innerhalb der Literatursoziologie verhaftet
bleibt, wie etwa das Theißen'sche Konzept von Rollen-, Faktoren- und
Funktionsanalyse zeigt[28]. Theißen geht es dabei - das zeigen etwa seine
Studien zum sogenannten "Wanderradikalismus"[29] - darum, aus literarischen Quellen das Verhalten einer bestimmten Gruppe zu erheben[30].

Von daher wird auch verständlich, daß Theißen's Versuche, auch die
Paulusbriefe (vornehmlich 1 2 Kor) literatursoziologisch zu interpretieren, auf die Frage nach Verhaltensregelungen, typischen Normen und
dergleichen beschränkt bleiben[31]. Dabei kommt er zu einem Ergebnis,
das auch für unsere Untersuchung von großer Wichtigkeit ist: Die an
den von ihm untersuchten Konflikten beteiligten Korinther sind aller
Wahrscheinlichkeit nach unter den wenigen Hochgestellten und Angesehenen (vgl. 1 Kor 1,26-29) zu suchen, sie stammen also aus sozial
höheren Schichten[32].

Wir müssen daher an den Stellen, wo Paulus diese Konflikte beizulegen
sucht und um soziale Integration bemüht ist[33], damit rechnen, daß es

gerade die sozial Höhergestellten sind, an die Paulus sich wendet, daß also sie die eigentlichen Adressaten seiner Schreiben sind[34]. Dieses - von Theißen bei der Analyse einzelner Konfliktfälle gewonnene - Ergebnis soll ja durch unsere Arbeit insofern mehr als bloß bestätigt werden, als es auf die gesamte Korrespondenz zwischen Paulus und den Korinthern ausgedehnt wird. Denn es kann ja zu Recht vermutet werden, daß nicht nur bei der Beilegung eines akuten Konfliktes diese sozial Höhergestellten die eigentlichen Adressaten der Briefe des Paulus an die Korinther waren. Die Frage lautet: Wendet sich etwa Paulus immer nur an einige der korinthischen Christen, die als eigentliche Adressaten seiner Briefe - was ihre soziale Stellung innerhalb der Gemeinde anlangt - vom Gros der Gemeindeglieder zu unterscheiden wären[35]?

Damit spitzt sich das Unternehmen einer literatursoziologischen Analyse der Korintherbriefe zu zur Frage nach dem impliziten Leser dieser Briefe. Dieser Lesertyp - das muß gleich vorweg gesagt werden - läßt sich nun nicht etwa empirisch erheben, z.B. aus den sozio- und prosopographischen Angaben der Korintherbriefe, sondern nur aus dem literarischen Werk selbst[36]. Daraus ergibt sich eine notwendige Dissoziierung der Leser der Korintherbriefe auch hinsichtlich ihrer sozialen Stellung. Diese Dissoziierung geht von der Voraussetzung aus, daß jeder Autor in seinem Text ganz bestimmte, soziokulturelle Rezeptionsbedingungen schafft, die dem Leser dieses Textes eine ebenso bestimmte, auch sozial differenzierbare Rolle zuweisen. Diese aus dem Text selbst und den in ihm enthaltenen soziokulturellen Bedingungen seiner Rezeption erhobene Leserrolle ist die des impliziten Lesers[37]. Ihm steht der explizite Leser gegenüber, der nun eben nicht aus diesen soziokulturellen Rezeptionsbedingungen, die die Korintherbriefe als Text vorgeben, zu erheben ist, sondern - in einem konstruktiven Rückschlußverfahren - aus den prosopo- und soziographischen Angaben der Briefe (und anderer Quellen), aus erhebbaren Ereignissen und Konflikten und bestimmten Rollen, Funktionen und Aufgaben innerhalb der Gemeinde beschrieben werden kann[38].

Diese strenge Unterscheidung ist deshalb notwendig, weil der implizite Leser nicht in jedem Fall mit dem vom Autor intendierten Leser zusammenfallen muß. So läßt sich etwa bei Paulus 1 Kor 1,10-4,21 feststellen, daß er sehr wohl die Gesamtgemeinde (den expliziten Leser) als Adressaten intendiert, wie die oftmalige Anrede ἀδελφοί (1,10.26;2,1;3,1 u.ö.) beweist, nichtsdestoweniger aber doch gerade die Protagonisten der Parteiungen, die zudem aller Voraussicht nach zu den sozial relativ Hochgestellten innerhalb der Gemeinde zählen, seine vornehmlichen Gesprächspartner (die impliziten Leser) darstellen. Das heißt nun weiter: Die Korintherbriefe als Träger der Kommunikation zwischen Paulus und der Gemeinde sind durch soziokulturell bedingte Normen für briefliche Rede und deren Rezeption bestimmt. Die Korintherbriefe sind ja als Briefe und als Literatur selbst ein soziales Faktum[39]. Damit wird auch deutlich, daß eine literatursoziologische Analyse der Paulusbriefe eine notwendige Konsequenz der Formgeschichte innerhalb der historisch-kritischen Methode darstellt[40]. Methodisch kommt dabei allein ein analytisches Rückschlußverfahren aus den erschlossenen Normen und Gewohnheiten sprachlichen und literarischen Verhaltens in Frage[41].

Dabei steht im Mittelpunkt, inwieweit der Stil, die Topik und Phraseologie sowie die Argumentationsweise, die ein Brief repräsentiert, auf eine bestimmte soziale Stellung seines Autors und seiner Leser verweisen. Auf die Paulusbriefe angewandt heißt das: Wieweit zeigen sie eine Prägung durch schichtspezifische Bildungsgehalte sowohl hinsichtlich ihres Charakters als Brief (dies zielt auf die Epistolographie ab), als auch hinsichtlich des Charakters einzelner (größerer) Abschnitte als Reden (damit rückt die Rhetorik ins Blickfeld)?

Die Berechtigung dieser Frage wird durch zwei Beobachtungen unterstützt:

- Es ist offenkundig, daß die Theorie des Freundschaftsbriefes in der frühen Kaiserzeit zum anerkannten und allgemein verbreiteten Bildungsgut der Antike gehörte[42]. Auf dieser Feststellung beruht der erste Hauptteil der Arbeit, in dem die Frage gestellt wird, wieweit die Korintherkorrespondenz dieser Theorie verpflichtet ist und somit am Bildungsgut partizipiert.

- Die Rhetorik als ars bene dicendi gehörte als Teil der artes liberales zum Bildungsgut der freien Bürger[43], ihre Beherrschung als Kunst ist also an bestimmte soziale Schichten gebunden[44]. Hier setzt der zweite Hauptteil ein: Lassen sich nämlich bestimmte Abschnitte der Korintherbriefe als von der Schulrhetorik beeinflußte Reden ausweisen, gibt das wiederum einen deutlichen Hinweis auf die soziale Stellung der an dieser brieflichen Kommunikation beteiligten Personen[45].

Wir fassen zusammen:

Das Ziel der vorliegenden Untersuchung ist es, zwischen dem impliziten und dem expliziten Leser der Korintherbriefe zu unterscheiden und jedem der beiden Lesertypen eine bestimmte Stellung innerhalb der sozialen Schichtung der Gemeinde zuzuweisen.

Das methodische Vorgehen ist analytisch, insofern sprachliche und literarische Normen, die die briefliche Kommunikation zwischen Paulus und den Korinthern prägten, auf ihre soziokulturelle Bedingtheit hin untersucht werden. Dabei steht inhaltlich die Frage nach der epistolographischen und rhetorischen Geprägtheit der Korintherbriefe im Mittelpunkt.

I. TEIL:

DIE KORINTHERBRIEFE UND DIE ANTIKE BRIEFTHEORIE

I. Die antike Brieftheorie

A. Vorbemerkung

Die ersten brieftheoretischen Überlegungen stammen von den Griechen, obwohl der älteste im Original erhaltene griechische Brief - eine Bleitafel aus dem 4.Jh.v.[1] - gemessen etwa am Alter der Briefe aus Mari (18.Jh.v.) aus vergleichsweise später Zeit stammt. Namentlich die aristotelische Philosophie (vor allem die Freundschaftslehre des Stagiriten) regte zu einer grundlegenden Diskussion von Wesen und Funktion des Briefes an. Den ersten greifbaren Niederschlag fand die Diskussion in der - verlorenen - Vorrede zu einer Ausgabe der Aristotelesbriefe durch Artemon von Kassandreia[2].

Den langen Weg der griechischen Brieftheorie dokumentiert deutlich der Umstand, daß ein vorläufiger Höhepunkt und Abschluß dieser Überlegungen erst in der älteren Periode der zweiten Sophistik, bei Philostratos (Ende 2.Jh.n.)[3] gefunden wurde. Die Theoriebildung über den Brief der Antike hat sich also über mehrere Jahrhunderte hingezogen. Ein Grund mag dafür besonders ausschlaggebend gewesen sein: Wesentlich wichtiger als die Theorie des Briefes war die Praxis, also das richtige Briefschreiben. Auf stilistische und sprachliche Korrektheit wurde von den Alten mehr Gewicht gelegt, als auf die Erörterung grundsätzlicher Fragen. Belegt wird dies durch den Befund der Quellen: So liegt zwar eine Sammlung von Briefen (die offensichtlich zu Schulzwecken diente) bereits aus dem Jahre 164/3 v. vor[4], eine über exkursartige Abschweifungen[5] oder beiläufige Erwähnungen bei Meistern des Briefes[6] hinausgehende Erörterung (im lateinischen Bereich) aber erst bei Iulius Victor[7], und (im griechischen Bereich) gar erst bei Joseph Rhakendytes[8]. Ohne diese Beobachtungen allzu sehr strapazieren zu wollen, können sie doch als Hinweis darauf dienen, daß wir bei der Erforschung der antiken Epistolographie (vor allem für das 1.Jh.n.) nicht scharf zwischen Theorie und Praxis trennen können[9], da einerseits die Theorie aus der Praxis entstand, andererseits die Praxis durch die Theorie korrigiert bzw. bestätigt wurde[10]. So legt es sich methodisch nahe, sowohl die ausdrücklich dem Brief gewidmeten theoretischen Überlegungen, als auch die in der Briefliteratur (implizit) vorhandenen grundsätzlichen Gedanken zu Wesen und Funktion des Briefes gemeinsam zu betrachten, um ein geschlossenes Bild zu erhalten. Denn ganz im Gegensatz zu dem betonten Umstand, daß der Brief erst relativ spät ausführliche Aufnahme in den rhetorischen Handbüchern fand, läßt sich für die spätre-

publikanische und frühe Kaiserzeit (zeitliche Bestimmung) und den gesamten Mittelmeerraum (geographische Bestimmung) eine nicht nur stille
Übereinkunft unter den Gebildeten über das Wesen des Briefes erkennen
Briefschreiben war Schulgut geworden, Topik und Phraseologie (vornehm
lich des Freundschaftsbriefes) allgemeines Bildungsgut, der Brief zudem
eine hochliterarische Ausdrucksform, deren charakteristisches Kennzeichen weit jenseits der bloßen Nachrichtenübermittlung gesehen wurde[11].
Im Folgenden soll - erleichtert durch die überschaubare Quellenlage - ei
kurzer Abriß der spätrepublikanischen bzw. frühkaiserzeitlichen Brieftheorie und -praxis (denn nur beides zusammen ergibt das angestrebte ge
schlossene Bild) geboten werden, allerdings ohne dabei Anspruch auf
Vollständigkeit zu erheben[12], sondern nur zu dem Zweck, die Korinther
briefe des Paulus im Rahmen der antiken Epistolographie besser verstehe
zu können.

B. Die Brieftheoretiker

Der nicht nur älteste erhaltene Text zur Brieftheorie, sondern zugleich
die wichtigste Quelle für unseren Beobachtungszeitraum (1.Jh.n.) liegt
in einem Exkurs des Rhetorikers Demetrius vor[13]. Der Verfasser der
Schrift ist unbekannt[14], auch was die Entstehungszeit betrifft, ist man
auf mehr oder weniger genaue Vermutungen angewiesen, die sich vornehmlich durch eingehende Literarkritik und Quellenanalyse gewinnen
lassen[15]. Der bemerkenswerteste Befund der Quellenanalyse ist dabei,
daß Demetrius, sosehr er in seinem ganzen Werk (zwar kritisch, aber
doch) in der peripatetischen Tradition steht, gerade in seinem Abschnitt
über das Briefschreiben[16] keine Verwandtschaft mit dieser Tradition
spüren läßt[17], setzt er sich doch gerade in diesem Abschnitt sehr kritisch mit den Ansichten des Artemon von Kassandreia auseinander und
versucht, sein Konzept im Gegensatz zu dem des Herausgebers der Aristotelesbriefe[18] zu formulieren.

Gerade in seinem Abschnitt über den Brief und das Briefschreiben greift
also Demetrius auf uns unbekannte Quellen zurück, die - soviel läßt sich
in aller Vorsicht sagen - nicht-peripatetisches Material aus der Zeit zwischen dem 2.Jh.v. und dem 1.Jh.n. geboten haben, das von ihm verwen
det und redigiert wurde[19]. Bei der Betrachtung des Inhalts des Exkurses über den Brief muß stets im Auge behalten werden, daß Demetrius
weder eine ausgeführte ars rhetorica bietet[20], noch auch das Briefschreiben zum Thema eines eigenen Abschnittes erhebt, sondern an
seine Ausführungen über den schlichten Stil anhängt[21].

Was nun seine Ausführungen zum Thema anlangt, stehen sie alle in deutlicher Beziehung zur Wesensbestimmung des Briefes, nämlich der "Freun
schaft" (φιλία), § 231: φιλοφρόνησις γάρ τις βούλεται εἶναι ἡ ἐπιστολὴ σύντομος καὶ
ἁπλοῦ πράγματος ἔκθεσις καὶ ἐν ὀνόμασιν ἁπλοῖς. Gerade in dieser ausdrück-
lichen Konzentration auf die wesentliche Funktion des Briefes als Er-
weis der freundschaftlichen Beziehung steht Demetrius noch ganz deutlich in den Spuren des Aristoteles[22]. Diese verläßt er aber, um die An-

sicht des Artemon (der eigentlich nur aus den Ausführungen des Aristoteles die Konsequenz zieht) zu widerlegen. Artemon behauptet nämlich,
der Brief sei nichts anderes und nicht mehr als ein halbierter Dialog[23].
Demetrius widerspricht nun dieser Auffassung, indem er - über den Dialog und dessen stilistische Forderung weit hinausgehend - bereits die
Schriftlichkeit als konstitutiv für den Brief betrachtet[24]. Das geschriebene Wort des Briefes ist also nach Demetrius nicht nur ein kunstloses
und mehr oder weniger zufälliges Surrogat des gesprochenen, sondern
selbst Träger und Vermittler der freundschaftlichen Beziehung zwischen
Adressat und Absender. Im Brief verwirklicht sich die angestrebte φιλία.
Daraus zieht nun Demetrius weitere Folgerungen für Stil und Eigenart
des Briefes:

a) Die dem Brief angemessene Redeweise ist λαλεῖν (§ 225), also der
   leichte Plauderton[25].

b) Der Brief referiert nicht die Begegnung der Freunde als etwas außerhalb seiner Liegendes, sondern er ist die Begegnung selbst, vermittelt er doch dem Adressaten das "Bild" des Absenders[26].

Aus alledem zieht nun Demetrius eine Reihe von Schlüssen für die Praxis
des Briefschreibens und deren Erfordernisse. Fast in der Form eines La-
sterkataloges führt er auf, was sich von seiner Wesensbestimmung des
Briefes her (nahezu von selbst) verbietet: häufige Unterbrechungen
durch Frage und Antwort (§ 226), zu großer Umfang und aufgeblasener
Stil (§ 228), Periodenbau (§ 229), logische und philosophische Erörte-
rungen (§ 231) und so fort, bis er - fast unwillig - seinen Exkurs ab-
bricht (§ 235): καθόλου δὲ μεμέχθω ἡ ἐπιστολή. κατὰ τὴν ἑρμηνείαν ἐκ δυοῖν
χαρακτήροιν τούτοιν, τοῦ τε χαρίεντος καὶ τοῦ ἰσχνοῦ. Demetrius hat die gesamte
spätere Epistolographie der Antike wesentlich beeinflußt. Seine Theoreme tauchen immer wieder auf, ja erstarren zu festen Formeln und Motiven, die bei nahezu allen Briefschreibern ab der spätrepublikanischen
Zeit zu finden sind.

C. Die Briefsteller

Zwei griechische Briefsteller sind erhalten, die beide - und das ist das
erste, was gegenüber Demetrius festzuhalten ist - durch ihre theoretische Anspruchslosigkeit auffallen:

a.) Ps.-Demetrius, τύποι ἐπιστολικοί, [27] ein aus Ägypten stammender,
zeitlich nur sehr grob ansetzbarer Briefsteller[28], der 21 verschiedene
Briefarten mit jeweils passendem Musterbrief bietet[29].

Interessant ist in unserem Fragezusammenhang die Feststellung, daß
Ps.-Dem. die Reihe der Brieftypen mit dem τύπος φιλικός eröffnet, der
Freundschaftsbrief also von ihm eine dominante Stellung eingeräumt er-
hält, was die allgemeine Gültigkeit der hinter Dem., π.ἑρμ. stehenden
Tradition vom Brief als Freundschaftserweis bestätigt.

b.) Ps.-Proklos, Περὶ ἐπιστολιμαίου χαρακτῆρος [30], verfaßt von einem unbekannten Christen zwischen dem 4. und 6.Jh.n.[31], bringt bereits (im Gegensatz zu Ps.-Dem.) 41 Briefarten (προσηγορίαι), ohne dabei aber Verbindungen oder gar Abhängigkeiten zu/von Ps.-Dem.τύπ.ἐπ. zu zeigen[32]. Diese Erweiterung der Briefarten von 21 auf 41 wirft ein Licht auf die Intention der antiken Briefsteller und ihr Publikum: Offensichtlich schrieben sie nicht so sehr für praktische Bedürfnisse (dann erwartete man amtliche bzw. halbamtliche Schreiben, Verordnungen, Einladungen, Geschäftsbrief und dgl.), sondern trachteten durch immer differenzierter werdende Stilunterscheidungen den Interessen und Bedürfnissen eines relativ engen (halb-) gebildeten Lesepublikums entgegenzukommen[33].

Für den weiteren Fortgang unserer Untersuchung genügt es, an dieser Stelle zweierlei festzuhalten:

(a) Der Freundschaftsbrief (τύπος φιλικός) galt der Antike als Brief schlechthin. Von dieser Wesensbestimmung her ergeben sich Konsequenzen sowohl für den Inhalt als auch für den Stil des Briefes (Dem., π.ἑρμ.)

(b) Die Etablierung verschiedener Brieftypen steht dazu nicht in Widerspruch: Allein stilistische Kriterien werden dafür geltend gemacht, nicht aber solche, die aus einer funktionalen Bestimmung des Briefes als Gebrauchsliteratur resultieren würden (Ps.-Dem., Ps.-Prokl.).

D. Idee und Topik des Freundschaftsbriefes

Nachdem im vorigen Abschnitt die wesentlichen Züge der antiken Brieftheorie im Mittelpunkt standen, geht es nun darum, der Frage nachzugehen, wie die Theorie mit der tatsächlich üblichen Art, Briefe zu schreiben (der Praxis) zusammenhing. Anders formuliert, in welchen Formen und Motiven schlug sich die Theorie im geschriebenen Wort des Briefes nieder?

Wenn dabei weiterhin einfach von dem "Brief" die Rede ist, soll damit natürlich nicht die Tatsache verdeckt werden, daß in der Antike eine Vielzahl verschiedener Briefarten im Gebrauch war. Daß aber die Einteilung dieser verschiedenen Briefarten nicht allein nach stilistischen Kriterien vorgenommen werden kann, zeigt schon die dadurch zustande gekommene unterschiedliche Anzahl von Briefarten in der Antike selbst (Ps.-Dem.: 21; Ps.-Prokl.:41).

Methodisch legt es sich daher nahe, nicht von textinternen Merkmalen (z.B. Stil) bei der Typisierung von Briefen auszugehen, sondern von textexternen, d.h. nach der Funktion des Briefes in seiner jeweiligen Verwendungssituation zu fragen; erst von dort aus ergeben sich die Konsequenzen sowohl für den Inhalt als auch für den Stil des jeweiligen Brieftyps[34]. Aber auch eine so gewonnene Einteilung bleibt ein Klassifizierungsinstrument von begrenzter Tragfähigkeit. So sind vor allem die Grenzen zwischen den einzelnen Typen durchaus unscharf und nicht genau zu ziehen[35]. Weit über diesen negativen Befund hinausgehend, ja in gewissem Gegensatz zu ihm muß unter strenger Beachtung der antiken Brieftheorie festgehalten werden, daß gerade im Zwischenbereich von lite-rarischem und Privatbrief der "Brief schlechthin", der kultivierte Freund-schaftsbrief, seinen Platz hat. Er ist nämlich in der Tat und ganz bewußt eine - wenn man so will, theoretisch fundierte -"Mischgattung"[36], gekenn-zeichnet durch persönlich gefärbte Konvention und gesellschaftlich stili-sierte Individualität[37]. Folgende Feststellungen sollen die bisherigen Be-obachtungen abschließen und den Boden für das Weitere bereiten:

(a) Brieftypen lassen sich nur von der Funktion des Briefes her er-schließen[38].

(b) Die Funktion eines Briefes ergibt sich aus der "Briefsituation"[39]. Diese ist geprägt durch die Intention des Autors, die Erwartung des Adressaten, die näheren Umstände des Briefwechsels (Anlaß etc.) und die Einflüsse von Bildung und Gesellschaft.

(c) Der Freundschaftsbrief hat eine doppelte Funktion: Er übermit-telt Information und stellt eine Beziehung zwischen zwei Partnern her.

In besonderer Weise ist es wiederum der Freundschaftsbrief, der - von seiner Theorie und Praxis her - sowohl die drei grundsätzlichen Text-klassen (partner-,sach- und autor- bezogen) ermöglicht und ihre Reali-sierung anstrebt, als auch multifunktional (im Gegensatz etwa zum amt-lichen Brief) gebraucht wird, wobei alle vier möglichen Funktionen (in-formierend, appellativ, wertend, bekennend) intendiert sind. Diese - wenn man so sagen kann - literarische Überlegenheit des Freundschafts-briefes gegenüber anderen Brieftypen macht verständlich, daß er Ein-gang fand in die Schulbildung[40] und daß die ihm eigene Topik und Phra-seologie allgemeines Bildungsgut spätestens seit augusteischer Zeit wur-de[41].

Vor der genauen Betrachtung der Topik des Freundschaftsbriefes sind zwei Bemerkungen nötig:

(a) Die Quellenlage zwingt, in den lateinischen Bereich auszugreifen, denn aus dem griechischen Bereich gibt es aus dem 1.Jh.n. keine reinen Freundschaftsbriefe[42]. Bedenkt man aber, daß sowohl die Theorie des philophronetischen Briefes im griechischen Bereich expliziert wurde, als auch diese Theorie über die Grenzen einer Sprache hinaus wirksam wurde, so sind auch die Lateiner der spätrepublikanischen und frühen Kaiserzeit geeignete Zeugen.

(b) Die Frage nach der Topik soll die Antwort auf das offene Problem ermöglichen, wie sich die Brieftheorie in der Briefpraxis realisier-te. Gerade das Bedenken der briefspezifischen Topoi ist dazu in besonderer Weise geeignet, ist es doch die argumentative Funk-tion eines Topos, die die Richtigkeit der Idee bzw. Wesensbestim-mung, der er grundsätzlich verpflichtet ist, erweist[43]. D.h. für uns: Die Topik des Freundschaftsbriefes ist der Idee des Freundschaftsbriefes verpflichtet und ist geprägt von der Intention, diese Idee als richtig zu erweisen[44].

Im Wesentlichen sind es zwei Topoi, die als charakteristisch für den Freundschaftsbrief anzusehen sind:

1. Topos der "Als-ob-Unmittelbarkeit"[45]
   - Brief als "Gespräch"

2. Topos der "Als-ob-Gegenwart"[46]
   a) Die Parusie im Brief
   b) ἀπών-παρών Motiv

1. Der Topos der "Als-ob-Unmittelbarkeit"

Der älteste Zeuge für diesen Topos ist Cicero. Obwohl er - was die genera des Briefes betrifft - keine einheitliche Auffassung vertritt[47], zieht sich doch durch alle seine Aussagen über den Brief die grundlegende Einsicht durch, daß im Brief ein Nebeneinander von bloßer Nachrichten- (Tatsachen-) übermittlung und iocari[48] bzw. colloqui[49] besteht. Offensichtlich steht hier Cicero ganz in der Tradition der griechischen Brieftheorie (und erweist so deren Universalität). So entspricht seinem iocari das λαλεῖν des Dem. (§ 225), dem colloqui hingegen das διαλέγεσθαι πρὸς φίλον (Dem., π. ἑρμ., §225). Wie diese Theoreme nun in der Praxis sich auswirken, wird bei Cicero ganz deutlich: Dem Brief wird eine "Als-ob-Unmittelbarkeit" zugeschrieben, in weiterer Konsequenz die Schriftlichkeit des Briefes auf ein direktes Gespräch hin überspielt[50], wodurch die räumliche Trennung zwischen Absender und Adressat als durch den Brief aufgehoben vorgestellt wird[51].

Ganz in dieser von Cicero eingeleiteten Tradition stehen auch Seneca, Ovid und Plinius.

Seneca ist bemüht, seine Briefe an Lucilius wie ein Gespräch (sermo) in "Als-ob-Unmittelbarkeit" zu schreiben[52]. Er lehnt zwar Ciceros iocari ab, da es ihm als Ausverkauf der Nachrichtenfunktion des Briefes erscheint[53]. Ansonsten zeigt er sich aber ganz der Tradition verhaftet und macht zudem deutlich, wie in der frühen Kaiserzeit der Freundschaftsbrief zu einer gehobenen Form des gesellschaftlichen Umgangs wurde, in dem φίλος nicht unbedingt mehr als einfach "Bekannter" bedeuten mußte. Seneca deutet die Richtung der zunehmenden Konventionalisierung des philophronetischen Briefes an.

Auch Ovid gibt seine Briefe als Teile eines Gespräches aus[54], obwohl er dabei den Topos bereits ins Poetische überzieht, läßt er doch seinen Geist auf den "Flügeln der Sehnsucht" zum Adressaten fliegen[55].

Plinius schließlich kennt den Topos der "Als-ob-Unmittelbarkeit" (Brief als "Gespräch") auch, verwendet ihn allerdings vorwiegend nur noch, um die Überlänge seiner Briefe zu rechtfertigen[56].

2. Der Topos der "Als-ob-Gegenwart"

a) Parusie im Brief

Da durch den Topos: Brief als "Gespräch" bereits eine "Als-ob-Unmittelbarkeit" der Kommunikation erzeugt wird, ist es nur folgerichtig, daß
daraus oder in diesem Zuge eine "Als-ob-Gegenwart" entwickelt wird,
also die Vorstellung einer leiblich-sinnlichen Begegnung zwischen Absender und Adressat im Brief. Das bedeutet aber auch, daß der Brief
zwar wohl als Ersatz für wirklichen Kontakt, gefordert durch den bedauerten Umstand der räumlichen Trennung, gesehen wird, aber doch
auch als reale Möglichkeit, diese Trennung aufzuheben. Bereits in der
Brieftheorie wurde diese Intention angesprochen durch das εἰκὼν ψυχῆς-
Motiv (Dem., π. ἑρμ., § 227). Bei Cicero findet das nun seinen Niederschlag in der Wendung: te totum in litteris vidi (ad fam. 16, 16, 2)[57], vor
allem aber in der Vorstellung des Adressaten als quasi adesse (ad fam.
15, 16, 1)[58].

Seneca bringt die Vorstellung der Quasi-Anwesenheit des Lucilius in
dessen Briefen (vermitteln sie doch sein Bild) so zum Ausdruck (ep.
40, 1): quod frequenter mihi scribis, gratias ago. nam quo uno modo po-
tes, te mihi ostendis. numquam epistulam tuam accipio, ut non protinus
una simus. si imagines nobis amicorum absentium iucundae sunt, quae
memoriam removant et desiderium falso atque inani solacio levant, quanto
iucundiores sunt litterae, quae vera amici absentis vestigia veras notas
adferunt? nam quod in conspectu dulcissimum est, id amici manus episto-
lae inpressa praestat, agnoscere.

Auch Ovid kennt diesen Topos[59], erweitert (und poetisiert) ihn aber
zum Gedanken des Schauens von Herz zu Herz (pectore solo: ex Ponto
2, 10, 47f; 4, 4, 45f), Plinius schließlich bezeichnet den Brief als Ersatz
für leibliche Anwesenheit[60], betont aber - womit er den Gedanken des
Topos wohl über die Spitze hinaustreibt - er spräche mit dem Adressaten wie mit sich selbst[61]. Für diesen Topos läßt sich auch eine Vielzahl
von Belegen aus dem griechischen Bereich anführen, die allerdings alle
wesentlich später anzusetzen sind[62]. So findet etwa erst ab dem 3.Jh.n.
das εἰκὼν ψυχῆς -Motiv durchschlagenden Eingang in die Epistolographie
der Griechen[63].

b) Das ἀπὼν-παρὼν Motiv

Dieses Motiv hat als briefspezifischer Topos die Funktion, die "Als-ob-
Unmittelbarkeit" des brieflichen Gespräches und die "Als-ob-Gegenwart"
der Briefpartner während dieses Gespräches sowohl aufrechtzuhalten als
auch zurückzunehmen, also die bewußt genährte Illusion (παρὼν) als solche kenntlich zu machen (ἀπὼν)[64]. Die sprachliche Ausformulierung dieses Motives ist durchaus vielfältig und variabel. Dies veranschaulicht
folgende knappe Übersicht:[65]

POxy. 963 (2./3.Jh.p.)	: τὰ γράμματα – θεάσασθαι
PSI 1261 (3.Jh.p.)	: τὰ γράμματα – οἱ ὀφθαλμοί
BGU 4,1080 (3.Jh.p.)	: ἡ διάθεσις – ἡ ἀκοή
PLond. 1925 (4.Jh.p.)	: τὰ γράμματα – αὗται ὄψεις
PLond. 1926 (4.Jh.p.)	: τὸ πνεῦμα – τὸ σῶμα

Diese Übersicht bringt zum Ausdruck, daß das ἀπών-παρών Motiv auf mehrfache sprachliche und vorstellungsmäßige Art und Weise die Funktion eines Topos wahrnimmt, will es doch - gemäß der Theorie des philophronetischen Briefes - unterstreichen, daß der Brief geeignet sei, die Briefpartner trotz räumlicher Trennung in die Illusion wirklicher Begegnung zu versetzen (wobei deutlich ist, daß Illusion hier nicht sensu malo verwendet werden kann). Der Brief ist also nicht nur Ersatz, kümmerlicher Notbehelf in der Situation der Trennung, sondern Möglichkeit (wirklicher) Begegnung[66]. Gerade von daher wird verständlich, daß der Freundschaftsbrief immer mehr Bedeutung erlangt, weil er nicht nur Philophronesis vermittelt, sondern Philia realisiert[67].

Zusammenfassung:

a) Konstitutiv für den Freundschaftsbrief ist sowohl die räumliche Trennung der Freunde als auch die Schriftlichkeit ihres Gespräches als Briefpartner.

b) Das Wesen des Freundschaftsbriefes drückt sich im Wesentlichen in zwei Topoi aus:

   1. "Als-ob-Unmittelbarkeit"
   - Der Brief als Gespräch
   2. "Als-ob-Gegenwart"
   - Der Brief als Parusie
   - Das ἀπών-παρών Motiv

c) Diese epistolographischen Ideen gehören seit dem 1.Jh.v. zum allgemeinen Bildungsgut des griechisch-römischen Raumes.

II. Die Korintherbriefe und die Brieftheorie der Gebildeten

A. Die Topik des Freundschaftsbriefes in den Korintherbriefen

Die wesentlichen Züge des antiken Freundschaftsbriefes - also vor allem die zwei oben beschriebenen Topoi - gehören seit dem 1.Jh.v. zum allgemeinen Bildungsgut des griechisch-römischen Raumes. Sollten nun diese Topoi auch bei Paulus zu finden sein, ließe dies den (allerdings vorsichtigen) Schluß zu, der Apostel habe an diesem Bildungsgut Anteil gehabt und der allgemeinen Brieftheorie entsprechend seine Schreiben abgefaßt. Die Möglichkeit dieses Schlusses soll an einigen Beispielen aus den Korintherbriefen gezeigt werden. Dazu kommt aber ein zweites: Wenn Paulus die antike Brieftheorie gekannt und ihr gemäß korrespondiert hat, beweist das zudem seine Observanz gegenüber der theoretischen Forderung, sich im Stil auf den Empfänger des Briefes einzustellen (στοχαστέον γὰρ καὶ τοῦ προσώπου ᾧ γράφεται)[1].

Wenn also gezeigt werden kann, daß Paulus ganz bildungsgemäß theoretisch "korrekte" Briefe verfaßte, läßt das den doppelten Schluß zu, daß sowohl er selbst dieses Bildungsgut kannte, als auch die Empfänger seiner Briefe unter den Gebildeten (und sozial Höherstehenden) der korinthischen Gemeinde zu suchen sind.

1. Der Topos der "Als-ob-Unmittelbarkeit"

Die uns bereits von Cicero, Seneca, Ovid und Plinius bekannte Form dieses Topos (Brief als "Gespräch") scheint bei Paulus nicht auf. Es fehlen die entsprechenden termini technici, wie διαλαλεῖν oder διαλέγεσθαι entweder überhaupt oder stehen in anderem Zusammenhang mit anderer Bedeutung (wie etwa λαλεῖν: 1 Kor 2,6;3,1;9,8;12,3;13,11; 2 Kor 2,17; 4,13;7,14;11,17 u.ö.)

Weiter führt aber die Feststellung, daß es ja das Wesen dieses Topos ist, aus der bloßen Nachrichtenfunktion des Briefes herauszuführen, ist er doch Zeichen der brief-spezifisch freundschaftlichen Beziehung zwischen Absender und Adressat. Von daher geht es aber auch nicht an, diatribenartige Abschnitte der Korintherbriefe[2], die durch die Einführung eines fiktiven Gesprächspartners als Quasi-Dialoge gestaltet sind, mit dem Topos "Brief als Gespräch" in irgendeine Verbindung zu bringen[3]. In diesen Abschnitten wird ja das Dialogartige als Stilmittel entweder der Nachrichtenübermittlung oder der Beeinflussung und Überzeugung der Adressaten in bezug auf Haltung und Meinung eingesetzt, was in keiner Weise der Funktion des Topos entspricht.

1 Kor 10,15 kann als einzige Stelle der beiden Korintherbriefe den Anspruch erheben, den Topos "Brief als Gespräch" zu repräsentieren. Allerdings ist große Vorsicht geboten: v15b (κρίνατε ὑμεῖς ὅ φημι) hat mit dem Topos nichts zu tun[4], in Frage kommt allein v15a: ὡς φρονίμοις λέγω.

Die Funktion des Halbverses ist klar: Mit v14 kommt Paulus - angeregt durch das Stichwort εἰδωλολατρία - auf das Herrenmahl zu sprechen. Trotz διόπερ bleibt aber der Anschluß an das Vorhergehende durchaus unklar[5]. Deutlich ist nur, daß Paulus das Herrenmahl anführt, um dann endgültig festzustellen v21b: οὐ δύνασθε τραπέζης κυρίου μετέχειν καὶ τραπέζης δαιμονίων [6].

Welche Funktion nimmt nun im ganzen Abschnitt der vv14-22 der v15a.b ein? Als ganzes gesehen sicher die einer captatio benevolentiae [7]; Paulus versucht so, nachdem er das Thema, das im Folgenden behandelt wird, vorgebracht hat, das Publikum (die Adressaten) für sich zu gewinnen. Aber abgesehen von dieser rhetorischen Funktion scheint im Besonderen v15a eine Anspielung auf den Topos "Brief als Gespräch" zu enthalten, unterstreicht dieser Halbvers doch, wenn man ihn losgelöst vom Kontext betrachtet, ein zwischen Absender und Adressaten zwar mit dem Vorbe-

halt der Vermeintlichkeit (ὡς!), aber doch im Prinzip als gut vorausge-
setztes Gesprächsklima.

Also: Der Topos "Brief als Gespräch" fehlt in den beiden Korintherbriefen. Einzig 1 Kor 10,15a erinnert daran, hat aber durch seine Verbindung mit v15b und seine Funktion innerhalb der vv14-22 einen anderen
Stellenwert erhalten.

2. Der Topos der "Als-Ob-Anwesenheit"
(Parusie, ἀπών-παρών Motiv)

Besonders an drei Stellen findet sich dieser Topos in der Korrespondenz
des Paulus mit den Korinthern:

1 Kor 5,3: Der Kontext ist klar abgesteckt durch den unvermittelten
Einsatz 5,1 (ὅλως κτλ.) einerseits und durch das, einen (feierlichen) Abschluß bildende Zitat 5,13 andererseits[8]. Der Fall von Porneia, der Paulus zu Ohren gekommen war, verlangt wegen seiner Ungeheuerlichkeit
(5,1) und wegen der bereits schriftlich erfolgten Vermahnung (5,9) den
Ausschluß des Betreffenden und eine Besinnung der ganzen Gemeinde.
Bei der Gemeindeversammlung, in der dieser Ausschluß ausgesprochen
werden soll, wird Paulus selbst anwesend sein - allerdings τῷ πνεύματι
(5,4: συναχθέντων ὑμῶν καὶ τοῦ ἐμοῦ πνεύματος). Und diese - angedrohte - Anwesenheit des Paulus wird nun 5,3 vorbereitet durch zweimaliges Anführen des Topos ἀπών-παρών bzw. ὡς παρών, der Apostel spricht also von
seiner "Als-Ob-Anwesenheit":

5,3: ἐγὼ μὲν γάρ,
    ἀπὼν τῷ σώματι, παρὼν δὲ τῷ πνεύματι,
    ἤδη κέκρικα
    ὡς παρὼν
    τὸν οὕτως τοῦτο κατεργασάμενον κτλ.

Es kann kein Zweifel daran bestehen, daß Paulus hier den briefspezifischen Topos, wie wir ihn schon kennen[9], im Auge hat. Schwierigkeiten
bereitet diesem Verständnis unserer Stelle nur der Gegensatz von σῶμα
und πνεῦμα, der dazu verleitet, diese Begriffe (vor allem den zweiten)
theologisch zu interpretieren, als denke Paulus hier an einen "sakral-
pneumatischen Rechtsakt"[10] oder gar an "geistige Fernwirkung"[11]. Dem
ist aber nicht so. Vielmehr ist der Sinn dieser Gegenüberstellung von
σῶμα und πνεῦμα, darin zu sehen, daß Paulus als Autoritätsperson in der
angesprochenen Gemeindeversammlung quasi - anwesend ist - durch seinen Brief[12]! Deutlich wird dies durch die Wendung ἤδη κέκρικα ὡς παρών:
Die Entscheidung ist - für Paulus - schon gefallen (Perfekt!), durch
die schriftliche Übermittlung im Brief wird sie in der Gemeinde rechts-
kräftig[13]. Die mißverständliche Interpretation unserer Stelle im Sinne
einer geistigen Fernwirkung konnte nur entstehen unter einseitiger Konzentration auf die Situation des Briefschreibers Paulus, die aber - wie
wir gesehen haben - in ihrer Bedeutung für den antiken Brief deutlich
hinter der Situation des Briefempfanges zurücktritt. Gerade wenn

man bedenkt, daß der Brief seine Aufgabe nicht so sehr im Augenblick
des Schreibens, als vielmehr in dem des Lesens erfüllt[14], bekommen Wendungen wie ἤδη κέκρικα und ὡς παρών ihre Brisanz für die Empfänger[15].
Also: Wenn der Brief in der Gemeindeversammlung gelesen wird, ist Paulus als Apostel, ausgestattet mit entsprechender Autorität und Entschei-
dungskraft, gegenwärtig. Gegenwärtig - aber nicht körperlich zugegen.
Deshalb: ὡς παρών (ut praesens) deshalb: παρών τῷ πνεύματι [16].

2 Kor 10,10.11: Auf den ersten Blick scheint diese Stelle für unsere Frage gar nichts herzugeben, handelt es sich doch um einen Vorwurf an Paulus (siehe schon: 10,1f), den er zu entkräften sucht. Außer dem Gegensatz ἀπών-παρών scheint nichts auf den briefspezifischen Topos hinzudeu-
ten.

Der Vorwurf an Paulus lautet (v10):
αἱ ἐπιστολαὶ μέν, ..., βαρεῖαι καὶ ἰσχυραί, ἡ δὲ παρουσία τοῦ σώματος ἀσθενὴς καὶ ὁ
λόγος ἐξουθενημένος.

Zwischen den Briefen des Paulus und seiner körperlichen Anwesenheit -
so polemisieren die Korinther - besteht also ein scharfer Gegensatz. Genauer -dies wird aus dem Vorwurf ganz deutlich - besagt dieses: Paulus
redet zwar[17] in seinen Briefen wuchtig und kraftvoll (vor allem was Mahnungen und Vorschriften betrifft), erscheint aber bei körperlicher Präsenz schwächlich und - das ist die Spitze des ganzen - weist eine mangel-
hafte mündliche Verkündigung auf, wobei wohl eher an Mängel an σοφία/
γνῶσις als an rhetorischer Kunst gedacht ist[18]. Offensichtlich - so können wir den Vorwurf weiterführen - vernachlässigt Paulus die gebotene
Übereinstimmung zwischen brieflicher (θαρρῶ εἰς ὑμᾶς 10,1) und mündli-
cher Verkündigung (κατὰ πρόσωπον ... ταπεινὸς ἐν ὑμῖν 10,1), wodurch es
den Adressaten und Lesern seiner Briefe nicht gelingt, ihn in seinen
Schreiben so wiederzuerkennen, wie sie ihn von seinen Besuchen her
in Erinnerung haben. So scheint zumindest die Annahme begründet,
hinter alledem verberge sich das Urteil, Paulus verfehle das Wesen des
brieflichen Verkehres: Paulus-ἀπών und Paulus-παρών sind nicht identisch[19]. Obzwar diese Frage gerade in der aktuellen Auseinandersetzung
zwischen Apostel und Gemeinde einen überwiegend polemischen bzw.
apologetischen Charakter erhält und so auch der briefspezifische Topos
eine neue (durchaus un-philophronetische) Bedeutung, argumentiert
doch auch Paulus selbst in seiner Verteidigung 2 Kor 10,11 deutlich
auf dem Hintergrund und mit dem bekannten Sprachmaterial des Topos:
οἷοί ἐσμεν τῷ λόγῳ δι᾽ ἐπιστολῶν ἀπόντες, τοιοῦτοι καὶ παρόντες τῷ ἔργῳ[20]. Er
weist also den Vorwurf zurück und behauptet dagegen: οἷοί ἐσμεν ἀπόντες,
τοιοῦτοι παρόντες. Zugleich - dies wird auch aus 10,2 deutlich - droht
er bei seiner Anwesenheit derselbe zu sein, als der er sich in seinen
Briefen gezeigt hat, also sein briefliches εἰκὼν ψυχῆς, das ja nach Meinung der Korinther "schwer und gewichtig" ist, auch in realer Präsenz
einzuholen[21].

2 Kor 13,2: Hier wird die apologetische Verwendung des ἀπών-παρών Motives fortgeführt mit der Androhung eines Besuches, die allerdings - nach erfolgter Vermahnung 13,3-9 - in 13,10 erheblich abgeschwächt wird: Paulus schreibt deshalb ἀπών so wuchtig, daß er nicht παρών seine ἐξουσία zur καθαίρεσις einsetzen muß, sondern zur οἰκοδομή verwenden kann[22]. Die Konstruktion des Verses 13,2 ist allerdings sehr umstritten: προείρηκα καί προλέγω, ὡς παρών τὸ δεύτερον καὶ ἀπὼν νῦν, τοῖς προημαρτηκόσιν καὶ τοῖς λοιποῖς πᾶσιν, ὅτι κτλ.

Die erste Möglichkeit der Deutung besteht darin, ὡς παρών-ἀπὼν νῦν als Erläuterung zu προείρηκα καὶ προλέγω aufzufassen[23]. Der Vers müßte dann so umgestellt werden: προείρηκα ὡς παρών τὸ δεύτερον καὶ κτλ[24]. Diese Konstruktion weist aber erhebliche Schwachstellen auf: So wird das ὡς gänzlich unverständlich[25]; hinter ἀπὼν νῦν προλέγω müßte man τὸ τρίτον erwarten können; vor allem bleibt die Frage: Warum hat Paulus nicht so konstruiert? Es gibt dann keine Erklärung für den Aufbau des Verses in seiner jetzt vorliegenden Gestalt. Die zweite Möglichkeit der Konstruktion dagegen ist, προλέγω ὡς παρών zusammenzuziehen und zu übersetzen: "Ich kündige an, als wäre ich anwesend."[26] τὸ δεύτερον nun muß sich nicht auf παρών allein beziehen, seine adverbiale Bedeutung[27] ("zum zweiten Mal") kann auch auf das ganze Syntagma προλέγω ὡς παρών verweisen, das hieße: "Ich kündige an - als wäre ich anwesend - zum zweiten Male." Ἀπὼν νῦν: "obwohl ich nun (eigentlich) abwesend bin", eine Parenthese, mit καί recht unvermittelt eingeleitet[28].

So ist es also gut möglich, sowohl ὡς παρών als auch καὶ ἀπὼν νῦν als Anspielung auf den briefspezifischen Topos zu verstehen, die Paulus hier - allerdings in Parenthese - einfügt. Zu übersetzen hätte man dann: "Ich habe (bereits) angekündigt und drohe - gleichsam als Anwesender, obwohl ich nun (eigentlich) abwesend bin - zum zweiten Mal denen, die gesündigt haben und allen übrigen an, daß ich, wenn ich komme, keine Schonung kennen werde."

Somit hätten wir 2 Kor 13,2 einen Beleg sowohl für den Topos der "Als-Ob-Gegenwart" des Paulus in seinem Brief (ὡς παρών), als auch für die briefspezifisch-topische Wendung ἀπών-παρών (καὶ ἀπὼν νῦν), wodurch die Dringlichkeit seiner Drohung und Besuchsankündigung unterstrichen werden soll. Dies alles ist nicht mehr als typisch für den kultivierten antiken Brief, der der Theorie des Freundschaftsbriefes verpflichtet ist.

Zusammenfassend zu 2 Kor 10,1.2.10.11;13.2.10, wo das ἀπών-παρών Motiv bzw. die Formel ὡς παρών auftaucht, läßt sich feststellen, daß Paulus der Vorwurf gemacht wird, er vernachlässige die Forderung, seine Briefe nicht anders wirken zu lassen als seine in "real gegenwärtiger Präsenz" ergehende Rede. Dieser Vorwurf ist eingebettet, erweitert und verschärft durch die Auseinandersetzung um den Apostolat des Paulus.

Der Apostel selbst nun argumentiert zweifach: Einerseits leugnet er die Richtigkeit des Vorwurfes und behauptet, in den Briefen niemand anderer zu sein als in der persönlichen Begegnung (10,11); andererseits läßt er den Vorwurf gelten, erklärt ihn aber aufgrund seines besonderen Verhältnisses zur Gemeinde (10,2; 13,10), wobei er aber nie vergißt, auch massiv zu drohen (13,2).

Folgende Feststellungen schließen dieses Kapitel ab:

- Paulus und die Korinther kennen (zumindest) einen briefspezifischen Topos[29].

- Beide verwenden ihn als Mittel von Polemik bzw. Apologie:

-- Die Korinther 2 Kor 10,1.10 als Vorwurf gegen Paulus.

-- Paulus 1 Kor 5,3 als Bekräftigung seiner autoritativen Anweisung; 2 Kor 10,11 apologetisch; 2 Kor 10,2;13,2.10 in Verbindung mit der Androhung des (dritten) Besuches.

B. Philophronetische Phrasen in den Korintherbriefen

Neben den für den philophronetischen Brief üblichen Topoi läßt sich auch eine Vielzahl verschiedener Phrasen und mehr oder weniger fest geprägter Formeln feststellen, die - ebenso wie die Topoi - den doppelten Charakter des Briefes sowohl als Nachrichtenträger als auch als Band der Beziehung zwischen Absender und Adressaten zum Ausdruck bringen[30]. Dazu gehören im wesentlichen folgende Phrasen:

1. Phrasen, die sich auf den Briefwechsel beziehen

Solche Phrasen sind überall dort üblich, wo durch mehrere Briefe eine Korrespondenz entsteht, durch die die Beziehung der Briefpartner aufrechterhalten wird. Von daher ist klar, daß sowohl Phrasen über eigene bereits geschriebene oder noch zu schreibende Briefe als auch über empfangene oder erhoffte Briefe einfließen. In der Korrespondenz des Paulus mit den Korinthern finden sich solche Phrasen mehrfach:

1 Kor 5,9: $\ddot{\epsilon}\gamma\rho\alpha\psi\alpha$ $\dot{\upsilon}\mu\tilde{\iota}\nu$ $\dot{\epsilon}\nu$ $\tau\tilde{\eta}$ $\dot{\epsilon}\pi\iota\sigma\tau\circ\lambda\tilde{\eta}$ $\kappa\tau\lambda$.
1 Kor 5,11: $\nu\tilde{\upsilon}\nu$ $\delta\dot{\epsilon}$ $\ddot{\epsilon}\gamma\rho\alpha\psi\alpha$[31] $\dot{\upsilon}\mu\tilde{\iota}\nu$ $\kappa\tau\lambda$.
1 Kor 7,1: $\pi\epsilon\rho\grave{\iota}$ $\delta\dot{\epsilon}$ $\tilde{\omega}\nu$ $\dot{\epsilon}\gamma\rho\acute{\alpha}\psi\alpha\tau\epsilon$ $\kappa\tau\lambda$.
2 Kor 2,3f: $\kappa\alpha\grave{\iota}$ $\ddot{\epsilon}\gamma\rho\alpha\psi\alpha$ $\tau\circ\tilde{\upsilon}\tau\grave{\circ}$ $\alpha\dot{\upsilon}\tau\grave{\circ}$, $\ddot{\iota}\nu\alpha$ $\kappa\tau\lambda$.
   $\dot{\epsilon}\kappa$ $\gamma\grave{\alpha}\rho$ $\pi\circ\lambda\lambda\tilde{\eta}\varsigma$ $\theta\lambda\acute{\iota}\psi\epsilon\omega\varsigma$ ... $\ddot{\epsilon}\gamma\rho\alpha\psi\alpha$ $\dot{\upsilon}\mu\tilde{\iota}\nu$ $\kappa\tau\lambda$.[32]
2 Kor 7,8f: $\dot{\epsilon}\lambda\acute{\upsilon}\pi\eta\sigma\alpha$ $\dot{\upsilon}\mu\tilde{\alpha}\varsigma$ $\dot{\epsilon}\nu$ $\tau\tilde{\eta}$ $\dot{\epsilon}\pi\iota\sigma\tau\circ\lambda\tilde{\eta}$ ... $\dot{\eta}$ $\dot{\epsilon}\pi\iota\sigma\tau\circ\lambda\dot{\eta}$
   $\dot{\epsilon}\kappa\epsilon\acute{\iota}\nu\eta$ ... $\dot{\epsilon}\lambda\acute{\upsilon}\pi\eta\sigma\epsilon\nu$ $\dot{\upsilon}\mu\tilde{\alpha}\varsigma$[33]

2 Kor 10,9-11[34]: Der Briefwechsel wird zum Gegenstand einer Auseinandersetzung zwischen Apostel und Gemeinde. V9: $\ddot{\iota}\nu\alpha$ $\mu\grave{\eta}$ $\delta\acute{\circ}\xi\omega$ $\dot{\omega}\varsigma$ $\ddot{\alpha}\nu$ $\dot{\epsilon}\kappa\varphi\circ\beta\epsilon\tilde{\iota}\nu$ $\dot{\upsilon}\mu\tilde{\alpha}\varsigma$ $\delta\iota\grave{\alpha}$ $\tau\tilde{\omega}\nu$ $\dot{\epsilon}\pi\iota\sigma\tau\circ\lambda\tilde{\omega}\nu$[35]. $\Delta\iota\grave{\alpha}$ $\tau\tilde{\omega}\nu$ $\dot{\epsilon}\pi\iota\sigma\tau\circ\lambda\tilde{\omega}\nu$ bezieht sich auf die bisher von Paulus geschriebenen Briefe.

Solche auf den Briefwechsel bezogenen Phrasen finden sich sowohl in griechischen wie in lateinischen Quellen[36]. Dazu gehören im weiteren natürlich auch alle Stellen, die sich auf vorausgehende Kommunikation im allgemeinen beziehen, das ist bei Paulus vornehmlich die formelhafte Einleitung περί + Genitiv (1 Kor 7,1.25; 8,1; 12,1; 16,1.12)[37].

Diese Bezugnahme auf Anfragen der Gemeinde (ob schriftlich oder mündlich erfolgt) dient ebenso wie die ausdrückliche Erwähnung von Briefen der Vertiefung der Beziehung zwischen Absender und Adressat[38].

2. Wechselseitiges Gedenken

Das wechselseitige Gedenken spielt im Freundschaftsbrief und allen von ihm beeinflußten Briefarten eine große Rolle. Dies wird durch das sehr frühe Auftauchen dieser Phrase belegt[39]. Zwar fehlt in der Korintherkorrespondenz der dafür übliche terminus technicus μνείαν ποιεῖσθαι (ἔχειν)[40], aber zumindest an einer Stelle wird das Gedenken erwähnt:

1 Kor 11,2: ἐπαινῶ δὲ ὑμᾶς ὅτι πάντα μου μέμνησθε κτλ.[41] Also: Paulus kannte die philophronetische Phrase des wechselseitigen Gedenkens, wie aus Röm 1,9; 1 Thess 1,2; 3,6; Phlm 4 hervorgeht. In den Korintherbriefen gebraucht er sie nur einmal (1 Kor 11,2)[42].

3. Aussagen über das Befinden

Im allgemeinen philophronetischen Brief der Zeit beziehen sich solche Aussagen meist auf Wünsche für Wohlergehen und Gesundheit bzw. die Schilderung von Krankheiten[43], bei Paulus hingegen erfährt dieser Gedanke eine Umdeutung, insofern Aussagen über sein Befinden meist im Zusammenhang mit seiner Tätigkeit als Apostel stehen, Aussagen über das Befinden der Gemeinde (als Adressaten) aber auf deren Stellung als Christen konzentriert sind.

1 Kor 1,4-9: Innerhalb des ganz traditionell geformten Prooemiums[44] macht Paulus einige Aussagen über das Befinden der Gemeinde, und zwar - entsprechend der oben beschriebenen Umdeutung - über die "geistige Verfassung der Korinther[45]."

In den profanen Briefen der Zeit stehen an dieser Stelle Gesundheitswünsche und dergleichen (etwa nach der Formel: cura et valeas)[46]. Paulus stellt also gleich zu Beginn seines Briefes durch die Beschreibung des Zustandes der Korinther[47] eine Beziehung her, die, wie durch das Prooemium üblich, den ganzen Brief prägt[48]. Also selbst eine so stark sowohl von hellenistischer als auch von jüdischer Tradition geprägte Form wie das Prooemium kann in einem Brief dazu dienen, das vitale Verhältnis zwischen Absender (Apostel) und Adressat (Gemeinde) zu vertiefen und zu festigen[49].

2 Kor 2,12.13; 7,5: Diese kleinen autobiographischen Stücke bieten zugleich für unsere Fragestellung wichtige Aussagen über das Befinden

des Paulus[50]. Wichtig ist in diesem Zusammenhang dabei auch, daß der
Apostel angibt, in welcher Verfassung er auf das Eintreffen des Titus
(und damit auf Nachricht aus Korinth) gewartet hat, denn so öffnet
er sich den Lesern gegenüber, zeichnet - zumindest ansatzweise - ein
"Bild seiner Seele" im Brief[51]. Dadurch vertieft er seine Beziehung zur
Gemeinde und überschreitet die bloße Nachrichtenfunktion seines Briefes ganz deutlich in Richtung auf persönliche Beziehung - seine apostolischen Schreiben zeigen sich dadurch als von der Idee des Freundschaftsbriefes geprägt[52].

4. Besuchsankündigung

Der kultivierte antike Freundschaftsbrief beruht auf der Voraussetzung,
daß er nur Ersatz des räumlichen Beisammenseins von Absender und
Adressat ist - diese Ersatzfunktion aber voll zu erfüllen hat. So ist es
nur zu verständlich, daß er Besuchsankündigungen enthält (im rein amt-
lichen Brief wäre das nahezu absurd), die von der Sehnsucht des Wiedersehens geprägt sind, bzw. - wenn das Verhältnis zwischen den Kor-
respondierenden getrübt ist - von der Drohung des Wiedersehens.

2 Kor 7,7.11: ἀναγγέλλων (= Τίτος) ἡμῖν τὴν ὑμῶν ἐπιπόθησιν, ... ὑπὲρ ἐμοῦ, κτλ.
Titus überbringt Paulus tröstliche Nachrichten aus Korinth, unter anderem berichtet er von der Sehnsucht der Korinther, offensichtlich wollen
sie Paulus wiedersehen[53]. Sonst fehlt zwischen Paulus und den Korinthern das Motiv der Sehnsucht[54]. 1 Kor 4,18-21: ὡς μὴ ἐρχομένου δέ μου
πρὸς ὑμᾶς ἐφυσιώθησάν τινες.[55] ἐλεύσομαι δὲ ταχέως πρὸς ὑμᾶς, ἐὰν ὁ κύριος θελήσῃ,
καί κτλ. Paulus droht seinen Besuch an[56]. Interessant daran ist auch,
daß gerade diese Besuchsandrohung - gerichtet vornehmlich gegen die
τινες v 18 - den Abschluß des Abschnittes über die σχίσματα bildet[57].

1 Kor 11,34: τὰ δὲ λοιπὰ ὡς ἂν ἔλθω διατάξομαι. Neutrale Besuchsankündigung als Abschluß des Abschnittes über das Abendmahl[58].

1 Kor 16,5-7: ἐλεύσομαι δὲ πρὸς ὑμᾶς ... οὐ θέλω γὰρ ὑμᾶς ἄρτι ἐν παρόδῳ ἰδεῖν.[59]
Dem Sinn nach eine freudige Besuchsankündigung - will Paulus doch in
Korinth bleiben[60]. Erwähnenswert ist hier die - von Haus aus griechische - conditio Iacobaea (nach: Jak 4,15): ἐὰν ὁ κύριος ἐπιτρέψῃ. (vgl.:
1 Kor 4,19: ἐὰν ὁ κύριος θελήσῃ[61].)

2 Kor 1,15.16: Paulus hat seine Reisepläne geändert: er verschiebt einen geplanten Besuch, weil offensichtlich seine πεποίθησις erschüttert
und somit die Intention des Besuches (ἵνα ... χάριν σχῆτε) in Frage gestellt war[62].

2 Kor 12,14: ἰδοὺ τρίτον τοῦτο ἑτοίμως ἔχω ἐλθεῖν πρὸς ὑμᾶς. Diese Besuchsankündigung ist als Abschluß des Selbstruhmes zu sehen. Tenor ist von
daher nicht ἐλθεῖν πρὸς ὑμᾶς, sondern - als Weiterführung von v 13 - οὐ
καταναρκήσω[63].

Ebenso noch ganz eingewoben in die Auseinandersetzung zwischen Apostel
und Gemeinde ist die Befürchtung 2 Kor 12,20f, die deutlich auf 2 Kor 2,1

zurückverweist[64]. 2 Kor 13,1; τρίτον τοῦτο ἔρχομαι πρὸς ὑμᾶς · Τρίτον τοῦτο
wie 12,14[65].

5. Grüße

Grüße können sowohl am Briefende, als auch angehängt an das Präscript
am Anfang stehen (dies allerdings erst ab dem 2.Jh.n. belegt)[66]. Paulus
folgt der üblichen Sitte, am Briefschluß entweder kollektiv oder durch
Namensnennung zu grüßen und seinen selbstgeschriebenen Gruß beizu-
fügen[67]. 1 Kor 16,19-21: Sowohl kollektive Grüße als auch einzelne durch
Namensnennung. V21 der eigenhändige Gruß des Paulus[68]. 2 Kor 13,12:
Sehr kurzer Gruß[69]. Übereinstimmend mit 1 Kor 16,20: Der heilige Kuß[70]
Offensichtlich wurden also - das geht aus der liturgischen Funktion des
Kusses hervor - die Briefe des Paulus in der Gemeindeversammlung ver-
lesen[71]. Das wirft ein entscheidendes Licht auf die Briefsituation.

Zusammenfassend kann man festhalten, daß die Korintherkorrespondenz
des Paulus eine Fülle philophronetischer Phrasen und Wendungen aufweist. Paulus steht also hier ganz in der Tradition der (Schul-)Gebilde-
ten, für die der Brief wesentliches Mittel der Pflege der Beziehung zwischen räumlich Getrennten darstellt, wobei vorausgesetzt ist, daß die Be
ziehung der Briefpartner ein wie immer geartetes Nahverhältnis aufweist
Aber nicht nur Paulus scheint von der allgemeinen (Schul-)Bildungstra-
dition beeinflußt, auch seine vornehmlichen Gesprächspartner unter den
korinthischen Christen sind dieser Tradition verhaftet.

III. Die Korintherbriefe und Senecas epistulae morales

A. Vorbemerkung (Die Briefe Epikurs)

Nachdem im vorigen Abschnitt der Versuch gemacht wurde, sowohl hinsichtlich der Topik als auch der Phraseologie die deutliche Verbunden-
heit der beiden Korintherbriefe des Paulus mit der allgemeingültigen
Brieftheorie der Antike, wie sie besonders in der Lehre vom Freundschaftsbrief ausgebildet wurde, als auch mit der allgemein üblichen
Briefpraxis zu zeigen, soll die Untersuchung nun fortgeführt werden
durch eine Einengung der Vergleichsebene: die Briefe des Paulus werden mit den Briefen eines zeitgenössischen nicht-christlichen Autors,
der auch in der Tadition des Freundschaftsbriefes steht, verglichen.
Das Ziel ist, Trennendes und Gemeinsames herauszuschälen, um die Eigenart des Paulus und seine Abhängigkeit von allgemeinen Bildungstra-
ditionen klarer zu sehen. Diesen Vergleich mit Senecas epistulae morales durchzuführen, legt sich aus folgenden Gründen nahe[1]:

- Seneca ist ein Zeitgenosse des Paulus.

- Das Verhältnis zwischen Seneca und Lucilius, dem Empfänger seiner
  Briefe, ist strukturverwandt mit dem Verhältnis zwischen Paulus und

seiner Gemeinde. Dem Lehrer-Schüler Verhältnis auf der einen Seite
entspricht das Apostel-Gemeinde Verhältnis auf der anderen.

- Sowohl Seneca wie Paulus sehen ihre Briefe als durch räumliche Trennung hervorgerufene Ersatzverbindung zwischen Partnern, deren
ihrer Beziehung angemessene Lebensform das Miteinanderleben wäre.

- Sowohl Seneca wie Paulus treten an die jeweiligen Adressaten ihrer
Briefe mit dem Anspruch heran, belehrend und paränetisch, auf jeden
Fall mit argumentativer Überzeugungskraft, ein Wert-bzw. Sinnsystem
von hoher Autorität zu vertreten: für den einen die Philosophie, für
den anderen der christliche Glaube bzw. das Wort vom Kreuz.

Diese noch ganz vordergründigen Gemeinsamkeiten bedürfen einer genaueren Ausführung:

Schon sehr früh - etwa ab dem 4.Jh.v. - ist der Brief von den Griechen
als literarische Form auch geeignet empfunden worden, lehrmäßige, vor
allem philosophische Inhalte zu vermitteln. So berichtet Dem, π.ἑρμ., § 230
voll Bewunderung von den Briefen des Aristoteles[2], andere frühe Beispiele sind Platons ep. VII und die Katharmoi des Empedokles[3]. Als unbe-
strittener Klassiker des Lehrbriefes galt allerdings Epikur[4]. Schon deshalb sind die von ihm bei Diogenes Laertius[5] erhaltenen Briefe einer kurzen Betrachtung wert:

Die Briefe, jeweils an verschiedene Personen gerichtet[6], behandeln Probleme, die offensichtlich im Kreis der philosophischen Schule des Epikur
aufgetaucht waren und einer Klärung durch den Lehrer selbst bedurften.

Da es dabei durchaus auch um Probleme der konkreten Lebensführung
ging, ist es nicht verfehlt, - immer den Hintergrund der Philosophen-
schule und des Lehrer-Schüler Verhältnisses vor Augen - bei den Briefen Epikurs von "brieflicher Seelsorge" zu sprechen[7]. Trotzdem prägen
allerdings nicht diese seelsorgerlich-paränetischen Intentionen den Charakter seiner Briefe, vielmehr erscheinen sie grosso modo als recht star-
re Abhandlungen verschiedener Themen:

Diog.Laert.X 35-83: Brief an Herodot, das Thema ist eine "Lehre von
der Natur", die in stereotyper Aneinanderreihung von Lehrsätzen und
deren Begründungen entfaltet wird[8]. Schon die immer gleichen Gliede-
rungsmerkmale der einzelnen Abschnitte vermitteln ein Bild vom starren
Aufbau des Briefes: ἀλλὰ μὲν καὶ κτλ. (39;41;45;52;55;62;67;68;75); καὶ
μὲν καὶ κτλ. (40;42;46;53;54;60;61;70;72;76;78) oder πρὸς τε τούτοις (42;
48;56).

Diog.Laert.X 84-116: Brief an Pythokles[9], Thema: "Über die Himmelserscheinungen". Im Aufbau ist dieser Brief ähnlich starr und lehrmäßig
wie X 35-83. So geht Epikur, nachdem er X 84-85a die causa scribendi
und X 85b-88 die dem Thema angemessene Methode dargelegt hat[10], alle
ihm bekannten Himmelserscheinungen in reiner Aufzählung durch.

Diog.Laert.X 122-135: Brief an Menoikeus. Der Brief unterscheidet sich
von den beiden anderen erheblich, was wohl auf den Unterschied in der be
handelten Frage zurückzuführen sein dürfte. In diesem Brief geht nämlich Epikur ein auf die στοιχεῖα τοῦ καλῶς ζῆν (X 123), was ihm Anlaß gib
wesentliche Punkte seiner Philosophie zu entfalten (θεός X 123; θάνατος
X 124[11]; ἡδονή X 131). Eingebettet sind diese Ausführungen in eine doppelte paränetische Anrede an Menoikeus, die den seelsorgerlichen Chara
ter dieses Briefes deutlich zum Vorschein kommen läßt und ihn in besonderer Weise (weit mehr als die beiden anderen) als Klassiker und Vorbild der Form von Lehrbrief, die dann Seneca gebraucht, erkennen läßt
So beginnt die Abhandlung X 123 mit dem Satz: Ἃ δέ σοι συνεχῶς
παρήγγελον, ταῦτα καὶ πρᾶττε καὶ μελέτα, wodurch einerseits die Beziehung
zwischen Lehrer und Schüler angesprochen, andererseits die Verbindlichkeit der dargebrachten Lehren für den Schüler (doppelter Imperativ!) massiv unterstrichen wird. Der Brief schließt mit X 135: ταῦτα οὖν
καὶ τὰ τούτοις συγγενῆ μελέτα πρὸς σεαυτόν ἡμέρας καὶ νυκτός πρός τε τὸν ὅμοιον
σεαυτῷ, καὶ οὐδέποτε οὔθ᾽ ὕπαρ οὔτ᾽ ὄναρ διαταραχθήσῃ, ζήσεις δὲ ὡς θεός ἐν
ἀνθρώποις.[12]

Fassen wir nun diese kurze Betrachtung der Briefe Epikurs zusammen
und kehren zu Paulus und Seneca zurück: Gerade der Brief an Menoikeus belegt deutlich eine Möglichkeit griechisch-römischer Briefliteratur
die bei Seneca ihren Höhepunkt findet und zu einem Vergleich mit Paulu
herausfordert: Der Brief war als Literaturform geeignet, nicht nur philosophische Lehre, sondern auch philosophische Paränese zu vermitteln,
wobei er - gemäß der Theorie des Freundschaftsbriefes - auch die spezifische Beziehung zwischen Absender und Adressat zu seinem Wesen zu
machen in der Lage war, ja diesem innersten Kern sowohl Lehre wie Paränese unterzuordnen. Die unverkennbare Prägung erhielten diese Briefe durch das besondere Verhältnis, in dem Absender und Adressat zueinander standen. Und eben dieser philophronetisch-paränetische Lehrbrief bzw. lehrhaft-unterweisende Freundschaftsbrief, wie wir ihn zum
ersten Mal bei Epikur, vollendet dann bei Seneca finden, scheint auch
durch die Korintherbriefe des Paulus repräsentiert zu sein[13].

B. Der Vergleich zwischen Paulus und Seneca

1. Vorbemerkung

Wenn es richtig ist, daß die Briefe des Paulus hinsichtlich ihrer Funktion mit denen Epikurs und - mehr noch - mit denen Senecas vergleichbar sind[14], so legt es sich nahe, den Vergleich zwischen den beiden auf
einer Ebene durchzuführen, auf der die Funktion besonders deutlich zu
Vorschein kommt: auf der Ebene der Argumentationsformen und der Beweismittel. Im Hintergrund wird immer die spezifische Briefsituation, die
Paulus und Seneca verbindet[15], durchscheinen.

2. Die Zweiteilung des Briefes in einen lehrhaft-theoretischen und einen paränetischen Teil

Fundament der hier zu untersuchenden Zweiteilung der Argumentationsformen (und daraus folgenden Sprachformen) ist die in der Antike allgemein anerkannte Auffassung, daß Sprache bzw. Rede eine mehrfache
Funktion haben kann und immer hat, nämlich auf der einen Seite eine
eher kognitiv wirkende, zur Abhandlung von Sachverhalten geeignete,
auf der anderen Seite eine eher emotional-affektiv wirkende, die den Zuhörer oder Leser in seiner psychischen Haltung zu beeinflussen trachtet[16]. Daß diese beiden Bereiche und Wirkungsformen der Sprache nun
nicht rein und säuberlich voneinander zu trennen sind, daß zudem auch
die antike rhetorische Theorie in ihrer systematisch kompilativen Tendenz
bestensfalls die Phänomene zu benennen vermag, kaum aber tragfähige
Unterscheidungskriterien zwischen theoretisch-lehrhafter und paräneti-
scher Sprache zu liefern imstande ist, liegt daran, daß jeder Sprachgebrauch der utilitas causae[17] zu dienen hat, daß der Autor immer persuasio anstrebt und diesem Ziel den Einsatz verschiedener Argumentationsformen unterordnet. Unter diesem Gesichtspunkt ist auch die Zweiteilung des Briefes zu sehen, nämlich als die geordnete oder ungeordne-
te Verwendung zweier Argumentationsformen zum Zwecke der persuasio[18].

Gerade Seneca ist es nun, der nicht nur beide Argumentationsformen
kennt, sondern auch die Bedingungen ihrer Anwendung reflektiert:

ep.76,7: Quare autem unum sit bonum, quod honestum, dicam, quoniam
parum me exsecutum priore epistula iudicas magisque hanc
rem tibi laudatam quam probatam putas, et in artum, quae
dicta sunt, contraham.

Für uns ist an dieser Stelle die Beobachtung wichtig, daß Seneca den
Vorwurf, den Lucilius ihm macht, daß nämlich seine Argumentationsform der behandelten Sache nicht angemessen wäre, aufnimmt und
darauf eingeht: Die Frage quare autem unum sit bonum - so meint Lucilius - verlange nach probare und nicht nach laudare[19]. Seneca differenziert hier also zwischen zwei Argumentationsformen[20], wobei klar
wird, daß es die Situation des Lesers ist, die entscheidet, welche von
beiden zur Anwendung gelangt[21]. An dieser Stelle ist es also der Wunsch
bzw. Vorwurf des Adressaten, der als Bedingung der Anwendung einer
Argumentationsform auftritt und akzeptiert wird.

ep.85,1: iubes me quicquid est interrogationum aut nostrarum aut ad
traductionem nostram ex cogitatarum comprendere. Quod si facere
voluero, non erit epistula, sed liber. Illud totiens testor, hoc
me argumentorum genere non delectari. Pudet in aciem descendere pro dis hominibusque susceptam subula armatum[22].

An dieser Stelle erwähnt Seneca eine weitere, von der ep.76,6 verschiedene Bedingung der Anwendung einer Argumentationsform: der Brief
selbst eignet sich nicht für jeden Inhalt, von daher auch nicht für jede

Form, den Inhalt argumentativ zu entfalten[23]. Hinzu kommt, daß Seneca überhaupt - obwohl er weiß: moralibus rationalia inmixta sunt (ep. 102,4) - den reinen rationalia mit großer Distanz gegenübersteht, vornehmlich die streng logische Beweisführung und Erörterung ablehnt[24].

Drei Kriterien sind es also, die bei Seneca die Wahl zwischen den beiden prinzipiell möglichen Argumentationsformen ermöglichen:

- Die zu behandelnde Sache.

- Die Verstehensmöglichkeit der Adressaten.

- Die Anfragen der Adressaten.

Wenn nun in dieser Frage die Korintherbriefe des Paulus neben die Episteln Senecas gestellt werden, ist von vornherein eine Einschränkung nötig: Senecas epistulae morales sind ein einheitliches, aus mehreren corpora komponiertes Werk[25]. Von daher ist es nicht möglich, einfach einzelne Briefe neben die des Paulus zu stellen. Der Vergleich wird sich daher prinzipiell auf einzelne Textabschnitte beschränken[26]. Daß dies auch dem Aufbau und der Gestalt der beiden Korintherbriefe angemessen ist, liegt auf der Hand[27]. Gewöhnlich lassen sich ja die Paulusbriefe in zwei Hauptabschnitte einteilen: in einen ersten, lehrhaften und in einen zweiten, paränetischen[28].

Diese schematische Aufteilung ist bei den Korintherbriefen nicht möglich[29]. Trotzdem lassen sich genug Angaben des Paulus finden, wo er seine jeweilige Argumentationsform kritisch begründet. Dabei wird das Augenmerk besonders darauf zu richten sein, ob sich beim Apostel ähnliche Begründungen wie bei Seneca finden, ob er also die gleichen drei Kriterien für die Wahl der einen oder anderen Argumentationsform namhaft macht wie der römische Philosoph.

1 Kor 1,17: εὐαγγελίζεσθαι, οὐκ ἐν σοφίᾳ λόγου ... [30]. Im einzelnen ist sowohl die Konstruktion wie die Intention dieses Verses unsicher[31]. Sicher ist für unsere Fragestellung: Von der zu betreibenden Sache her (εὐαγγελίζεα ... ἵνα μὴ κενωθῇ ὁ σταυρὸς τοῦ Χριστοῦ) ist Paulus eine bestimmte Art zu red vorgegeben[32], was nun weitere Konsequenzen sowohl für den Inhalt als auch für Stil und Form der Argumentation hat[33].

1 Kor 2,1-5: Dieser kleine Abschnitt wirft ein deutliches Licht auf die Rede- und Argumentationsweise des Paulus. Er ist deutlich zweigeteilt[34] Im ersten Teil beschreibt Paulus sein Auftreten und seine Predigt in Korinth - und damit auch seine Argumentationsform - vom Zentrum seiner Verkündigung her (v.2: Ἰησοῦς Χριστός ... ἐσταυρωμένος)[35]; im zweiten geht er mehr von seiner Person aus[36], wobei er die für uns interessante Feststellung trifft: τὸ κήρυγμά μου οὐκ ἐν πειθοῖς σοφίας[37], ἀλλ'ἐν ἀποδείξει πνεύματος.

Wenn die Überlegungen zur Textkritik das richtige Ergebnis gebracht ha ben, so stellt hier Paulus deutlich πειθὼ σοφίας der ἀπόδειξις πνεύματος gegen über. Damit nimmt er aber zwei termini technici der Rhetorik auf: πείθω (=persuadere) meint die Gewinnung des Publikums für die Entscheidung über eine in Frage stehende Sache im Sinne des Redners[38], ἀπόδειξις hingegen den zwingenden Beweis aus zugestandenen Prämissen[39]. Der springende Punkt des Gegensatzes wird nun wohl dort zu sehen sein, wo πείθω gepaart wird mit der Aufforderung, das Wahrscheinliche (εἰκός) sei über das Wahre zu stellen - weil es mehr Überzeugungskraft habe[40], wohingegen die ἀπόδειξις den Charakter der zwingenden Überführung durch die Wahrheit aufweist[41]. Hier stehen also - was für unsere Beurteilung von 1 Kor 2,1-5 wichtig ist - zwei grundsätzlich verschiedene Auffassungen vom Wesen der Rhetorik einander gegenüber. Einmal die vornehmlich auf entsprechende Beeinflussung der Hörer abzielende persuasio, der Effektivität verpflichtet, zum anderen aber die Überzeugung der Hörer durch schlüssiges und beweiskräftiges Argumentieren, der Wahrheit verpflichtet. Paulus unterscheidet - wie es scheint ganz bewußt - zwischen diesen beiden und nimmt für sein Kerygma die apodeiktische Rede in Anspruch, allerdings mit dem qualifizierenden Zusatz: ἀπόδειξις πνεύματος.

1 Kor 2,6-9: Der Einsatz σοφίαν δὲ λαλοῦμεν ἐν τοῖς τελείοις κτλ. wirkt wie ein scharfer Gegensatz zu 2,5 (σοφία ἀνθρώπων). Trotzdem wird der Fortschritt der Argumentation deutlich: Paulus betont, daß er sehr wohl σοφία aufzuweisen habe, nicht aber für jedermann, sondern nur für τέλειοι. [42] Wie auch immer man die τέλειοι bestimmt[43], es ist klar, daß Paulus zwei Klassen von Gemeindegliedern und Hörern seiner Predigt (und Lesern seiner Briefe) unterscheidet[44] und dem entsprechend auch zwei Weisen der Vermittlung, zwei Arten der Argumentation.

1 Kor 3,1-4: Diese Verse stellen die Überleitung von 2,6-16 zu 3,5-17 dar[45]. In unserem Fragezusammenhang ist wichtig, daß 3,1-4 eine Explikation von 2,6-16 bietet, eine Explikation der Frage also, warum Paulus seine Weisheit für sich behalten habe. Paulus wechselt dabei die Terminologie: Aus dem Milieu der mysterienhaften Esoterik wechselt er hinüber in das der Pädagogik. Beidemale wahrt er - auch terminologisch - die Klassenspaltung, genauer gesagt: den Unterschied zwischen seiner religiösen Reife und der der Korinther[46]. Er bezeichnet sie als νήπιοι[47], die im besten Fall γάλα[48], nicht aber βρῶμα vertragen (ἔτι νῦν!). Zugespitzt wird das ganze auf den Vorwurf: σάρκινοί ἐστε[49], und nicht πνευματικοί, was sich ja deutlich an ζῆλος καὶ ἔρις zeigt[50]. Paulus differenziert also deutlich unter den Lesern seiner Briefe zwischen - um in seiner Terminologie zu bleiben - Pneumatikern und Sarkikern, jene erhalten "feste Speise" (3,2), Weisheit (2,6), diese aber Säuglingsnahrung (3,2); und das aber nicht etwa wegen außerhalb der Gemeinde zu suchender Gründe, sondern wegen ihres sarkischen Wandels (3,2)[51].

1 Kor 7,1; 8,1; 12,1; 16,1; 16,12: Paulus geht Punkt für Punkt auf schriftlich erfolgte Anfragen aus Korinth ein[52]. Die stereotype Einleitung περί + Genitiv ist nicht nur ein Hinweis auf den Charakter des Briefwechsels zwischen Paulus und den Korinthern, sondern jeweils auch Einleitung zu paränetischen Abschnitten, die allerdings mit lehrhaften Begründungen verwoben sind[53]. Was nun die Argumentationsform dieser

Abschnitte betrifft, so sind sie durch folgende Merkmale als paränetische ausgewiesen: Zuerst weist schon die Häufung von Imperativen darauf hin (7,2.3.5.11.12.13.15.17.18.19.20.21.24.36 usf.[54]), dann aber
besonders - nachdem es sich ja auch bei paränetischen um argumentative Texte handelt - die aus einem als Beispiel oder Vergleich dienenden Abschnitt zur "Applikation" bzw. "Adhortation" überleitenden
Phrasen und Wendungen:

1 Kor 4,16: παρακαλῶ οὖν ὑμᾶς, μιμηταί μου γίνεσθε. Οὖν zeigt an, daß dieser Vers den kleinen Abschnitt vv14f abschließt. An diesen beiden Versen ist die Pädagoge-Schüler bzw. Vater-Kinder Terminologie auffällig[55]
die in der konkreten Aufforderung: μιμηταί μου γίνεσθε gipfelt[56]. Zweierlei ist daran für uns wichtig: Zum einen das den Abschluß einer paränetischen Ausführung markierende οὖν + Imperativ[57], zum anderen der konkrete Inhalt der Adhortation (μιμηταί μου γίνεσθε), der ein deutliches Schlag-
licht auf die Beziehung zwischen Paulus und den Korinthern wirft[58]. Ein
anderes Beispiel: 1 Kor 7,17-23 endet v23 mit der "abrundenden
Aufforderung"[59] μὴ γίνεσθε κτλ.

1 Kor 7,25-40 bringt - bevor Paulus v36-40 auf ein Einzelproblem eingeht - v35 eine allgemeine Absichtserklärung der paulinischen Paränese,
die durchaus Aufforderungscharakter aufweist: τοῦτο δὲ πρὸς τὸ ὑμῶν αὐτῶν
σύμφορον λέγω, οὐχ ἵνα βρόχον ὑμῖν ἐπιβάλω, ἀλλά κτλ[60]; 1 Kor 8,1-13[61] endet
v13 mit der Konsequenz: διόπερ[62] εἰ βρῶμα σκανδαλίζει τὸν ἀδελφόν μου ...,
eine allgemeine Ausführung zum Verhältnis von Freiheit (der Erkenntnis) und Liebe (Begründung v11): Die grundsätzliche Freiheit bleibt gewahrt, erweist sich aber nicht zuletzt in ihrem Verzicht als mächtig[63/64].

1 Kor 14,26-33 τί οὖν ἐστιν, ἀδελφοί; mit dieser Zwischenfrage[65] leitet Paulus zur praktischen Anweisung über (πάντα πρὸς οἰκοδομὴν γινέσθω)[66]. Dazwi-
schen die rhetorisch wirkungsvolle Aufzählung[67] der verschiedenen got-
tesdienstlichen Elemente[68]. Ähnlich wie Paulus bringt auch Seneca am
Schluß paränetisch-argumentativer Abschnitte Applikationen und Adhor-
tationen: ep 15,8: Abschluß seiner Ausführungen über Sport (§ 4f) und
Stimmübungen (§ 6f): ergo utcumque tibi impetus animi suaserit, modo
vehementius fac convicium, modo lentius, prout vox quoque te hortabitur,
in id latus. ep 18,12: Incipe ergo, mi Lucili, sequi horum (= Epicuri et
al.) consuetudinem et aliquos dies destina ... ep 19,12: Quid ergo[69]?
Beneficia non parant amicitias? Parant ... Itaque[70] dum incipis esse men-
tis tuae, interim hoc consilio sapientium utere, ... ep 24,11f: Mihi crede,
Lucili, adeo mors timenda non est, ut beneficio eius nihil timendum sit.
Securus itaque inimici minas audi[71].

ep 45,12: Quid ergo? Non eo potius curam transferes, ut ostendas omni-
bus mago temporis inpendio quaeri supervacua et multos transisse vi-
tam, ...

ep 74,9: Secedamus itaque ab istis ludis et demus raptoribus locum[72];

ep 74,19: Ideo adhibebitur prudentia ...

ep 73,10: Confitebitur ergor multum se debere ei, ... usw.

Paulus und Seneca zeigen also beide die Unterscheidung zweier Argumentationsformen, deren eine - die paränetische - bei beiden Autoren überein-
stimmende Kennzeichen aufweist: Sie ist verwoben mit ausgeführten Ar-
gumentationsgängen, die mit einer Applikation (quid ergo? τί οὖν ἐστιν;)
bzw. Adhortation (ergo, itaque, διόπερ) abgeschlossen werden. Die Wahl
zwischen den beiden Argumentationsformen treffen beide unter denselben
drei Kriterien, nämlich der zu behandelnden Sache, der Verstehensmöglichkeit der Adressaten und den Anfragen der Adressaten. Letzlich ist
damit für die Wahl einer Argumentationsform die Briefsituation ausschlaggebend[73].

Paulus und Seneca stehen also ganz in der Tradition des griechisch-latei-
nischen Lehrbriefes, der im Besonderen durch das Lehrer-Schüler bzw.
Apostel-Gemeinde Verhältnis seinen Charakter erhält und die geeignetste
Form der paränetischen Belehrung wird[74].

3. Die von Paulus und Seneca verwendeten Beweismittel

Die für diesen Abschnitt leitende Frage soll sein, ob sich für Paulus und
Seneca ein übereinstimmender Gebrauch von Beweismitteln und -hilfen
aufzeigen läßt und auf welchen briefspezifischen Hintergrund dieser Gebrauch verweist. Dabei soll bewußt der Vergleich über den Stil der Diatribe ausgeklammert bleiben[75], denn es geht dabei eben nicht um Fragen des Stils, sondern um einzelne Mittel der Argumentation mit beweisender bzw. Überzeugung bewirkender Funktion.

a) Die Ablehnung des Syllogismus

Sowohl bei Paulus als auch bei Seneca wird der Syllogismus als logische
Pedanterie durch andere, "briefgerechtere", Arten des Beweises ersetzt.

Sen. ep 76,10 bringt zwar einen ausgeführten Syllogismus[76], trotzdem
überwiegen bei Seneca die Stellen, an denen er Syllogismen entweder
ad absurdum führt[77] oder als sinnlos hinstellt[78].

Der klassische Beleg für diese Haltung bei Paulus ist 1 Kor 2,1ff[79]. Auffällig ist nun als erstes, daß Paulus und Seneca ihre Zurückhaltung gegenüber streng logischer Beweisführung jeweils von der Sache her, die
sie vertreten, begründen[80]. Dahinter steht bei beiden wohl auch ihre
Observanz gegenüber der rhetorischen Tradition, die den Syllogismus
der Philosophie im engeren Sinn und ihrer Suche nach vera zuschrieb,
während sie ihre Beweismittel zum Aufspüren von credibilia einsetzte[81].
Der dem Syllogismus entsprechende Beweis ist in der Rhetorik das Enthymem[82]. Zudem entspricht diese Zurückhaltung ganz der Forderung
für den gepflegten Freundschaftsbrief, wie sie von den Brieftheoreti-
kern aufgestellt wurde[83].

Von da aus stellt sich nun folgerichtig die Frage: Gibt es bei Seneca
bzw. Paulus den rede- und briefgerechten Beweis schlechthin, das
Enthymem?

b) Das Enthymen

Sen. ep 85,19f: Si deorum vita nihil habet maius aut melius, beata autem vita divina est; nihil habet, in quod amplius possit attolli. Praeterea si beata vita nullius est indigens, omnis beata vita perfecta est[84].

ep 13,9: Nulli itaque tam perniciosi, tam inrevocabiles quam lymphatici metus sunt. Ceteri enim sine ratione, hi sine mente sunt.

Der Beweis ist umgekehrt in eine Behauptung mit Begründung (enim). Die logische Unvollkommenheit ist deutlich, zu ergänzen wäre etwa: metus enim sine mente lymphatici sunt.

ep 22,11f Sed si deponere illam in animo est et libertas bona fide placuit, in hoc autem unum advocationem petis, ut sine perpetua sollicitudine id tibi facere contingat, quidni tota te cohors Stoicorum probatura sit?

Dieses Beispiel einer logisch verkürzten Beweisführung ist doppelt interessant: Zuerst wegen der Frageform[85], dann aber wegen der direkten Anrede (petis - tibi facere - te), die deutlich zeigt, daß es Seneca nicht etwa auf formal richtige Beweise anlegt, sondern auf Überzeugung des Lucilius[86].

ep 45,11: quod bonum est, utique necessarium est; quod necessarium est, non utique bonum est, quoniam quidem necessaria sunt quaedam eadem vilissima.

Wiederum ein Beweis, der in seinem logisch formalen Aufbau gegenüber einem Syllogismus erhebliche Mängel aufweist[87], nichtsdestoweniger von starker Überzeugungskraft ist[88].

ep 85,24: qui fortis est, sine timore est. Qui sine timore est, sine tristitia est. Qui sine tristitia est, beatus est.

Seneca setzt hinzu: nostrorum haec interrogatio est. Diese Art des fortschreitenden (logisch unvollkommenen) Schlusses heißt Kettenschluß (collectio[89]).

Paulus 1 Kor 15,13-19: εἰ δὲ ἀνάστασις νεκρῶν οὐκ ἔστιν,
οὐδὲ Χριστὸς ἐγήγερται·
εἰ δὲ Χριστὸς οὐκ ἐγήγερται,
κενὸν ἄρα καὶ τὸ κήρυγμα ἡμῶν,
κενὴ καὶ ἡ πίστις ὑμῶν, ...[90]
...

εἰ γὰρ νεκροὶ οὐκ ἐγείρονται,
οὐδὲ Χριστὸς ἐγήγερται·
εἰ δὲ Χριστὸς οὐκ ἐγήγερται,
ματαία ἡ πίστις ὑμῶν,
ἔτι ἐστὲ ἐν ταῖς ἁμαρτίαις ὑμῶν.

Zur Stellung dieses Abschnittes im Kontext von Kap 15[91]: Paulus setzt mit γνωρίζω unvermittelt ein.

Aus 15,1-11 wird nicht ganz klar, was er nun eigentlich mitteilen will[92]. Erst 15,12 bringt Aufklärung: Einige Korinther leugnen die Auferstehung der Toten[93].

Gegen diese Behauptung wendet sich Paulus - im ganzen Kap 15! Zentrum seiner Argumentation (refutatio = Widerlegung der gegnerischen Meinung) sind nun die Verse 12-19[94]. Der Beweisgang ist doppelt[95]: Zuerst v13-15 (Zuspitzung auf Paulus), dann v16-18 (Zuspitzung auf die Korinther), schließlich v19 mit stark affektischem Abschluß (Ziel: commovere[96]).

1 Kor 11,3-15: Stark die Affekte der Leser angreifend zieht Paulus aus v10 die Konsequenz: Die harte Gleichstellung mit der Geschorenen soll seine Forderung durchsetzen, daß keine Frau unverhüllt geht[97].

2 Kor 4,10-12: Die in dem unerwarteten Paradox v12 gipfelnde (stark mystisch geprägte) "Beweisführung"[98] erinnert - formal - an Sen., ep 85,24. Hier wie da schwebt die collectio zwischen gradatio[99] und reduplicatio[100] und zeigt damit deutlich ihr affektisch-persuasives Interesse[101].

c) Sentenzen

Sentenzen dienen nicht allein der Zierde der Rede (ornatus), sie gelten auch - wegen ihrer Herkunft von und Verwandtschaft mit dem Urteilsspruch des Gerichtes (iudicatum[102]) - als Beweishilfe, ja können sogar, sofern sie mit einer Begründung verbunden sind, als regelrechte Beweise bezeichnet werden[103]. Auf jeden Fall ist die Zielsetzung der Sentenz stets die Beeinflussung des Hörers bzw. seines Handelns im ethisch-sozialen Bereich[104]. Bei Seneca findet sich eine Vielzahl von Sentenzen[105]. Hier nur einige Beispiele:

ep 14,10: Multis timendi attulit causas timeri posse[106]. Undique nos reducamus; non minus contemni quam suspici nocet[107].

ep 40,4 : Quid, quod haec oratio, quae sanandis mentibus adhibebetur descendere in nos debet? Remedia non prosunt, nisi inmorantur[108].

ep 42,7 : nihil est cuique se vilius.

ep 47,19: verberibus muta admonentur.

ep 77,15: Nam vita, si moriendi virtus abest, servitus est[109].

Nun zu den Sentenzen bei Paulus:

1 Kor 5,6b: μικρὰ ζύμη ὅλον τό φύραμα ζυμοῖ[110]
1 Kor 15,33: φθείρουσιν ἤθη χρηστὰ ὁμιλίαι κακαί.[111]
2 Kor 6,14b[112]: τίς κοινωνία φωτὶ πρὸς σκότος;[113]

d) Auctoritas

Die auctoritas steht - innerhalb des rhetorischen Systems - dem exemplum
nahe, weil sie wie dieses auf einer geschichtlichen Begebenheit oder Person beruht[114], berührt sich aber - von der Funktion her - mit dem iudicatum[115]. Wegen ihrer Allgemeingültigkeit und (scheinbaren) Parteifrei-
heit eignet der auctoritas außerordentlich große Überzeugungskraft[116].
Was nun im einzelnen innerhalb eines bestimmten Kommunikationsgefüges als
Autorität gilt, hängt nicht zuletzt von den Bedingungen und Voraussset-
zungen ab, unter denen die Partner in das Kommunikationsgeschehen
eintreten[117]. Für unseren Vergleich zwischen Paulus und Seneca heißt
das: Die von beiden zitierten Autoritäten sind insofern verschieden, als
Seneca und Lucilius ein anderes Kommunikationsgefüge abgeben als Paulus und die Korinther. Nichtsdestoweniger hat das Anführen von Autoritäten durch Paulus und Seneca ein und denselben Zweck: Vornehmlich
in Abschnitten präskriptiver Sprache (Paränesen) sollen sie das Verhalten der Adressaten beeinflussen[118]. So finden wir bei Seneca Dichterzitate (v.a.Vergil), Philosophenzitate (v.a. Epikur), den Typ des "Weisen
schlechthin" als Autorität (v.a.Cato); bei Paulus hingegen LXX-Zitate,
Herrenworte. Beiden gemeinsam ist der Einsatz der eigenen Person als
Autorität[119].

Seneca:

Dichterzitate: ep 41,2;78,16;84,5;108,23.24 u.ö[120].
Philosophenzitate: ep 12,10;26,8;66,19.45ff;78,7ff u.ö[121].
Der Typ des Weisen: ep 24,6ff;67,7;71,8;9427;95,69 u.ö[122].

Paulus:

LXX-Zitate: 1 Kor 1,19.31;2,9.16;5,13;6,16;9,9.13;10,7.26;
           14,21;15,25.45;2 Kor 3,16;4,6;6,2;8,15;9,9 u.ö[123].

Herrenworte: 1 Kor 7,10;9,14[124]

Gemeinsam setzen Paulus und Seneca vornehmlich das "autoritative Ich",
also die eigene Person als auctoritas ein[125]:

Sen. ep 78,5 (ego tibi illud praecipio[126]); 12,11;39,13;59,6;95,65f;
       80,1.8;83,13 u.ö.

Paulus[127]: 1 Kor 7,25;2,1-4;8,13;
         2 Kor 8,10[128]; 4,7-15 u.ö.

Wir sehen also: Gerade in der Frage der jeweils gültigen Autorität ergeben sich zwischen Paulus und Seneca erstaunliche Parallelen. Besonders hinsichtlich der Autorität ihrer eigenen Person sind sie sich einig
und setzen sie entsprechend ein[129]. Dies wirft nicht nur ein wichtiges
Licht auf die Briefe der beiden, sondern auch auf die Struktur des Leh-
rer/Apostel-Schüler/Gemeinde Verhältnisses[130]. Ihre Briefe sind als
autoritativ verfaßte Belehrungsschreiben mit Anspruch auf Observanz
durch die Leser zu verstehen.

e) Exemplum

Das exemplum ist - sprachlich gesehen - ein Sonderfall der similitudo, von seiner Funktion her steht es aber der auctoritas nahe. Exemplum im engen Sinn des Wortes bezeichnet historische Tatsachen (Personen oder Ereignisse), die in einem Argumentationsverlauf als Beweishilfen eingesetzt werden[131]. Seneca betont selbst die unumstößliche Geltung und unbestreitbare Überzeugungskraft seiner (zahlreichen) exempla[132]. Die meisten entnimmt er der römischen Geschichte (ep.67,12: ita tu non putas Regulum optasse, ut ad Poenos perveniret?; 24,9f: facilius autem exhortabor, si ostendero non fortes tantum viros hoc momentum efflandae animae contempsisse, sed quosdam ad alia ignavos in hac re aequasse animum fortissimorum, sicut illum Cn.Pompei socerum Scipionem, qui etc.[133]

Paulus bringt - im Vergleich zu Seneca - wenig exempla.

Ein gutes Beispiel findet sich aber:

1 Kor 10,1-13: Obzwar selbstverständlich die Auslegung der Exodustradition an unserer Stelle ganz der hellenistisch-jüdischen Exegese entspricht[134], nimmt doch der Passus im Argumentationsgang die Rolle eines exemplum ein[135]. Denn 1 Kor 10,1-13 erfüllt alle Bedingungen, unter denen das exemplum von der Schulrhetorik definiert wird:

(a) Inhalt: res gesta[136]: Dem entsprechen die historischen Beispiele bei Seneca.

(b) Form: commemoratio. Gekennzeichnet durch die Einleitungsformel: οὐ θέλω ὑμᾶς ἀγνοεῖν [137]. Auch die Überleitung v14 (διόπερ ... φεύγετε) entspricht als konsequent folgende Adhortation dem bereits bekannten Schema[138].

(c) Funktion: Wie aus v14 hervorgeht, hat das exemplum die Funktion, die Korinther von jeglicher Idololatrie abzuhalten, von der ja seit Kap.8 die Rede war. Somit dient das exemplum hier der utilitas causae.

f) Similitudo

Die similitudo (παραβολή)[139] ist der allgemeine Fall eines exemplum, insofern sie inhaltlich nicht auf eine res gesta beschränkt ist, sondern den gesamten Bereich der Natur und des allgemeinen Menschenlebens ausschöpft[140]. Von daher verlangen similitudines keinen besonderen Bildungsstand bei den Lesern, da sie nicht Kenntnisse gewisser res gestae voraussetzen. Trotzdem ist ihre Beweiskraft sehr hoch.

Seneca ep.13,1-3: Einen Vergleich aus dem Kampfsport schließt Seneca (§3): Ergo, ut similitudinem istam prosequar, saepe iam fortuna supra te fuit, nec tamen tradidisti te, sed subsiluisti et acrior constitisti. ep.59,6: Invenio imagines, quibus si quis nos uti vetat et poetis illas solis iudicat esse concessas, neminem mihi videtur ex antiquis legisse, apud quos nondum captabatur plausibilis oratio.

ep.59,6-8 bringt verschiedene imagines aus dem Militärwesen.

Paulus: 1 Kor 9,24-27: Der Abschnitt ist in sich geschlossen. Seine Stellung im Kontext ist allerdings umstritten[141]. Paulus führt ein vornehmlich in der Diatribe beheimatetes Bild[142] mit der Formel οὐκ οἴδατε[143] ein. Die Sache, zu der diese similitudo die beweisende Hilfestellung abgibt, ist deutlich: Paulus deutet bereits v25 durch den Gegensatz φθαρτόν – ἄφθαρτον an, worauf er hinaus will: Die Korinther sollen sich - wie er selbst - besonders bemühen (ἐγκρατεύεται v25), um συγκοινωνοί τοῦ εὐαγγελίου (v23) zu werden[144].

Gerade zu diesem Bild gibt es nun eine Entsprechung bei Seneca: ep. 78,16: Athletae quantum plagarum ore, quantum toto corpore excipiunt? Ferunt tamen omne tormentum gloriae cupiditate nec tantum quia pugnant, ista patiuntur, sed ut pugnent. Exercitatio ipsa tormentum est. Nos quoque evincamus omnia, quorum praemium non corona nec palma est nec tubicen praedicationi nominis nostri silentium faciens, sed virtus et firmitas animi et pax in ceterum parta, si semel in aliquo certamine debellata fortuna est[145].

1 Kor 15,36-41: Eigentlich zwei similitudines, die erste v36-38 über das Weizenkorn, die zweite v39-41 über die unterschiedlichen Leiber[146] in der Natur[147].

2 Kor 10,4f: Ausgehend von v3b (οὐ κατὰ σάρκα στρατευόμεθα) beschreibt Paulus seinen apostolischen Dienst als den eines Feldherrn[148]. Das Militärwesen als Vergleichsmaterial war weit verbreitet[149], wichtige Beispiele gibt es auch bei Seneca: ep.59,7: movit me imago ... posita: ire quadrato agmine exercitum, ubi hostis ab omni parte suspectus est, pugnae paratum ... quod in exercitibus iis, quos imperatores magni ordinant, fiere videmus[150] ...

g) Fabula

Die Fabel gilt in der Rhetorik als exemplum, und zwar als poetisches im Gegensatz zum historischen. Das poetische exemplum (fabula) hat seine Wirkung weniger hinsichtlich der Glaubwürdigkeit, sondern als ornatus bzw. Pathosmittel[151]. Dies betrifft aber vornehmlich die hohe Klasse der Fabeln (poetica fabula[152]), von der die niedrige Klasse der fabellae unterschieden wird[153]. Diese nun gelten als deliberatives Überzeugungsmittel vor ungebildetem Publikum, haben also die Funktion eines Beweismittels[154].

Es ist nun sehr interessant, daß das Musterbeispiel einer fabella in den Korintherbriefen (1 Kor 12,12-26) von der Schulrhetorik erwähnt wird: Quint.5,11,19: ..., siquidem et Menenius Agrippa plebem cum patribus in gratiam traditur reduxisse nota illa de membris humanis adversus ventrem discordantibus fabula; ...

Aber nicht nur von der Schulrhetorik wurde die Fabel des Menenius Agrippa[155] als Musterbeispiel geführt, auch in der stoischen Popularphilosophie fand sie weite Verbreitung[156]. Die Annahme liegt nahe und ist begründet, daß es sich bei ihr um traditionelles Schulgut handelte[157].

Von daher verwundert es nicht, diese Fabel auch bei Seneca zu finden: ep.95,52: omne hoc, quod vides, quo divina atque humana conclusa sunt, unum est; membra sumus corporis magni. Natura nos cognatos edidit, cum ex isdem et in eadem gigneret. Haec nobis amorem indidit mutuum et sociabiles fecit. Illa aequum iustumque composuit; ex illius constituione miserius est nocere quam laedi. Ex illius imperio paratae sint iuvandis manus.

Zusammenfassung

1.) Die Korintherbriefe des Paulus sind stark geprägt von der antiken Brieftheorie, vornehmlich der des Freundschaftsbriefes. Diese Prägung zeigt sich durch briefspezifische Topoi, Phrasen und Wendungen.

2.) Die Korintherbriefe zeigen große Ähnlichkeit mit Senecas ep.mor., und zwar hinsichtlich der Argumentationsformen, Beweismittel und - hilfen. Beide stehen in der Tradition des philosophischen Lehrbriefes und auf dem Boden der Schulrhetorik[158].

3.) Beiden gemeinsam ist zudem die Briefsituation, die durch das Lehrer/Apostel-Schüler/Gemeinde Verhältnis bestimmt ist[159].

4.) Die Korintherbriefe sind multifunktionale literarische Gebrauchsformen, also Literatur[160].

II. TEIL:

RHETORISCHE DISPOSITION IM 1 KORINTHERBRIEF

I. Grundzüge der Dispositionskunst

1. Bemerkungen zum Rhetorikbegriff

Viele und nicht geringe Ressentiments gegen die Rhetorik im allgemeinen und im besonderen dann, wenn sie im Zusammenhang mit Schriften des Neuen Testamentes erwähnt wird, gehen auf ein Verständnis der ars bene dicendi zurück, das diese in einem pejorativen Sinne auffaßt, etwa - wie Kant treffend formuliert - als "Maschine der Überredung"[1]. Und Kant war es auch, der in seiner "Kritik der Urteilskraft" dieses Ressentiment begründete und Rhetorik als "Wohlredenheit" abqualifizierte[2]. Obgleich es ganz deutlich ist, daß der Königsberger Philosoph bei seinen Urteilen das Zerrbild der corrupta eloquentia des ausgehenden Barock vor sich hatte[3], ja daß er selbst sehr wohl zu differenzieren wußte zwischen eben der bloßen Wohlredenheit und einem verantwortungsvollen und engagierten Sprachgebrauch durch den Redner[4], scheint er doch der Gewährsmann geworden und weiterhin geblieben zu sein für all jene, die unter Rhetorik nach wie vor bloße Effekthascherei und Manipulation durch Sprache verstanden. In der Paulusforschung schlug sich dieses Ressentiment gegenüber der Rhetorik nieder in der Alternative "bewußte Schulrhetorik" und "völlig ungesuchte Rhetorik des Herzens"[5], wobei der zweiten zumeist ein gewisser Vorrang eingeräumt wurde[6]. Mit dieser Alternative verkennt aber der Interpret, was H.-G.Gadamer lapidar ausdrückt: "Die Ubiquität der Rhetorik ist eine unbeschränkte".[7] Denn Rhetorik ist - nach Gadamer - "das Positiv zu dem Negativ der sprachlichen Auslegungskunst" (S. 114). Sie gehört also - ebenso wie die Hermeneutik - zur universalen Sprachlichkeit menschlichen In-der-Welt-Seins und so zu diesem selbst dazu[8]. Erst auf dieser grundlegenden Feststellung ist die Beobachtung zu verstehen, daß der Rhetorik in der Tat eine merkwürdige "Ambivalenz von Überzeugung und Überredung"[9] anhaftet, was vorerst nicht mehr aber auch nicht weniger zur Folge hat, als eine notwendige Unterscheidung zwischen gutem und schlechtem Gebrauch der ars bene dicendi. Diese grundsätzliche Ambivalenz der Rhetorik gründet darin, daß sie gegenüber der Intention des Redners indifferent bleibt, womit nach wie vor gilt, was Augustin (de doctr.chr. 4,2,3,) sagt: nam cum per artem rhetoricam et vera suadeantur et falsa ... Dabei ist es die rhetorische Analyse selbst, die der "Verzauberung des Bewußtseins durch die Macht der Rede"[10] entgegentritt und so einen notwendigen Schritt innerhalb der hermeneutischen Reflexion darstellt. Aber zurück zur Alternative "Schulrhetorik" und "Rhetorik des Herzens": Hinter diesen Formulierungen steht nämlich einerseits der Gegensatz von ars und natura, andererseits das Verhältnis von Redner (artifex) und Rede (opus). Beide Problembereiche wurden von den antiken Theoretikern der Rhetorik ausführlich diskutiert. Hier nur kurz die wichtigsten Gedanken dazu: Rhetorik wird definiert als ars bene dicendi[11]. Der Begriff ars (τέχνη) ist hier im Gegensatz zu sehen zu natura (φύσις) und casus (τύχη)[12]. Er zielt - was die Rhetorik betrifft - im Wesentlichen auf die Lehr- und Lernbarkeit gewisser Inhalte und Regeln ab[13]. Dabei steht die ars vornehmlich in einem engen Verhältnis zur natura, insofern diese die feste Voraussetzung aller ars ist[14], ein Primat, der sogar in der zugespitzten Frage auftaucht: an rhetorice ars sit (Quint. 2,17,1). Mit diesem vorausgesetzten Primat der natura rückt nun aber die Person des Redners selbst ins Blickfeld. Folgerichtig kann das bene in der gegebenen Definition der Rhetorik (ars bene dicendi) nicht einseitig auf die virtutes des opus (also der Rede) beschränkt werden, sondern muß auch den artifex, also den Redner, einbeziehen[15]. Die "gute" Rede stellt also den Redner vor ein ethisches Problem: Rhetorik wird ja dann zur bloßen Wohlredenheit, zur Maschine der Überredung, wenn der Redner das Ethos gegenüber dem Pathos vernachlässigt[16]. Die ars bene dicendi setzt also den vir bonus voraus. Von daher können wir Rhetorik definieren als die Theorie der überzeugenden Rede eines Überzeugten[17].

2. Paulus und die rhetorische Tradition

Als Ausgangspunkt für weitere Überlegungen zur näheren Bestimmung des Verhältnisses zwischen Paulus und der rhetorischen Theorie seiner Zeit gehen wir von 1 Kor 2,1-5 aus. In diesem Abschnitt, in dem Paulus sein eigenes Rhetorikverständnis - exemplifiziert an seiner Predigtweise - als Argument gegen die Überhebung gewisser Korinther anführt, wird schlaglichtartig deutlich, wo die Gemeinsamkeiten, aber vornehmlich die Differenzen zwischen dem Apostel und der traditionellen Schulrhetorik liegen. Paulus setzt ja in diesen Versen πειθὼ σοφίας[1] und ἀπόδειξις πνεύματος καὶ δυνάμεως[2] einander gegenüber. Damit differenziert er selber sehr klar zwischen der Rede als bloßer persuasio (denn das ist mit πειθὼ gemeint[3]!) und der Rede als Prozeß der Meinungsbildung und Überzeugung durch Beweise und Argumente[4]. Von daher können wir festhalten, daß Paulus sich der grundsätzlichen Spannung zwischen Überreden und Überzeugen, in der die Rhetorik steht, sehr wohl bewußt war und sich aufgrund des κήρυγμα für die ἀπόδειξις entschied, ἵνα ἡ πίστις ὑμῶν μὴ ᾖ ἐν σοφίᾳ ἀνθρώπων ἀλλ᾽ ἐν δυνάμει θεοῦ.

Er stellt sich damit ganz deutlich in die stoische Tradition, für die "ὀρθῶς λέγειν synonym ist mit ἀληθὲς λέγειν"[5]. Die von ihm so abgelehnte Tradition ist dann vornehmlich die sophistisch beeinflußte Theorie der Gerichtsrede als bewußte und planvolle Überredung[6].

Wie nun diese, vornehmlich von der Praxis der forensischen Rede beeinflußte Schulrhetorik die planmäßige Gestaltung einer Rede, also die Disposition, vorsah, wollen wir uns kurz vor Augen führen, um auf diesem

Hintergrund bei der Analyse der beiden Abschnitte der Korintherbriefe
(1 Kor 1,10-4,21; 15) die Partizipation des Paulus an dieser Tradition,
aber auch seine kritische Distanz zu ihr, festzustellen.

Die dispositio ist die plan- und kunstvolle Anordnung der Gedanken im
Hinblick auf die dem Redner bzw. seiner Partei dienende utilitas. Um diese Parteidienlichkeit durch die dispositio zu unterstützen, stehen dem
Redner zwei Arten des ordo (τάξις) zur Verfügung: der ordo naturalis
und der ordo artificialis[7]. Als ordo naturalis gilt prinzipiell eine logisch
fortschreitende Abfolge der Gedanken (etwa in der argumentatio) oder
das Einhalten der Chronologie (etwa in der narratio[8]); auf das Ganze einer Rede bezogen kann die Abfolge: exordium - narratio - argumentatio
peroratio als ordo naturalis angesehen werden[9]. Die Abweichung von dieser Reihenfolge ließe sich dann als ordo artificialis bezeichnen[10], dessen
Notwendigkeit allein durch die utilitas causae gegeben ist[11].

Welche Kriterien lassen sich nun dafür angeben, wann in der dispositio
der Rede vom ordo naturalis abgewichen und der ordo artificialis gewählt werden muß?

Das erste Kriterium bestimmt sich von den genera orationis her: Gerade
die Gerichtsrede (genus iudiciale) ist, da ihre causa im Regelfall eine
controversia einschließt, da zudem das Urteil nicht nur von starren Gesetzen, sondern vom Ermessen der Richter abhängt, wesentlich auf Überzeugung und Beeinflussung der Zuhörer (Richter) ausgerichtet. Der
forensische Redner - davon ist auszugehen - will nicht etwa eine Sache
richtig oder wahr darstellen, sondern die Hörer von einer bestimmten
(seiner) Meinung überzeugen, ja ihnen diese Meinung durch persuasive
Mittel auch einreden[12]. Damit dies aber gelingt, ist der Redner oft gezwungen, seine Kunst zu verbergen. Die Rede muß, wenn das Überzeugungsziel erreicht werden soll, einfach, kunstlos, nur der Sache verpflichtet erscheinen und wirken[13]. Daraus folgt auch, daß alle affektischen und Überzeugungsmittel (etwa die officia des conciliare und commovere) nur unmerklich, wie beiläufig eingesetzt werden dürfen, höchstens gegen den Schluß der Rede zu stärker hervortreten (etwa in der
probatio oder der refutatio), um erst in der peroratio mit voller Wucht
hervorzubrechen[14].

Die Forderung nach der planvollen Gestaltung betrifft nun in besonderer Weise die dispositio. Gerade durch den durchdachten und planvollen Aufbau der Rede (der dem Zuhörer verborgen bleibt) ist es dem
Redner möglich, sein Ziel zu erreichen. Dabei soll die Rede locker, wie
improvisiert und nicht wie zu Hause genau vorbereitet wirken[15]. Dies
geschieht z.B. dadurch, daß Gliederungseinschnitte verborgen, Über-
gänge überspielt[16] und füllende ("verschleiernde") Redewendungen
eingeflochten werden[17]. Dazu kann kommen, daß der Redner durch geschickte dispositio Gedanken, die er erst später ausführlich und mit Gewicht zu behandeln gedenkt, bereits früher in nahezu beiläufiger Form
andeutet bzw. anklingen läßt[18]. Dadurch nimmt der Zuhörer den Gedanken arglos auf und ist offen für die Überzeugung[19]. Es können auch (s

fern es die utilitas causae erfordert) Teile der Rede ausgelassen[20] und die logische bzw. chronologische Abfolge in Redeteilen (etwa der narratio) umgestellt werden[21]. In der narratio, die ja die Sachlage schildert und im parteigünstigen Lichte darstellt, muß alles Persuasive und Unsachliche am sorgfältigsten verborgen werden[22]. Die Forderung nach dissimulatio artis betrifft nun nicht nur die dispositio der Rede, sondern auch die elocutio, besonders den ornatus orationis.

Von den einzelnen virtutes der Rede[23] ist der ornatus die höchste, hilft er doch mit, die im exordium angestrebte Geneigtheit der Zuhörer zu erhalten, die credibilitas der narratio zu untermauern und schließlich zur Erreichung der fides beizutragen[24].

Wie bei der dispositio gilt auch bezüglich des ornatus: Seine rechte Verwendung richtet sich nach der utilitas causae. Auf die drei genera orationis[25] bezogen heißt dies: Das genus demonstrativum verlangt am meisten nach dem Einsatz schmückender Mittel[26], das genus iudiciale am wenigsten[27]. Dies muß aber nicht starr für alle Reden gelten: In demonstrativen Partien oder Teilen von Reden, die als ganze dem genus iudiciale zuzurechnen sind, kann der ornatus ruhig stärker hervortreten. Dies hängt damit zusammen, daß in der forensischen Rhetorik die wahre Kunst des Redners darin besteht, sowohl dispositio als auch elocutio zu verbergen. Als Faustregel gilt dabei: Je unsicherer die Zustimmung der Zuhörer, desto notwendiger ist die überlegte dispositio[28]. Die Kunstlosigkeit dieser Reden ist nur scheinbar[29]. Die Aufgabe des Interpreten besteht darin, die dissimulatio zu durchschauen und den verborgenen Plan ans Licht zu bringen[30].

II. Die Dispositionskunst des Paulus

A. Vorbemerkungen

Im folgenden geht es darum, die Dispositionskunst des Paulus durch Analyse zweier Abschnitte des 1 Kor darzustellen. Besonderes Augenmerk wird dabei der dispositio zu widmen sein.

Als Faustregel galt: Je unsicherer die Zustimmung der Zuhörer, desto notwendiger ist die überlegte Disposition[1]. Auf die Korintherbriefe übertragen heißt dies: Die Abschnitte, in denen Paulus sich vordringlich veranlaßt fühlt, auf Mißstände in der Gemeinde einzugehen, ihm widersprechende Ansichten zu widerlegen und gegen ihn gerichtete Angriffe abzuwehren (hier in besonderer Weise!), werden zugleich diejenigen sein, die eine kunstvoll verborgene und planvoll überlegte Disposition aufweisen. Dabei wird die Unsicherheit der Zustimmung (und somit der Grad der dissimulatio) umso höher sein, je glaubwürdiger die kontroverse Meinung ist, je gekonnter und überzeugender sie vorgebracht wird (d.h. je gebildeter ihre Proponenten sind) und je größer der Einfluß der Proponenten auf Teile der Gemeinde oder die ganze Gemeinde ist[2].

Umgekehrt gibt dies auch die Richtung des analytischen Vorgehens an:
Je mehr Paulus seine Kunst verbirgt, desto eher ist die Annahme gerech[t]
fertigt, daß seine eigentlichen Gesprächspartner in den Briefen oder in
Teilen der Briefe in der jeweiligen Gemeinde einen gewissen Einfluß
besaßen und ein gewisses Maß an Bildung aufweisen konnten[3]. Ob Paulus dies nun intendiert hat oder nicht[4]: Er paßt sich in seinen Briefen
(oder Teilen seiner Briefe) den Erwartungen und dem Standard der meh[r]
oder weniger Einflußreichen und Gebildeten an[5]. Auf die Korintherbrief[e]
bezogen heißt das: Der implizite Leser ist unter den "wenigen Gebildete[n]
Angesehenen und Hochgeborenen" (1 Kor 1,26) zu sehen, dem - als expl[i]
ziter Leser - die große Menge der korinthischen Christen gegenübersteh[t]
die nachweislich der unteren sozialen Schicht angehören[6].

B. Disposition des Paulus 1 Kor 1,10-4,21

Der Abschnitt gilt, trotz der großen Probleme, die er einschließt, als
Einheit[7]. Die Frage nach seiner Stellung im Kontext des ganzen 1 Kor er
hebt sich erst dann in ihrer vollen Schärfe, wenn man voraussetzt, daß
1 Kor keine literarische Einheit darstellt[8]. Erst auf dem Hintergrund die
ser Voraussetzung stellt sich die Frage, welchem Brief 1 Kor 1,10-4,21
zuzuordnen ist. Am wahrscheinlichsten ist die Hypothese, nach der dieser Abschnitt einem Brief B zugewiesen wird. Diesen Brief B hätte Paulus nach dem Empfang eines Briefes von den Korinthern (1 Kor 7,1) und
nach dem Eintreffen der Leute der Chloe (1 Kor 1,11) verfaßt[9].

In ihm (dem Brief B) ist der Apostel auf einige Mißstände eingegangen,
von denen er gehört hat (1 Kor 1,10;5,1), bzw. auf Anfragen, die ihm
von der Gemeinde schriftlich mitgeteilt wurden (1 Kor 7,1 u.ö.).

Die konkrete Situation von 1 Kor 1,10-4,21 ist durch das Stichwort "Par
teien in Korinth" bestimmt, wodurch allerdings eine Frage von unendli-
cher Schwierigkeit aufgeworfen wird[10]: Was ist überhaupt unter σχίσματ[α]
(1,10), ἔριδες (1,11), ζῆλος καὶ ἔρις (3,3) zu verstehen? "Spaltungen"[11],
"Parteien"[12], Gruppierungen bzw. Cliquen[13], "Verirrungen"[14] oder etwa nur harmlose Zänkereien[15]? Auch die Wurzeln und Ursachen dieses
Konfliktes (daß es sich zumindest um einen Konflikt handelt, steht auße[r]
Frage) liegen im Dunkeln. Die Bandbreite der Vermutungen über die Ge[g]
ner des Paulus in diesem Konflikt reicht von "libertinistischen Pneumatikern"[16], über Anhänger einer "Frühgnosis"[17] bzw. "Gnosis"[18] bis hin
zu "Wandercharismatikern"[19].

All diese Vermutungen weisen einen mehr oder weniger hohen Grad an
Wahrscheinlichkeit bzw. Unwahrscheinlichkeit auf, eine sichere oder zu-
verlässige Beantwortung der anstehenden Fragen können sie nicht bieten. Für unsere Frage nach der Dispositionskunst des Paulus und der
sozialen Stellung seiner vornehmlichen Gesprächspartner in der Gemeinde genügt vorerst folgende Festellung:

Die Nachricht von den σχίσματα bzw. ἔριδες in Korinth erhält Paulus von
den Leuten der Chloe (1 Kor 1,11[20]). Diese waren Sklaven oder Abhän-
gige und gehörten daher vermutlich der unteren sozialen Schicht an[21].

Ihnen gegenüber standen die Protagonisten der Parteien oder Gruppen innerhalb der Gemeinde, die einen gehobenen Sozialstatus innehatten[22]. An diese nun richtet Paulus seine zurechtweisende Rede 1 Kor 1,10-4,21. Diese Feststellung wird durch folgende Beobachtungen untermauert:

- Paulus polemisiert gegen das Streben bestimmter Korinther nach Weisheit, dem er die Predigt vom Kreuz gegenüberstellt (1 Kor 1,18-2,16). Diese Gegenüberstellung wird durch Daten aus dem Sozialbereich verdeutlicht (1 Kor 1,26-31[23]).

- Die Frage der Parteien stand offensichtlich in Zusammenhang mit dem Verhältnis von Täufern und Täuflingen (1 Kor 1,10-17). Die Täuflinge des Paulus waren höchstwahrscheinlich auch die Protagonisten der "Paulus-Gruppe"[24].

Sie entstammen zudem der oberen sozialen Schicht[25]. Von daher ist - mit aller gebotenen Vorsicht - ein Analogieschluß auf die anderen Gruppen bzw. Parteien möglich.

Die Streitigkeiten und Konflikte innerhalb der Gemeinde sind also den wenigen Hochgestellten zuzuschreiben[26], sie treten in Konkurrenz zueinander[27] und berufen sich dabei auf verschiedene Autoritäten[28]. Paulus selbst ist in diese Konkurrenz einbezogen und steht vor der schwierigen doppelten Aufgabe, einerseits die Berufung auf Autoritäten und die daraus resultierende Gruppen- und Cliquenbildung abzuwehren, andererseits aber doch seine eigene Autorität den Protagonisten der Parteien und so der ganzen Gemeinde gegenüber durchzusetzen. Dieses doppelte Ziel - wobei das zweite vielleicht sogar im Vordergrund steht - verfogt er mit einer sehr geschickt disponierten Rede, in der sich hinter (scheinbar) sachlicher Belehrung (1 Kor 1,18-2,16) harte Polemik (1 Kor 3,1-5) und scharfe Apologie (1 Kor 4,1-21) verbirgt.

1. 1.Abschnitt: 1 Kor 1,10-17 (Exordium)

Paulus setzt v10 mit einer betont paränetischen Eröffnung ein[29], der er durch die Berufung auf den Namen Jesu besonderes Gewicht verleiht[30]. Dadurch gewinnt er die Aufmerksamkeit der Zuhörer[31], ohne schon jetzt die causa nennen zu müssen. Im Gegenteil: Durch die positive Formulierung[32] der einleitenden Ermahnung gelingt es ihm, sich die Zuhörer bzw. Leser gewogen zu machen[33]. 1 Kor 1,10 leitet also das Exordium ein. Schon jetzt ist klar, daß es sich dabei um eine insinuatio handelt[34]. Die causa bleibt hier noch verborgen, erst v11 und v12 wird sie genannt[35]. Diese beiden Verse bringen also die (parteiische?) Mitteilung[36] des in der weiteren Rede argumentativ zu behandelnden Sachverhaltes. V11 hat also die Funktion einer propositio[37], während v12 in der Entfaltung der Parolen die explicatio der propositio darstellt[38].

Beide Verse zusammen fungieren als expositio[39] und bilden so das Fundament der späteren argumentatio. Von daher wird auch verständlich, warum Paulus als vierte Parole ἐγὼ δὲ Χριστοῦ hinzufügt. Diese Parole ist eine Hyperbel (superlatio[40]), deren Aufgabe darin besteht, durch

affektische amplificatio[41] die Unmöglichkeit von Parteien überhaupt aufzuzeigen. Dies wird sofort deutlich durch die Fortsetzung v13 μεμέρισται
ὁ Χριστός; [42] eine Frage, die beim Hörer Befremden auslöst[43]. Aus den ge
gebenen Fakten wird eine Konsequenz abgeleitet, deren sich die Hörer
wohl gar nicht bewußt waren[44].

Der Übergang von v11f zu v13 ist also stark affektisch. Aus den Fakten
wird - schlaglichtartig - eine Konsequenz abgeleitet, deren sich die Hörer gar nicht bewußt waren[45]. Im selben Stil geht es weiter: in heftigen
rhetorischen Fragen (v13bc[46]) stellt Paulus den Hörern die Folgen des
Parteiwesens vor Augen. Daß der Gegenstand der Fragen rein fiktiv ist,
macht vollends deutlich, daß Paulus hier nicht nur sachlich argumentiert
sondern die Gefühle der Hörer zu beeinflussen trachtet (commovere). Zw
schen v13a und v13bc besteht eine nicht unbeträchtliche Spannung[47], di
sich allerdings aus der Gesamtfunktion des Verses (commovere) erklärt[48]
Rhetorisch sehr geschickt ist dabei, daß Paulus die (schrecklichen) Folgen des Parteiwesens an sich selbst exemplifiziert[49]. Damit nimmt er die
proömialen Aufgaben des conciliare und benevolum parare wahr. Dem ent
spricht auch die Fortsetzung v14-17, vor allem die beinahe "gesuchte
Nachlässigkeit"[50], mit der Paulus seine - für gewisse Korinther offensichtlich sehr wichtige[51] - Tätigkeit als Täufer herunterspielt, um v17
die Überleitung zu etwas Neuem zu bringen[52]. Der Transitus in v17 entspricht den Forderungen der rhetorischen Theorie[53].

Zusammenfassung:

Der Abschnitt 1,10-17 ist - als Ganzes betrachtet - ein Exordium. Er nimr
die wesentlichen Funktionen desselben wahr. Das benevolum und attentum parare, die Beeinflussung der Hörer im für Paulus günstigen Sinne,
die der utilitas causae unterworfene Nennung des Sachverhaltes, die ver-
steckten Andeutungen, die einerseits das Spätere vorbereiten, andererseits aber schon parteigünstige Beeinflussung der Hörer sind. Wichtig
ist dabei, daß Paulus schon im Exordium auf sich zu sprechen kommt und
daß er von den Parteiungen über die Taufe eine Brücke schlägt hin zum
Gegensatz des nächsten Abschnittes: Weltweisheit und Kreuzpredigt.

2. 2.Abschnitt: 1 Kor 1,18-3,23

Diesen Abschnitt als Einheit aufzufassen, hat mehr rhetorische als inhalt
liche Gründe[55]: Die geschlossene Komposition des ganzen ist auf den ersten Blick sichtbar: So nimmt 3,4-17 das Thema der Parteien wieder auf,
das ab 1,18 verlassen scheint; 3,18-23 schließlich leiten zum Ausgangspunkt zurück. Es liegt also eine ringförmige Komposition vor[56]. Der Abschnitt findet sein Ende in der peroratio 3,18-23. Folgt man dem rhetorischen Dispositionsschema, läßt sich 1,18-3,23 folgendermaßen einteilen:

1,18-2,16   narratio[57] (?)
3,1-17   probatio
3,18-23   peroratio

a) narratio 1,18-2,16

Während von 1,10-17 her sowohl inhaltlich als auch stimmungsmäßig eine andere Fortsetzung zu erwarten war (nämlich eher affektisch den officia des conciliare und commovere verpflichtet), bringt Paulus nun eine Art Abhandlung, die vornehmlich deliberativ und dem officium des docere verpflichtet ist. Auch inhaltlich läßt sich von 1,10-17 her eine solche Fortsetzung nicht erwarten (sieht man von v17b ab, der aber bereits transitus ist[58]). Mehr Aufschluß über die Funktion des Abschnittes erhält man von 3,1-4 her: Die Abhandlung über Evangelium und Weisheit läuft letztlich auf den Versuch hinaus, die Autorität des Paulus gegenüber der Gemeinde zu festigen. Dies geschieht in doppelter Hinsicht: Einerseits wird - vor allem durch die Digression 2,6-16 - das Lehrer-Schüler Verhältnis zwischen Apostel und Gemeinde untermauert; andererseits die Frage der Parteiungen zu einem Symptom einer viel tiefer liegenden Ursache (3,3!) heruntergespielt. So gelingt es Paulus, sowohl einer sachlichen Erörterung der Parteienfrage auszuweichen (welchen Grund hatte er dafür?), als auch sein (eigentliches) Überzeugungsziel zu erreichen: seine durch die Parteiungen von der Gemeinde in Frage gestellte Autorität wiederherzustellen[59].

Der Aufbau des Abschnittes selbst ist ganz klar: V18 stellt die These auf[60], die dann in einem dreifachen Beweisgang begründet wird: v19-25 ganz grundsätzlich in ihrer Auswirkung auf Juden und Heiden[61]; v26-31 wird als Exempel[62] das Beispiel der Gemeinde (ihre soziale Zusammensetzung) selbst angeführt; 2,1-5 schließlich die Richtigkeit der These an der Person des Paulus gezeigt[63]. Paulus stellt also die These auf (v18), führt diese grundsätzlich durch (v19-25), exemplifiziert sie am Beispiel der Gemeinde (v26-31) und kommt folgerichtig auf seine eigene Predigt zu sprechen (2,1-5). Das Ganze ist planmäßig aufgebaut und kunstvoll ausgeführt. Die Argumentation arbeitet mit dem autoritativen Schriftbeweis[64], der Stil des Abschnittes ist urban[65], die elocutio (es handelt sich ja um einen deliberativen Abschnitt) braucht nicht verborgen zu werden[66].

Von 2,1-5[67] ergibt sich der Übergang zur Digression[68] 2,6-16. Dieser Abschnitt ist in sich selbst geschlossen, der Zusammenhang mit dem vorhergehenden allerdings nicht sofort klar[69]. Vor allem hinsichtlich der Bedeutungsverschiebung von $\sigma o \varphi i a$ von 1,18-2,5 zu 2,6-16 ergeben sich Probleme[70]. Möglich ist es, daß Paulus 2,6-16 Gedanken der Korinther aufgreift[71]. Wenn er das tut, ist auch verständlich, daß 2,6-16 nicht inhaltlich anderes oder Neues bringen als 1,18-2,5, sondern im besten Fall eine Reflexion auf die Bedingung der Vermittlung des Kerygmas vom Kreuz[72]. Dabei würde seine Aufnahme von in Korinth vertretenen Meinungen den Wechsel in der Begrifflichkeit erklären. Allerdings: Die Digression dient weniger der sachlich-nüchternen Darlegung, sondern eher der Vorbereitung der Polemik: Mit ihrem eigenen Verständnis von $\sigma o \varphi i a$ wird 3,1-5 den Protagonisten der Parteien ihr sarkischer Wandel gezeigt[73]. Die Argumentation des Paulus zeigt jetzt, gerade am nebensächlich erscheinenden Stück 2,6-16, ihre ganze Durchschlagskraft: Nach 1,10-17 geht er

ja nicht etwa auf die Frage der Parteien ein, sondern bringt eine lange
Ausführung, bei der er wohl mit der Zustimmung der Hörer rechnen konnte (1,18-2,5), ja, er stellt ihre eigenen Anschauungen[74] in den Dienst
seiner Sache (2,6-16): Die Protagonisten der Parteien werden mit ihren
eigenen Waffen geschlagen. Dies alles ist lange Zeit geschickt verborgen,
erst im folgenden Abschnitt tritt es klar hervor[75].

b) probatio 3,1-17[76]

Durch den neuen Einsatz mit κἀγώ ist 3,1ff deutlich vom Vorhergehenden abgehoben[77]. Den einleitenden Übergang stellen v1-4 dar. Sie ver-
knüpfen die Ausführungen über die Weisheit mit der eigentlichen Causa,
dem Parteitreiben[78]. Der Bruch in der Argumentation, wie er zwischen
1,17 und 1,18ff vorliegt, findet also erst von 3,1-4 her seine Erklärung:
Die Korinther sind (immer noch) sarkisch. Dies zeigt sich daran, daß unter ihnen Streitigkeiten herrschen. Und deshalb hat Paulus auch ganz
recht getan, als er ihnen nicht wie "Pneumatikern", sondern wie "Sarkikern" predigte; ihnen "Milch" gab und "feste Nahrung" vorenthielt[79].

Die eigentliche probatio als positiv beweisender Teil der Rede[80] beginnt
in v5 und gliedert sich in drei Teile: v5-9 behandeln das Verhältnis des
Paulus zu Apollos; v10-15 sein Verhältnis zu den anderen Aposteln;
v16-17 schließen mit eindringlicher Mahnung an die Gemeinde. In Tonfall und Stil des ganzen (v5-17) läßt sich eine deutliche Steigerung
(auch der Affekte) nicht übersehen[81].

Der erste Abschnitt v5-9 zum Verhältnis zwischen Paulus und Apollos
soll nachweisen, daß jede Konkurrenz unter den Predigern überhaupt
unmöglich ist und so auch jedes Ausspielen des einen gegen den anderen durch die jeweiligen Anhänger[82]. Dem Abschnitt fehlt nicht eine
elegante Form und feine Rhythmisierung[83], was wohl darauf zurückzuführen ist, daß Paulus seine elocutio nicht verbirgt und neben das docere auch das delectare treten läßt.

Den Übergang zum zweiten Abschnitt der probatio (v10-15) markiert
nicht nur ein Wechsel des verwendeten Bildes[84], sondern auch ein Wechsel im Tonfall: An die Stelle des freundschaftlich-kollegialen Stils von
v5-9 tritt nun scharfe Polemik[85]. Die Heftigkeit der Ausführung und
der harte Gegensatz zwischen dem Werk des Paulus (v10f) und dem des
τις (v12f) zeigt großes rhetorisches Geschick[86]. Die probatio endet
schließlich mit einer eindringlichen argumentatio ad hominem: οὐκ οἴδατε
ὅτι ...[87] (v16f): Diese beiden Verse haben die doppelte Funktion, einerseits den perorativen Abschluß der probatio (v18-23) durch die direkte
Anrede vorzubereiten, andererseits sind sie selbst der dritte argumentative Versuch, das Parteitreiben als unmöglich hinzustellen, und zwar argumentiert Paulus nicht mehr mit dem Verhältnis zwischen den Lehrern bzw.
zwischen dem Lehrer und der Gemeinde, sondern mit der (eschatologischen
Bestimmung der Gemeinde selbst. Der polemische Unterton ist weiterhin
unüberhörbar: Die Einheit der Gemeinde ist mit ihrer eschatologischen

Bestimmung gesetzt, wer die Einheit zerstört, muß mit der Strafe Gottes rechnen[89]. Paulus begründet also nicht in der probatio die Einheit
der Gemeinde, sondern setzt diese immer voraus[90]. V16f wenden sich
gegen die Protagonisten der einzelnen Parteien, die - nach Paulus - ja
die vorausgesetzte Einheit der Gemeinde in Frage stellen[91]. Die v16f
sind also das letzte Argument der probatio[92].

c) peroratio 3,18-23[93]

Deutlich tritt die duplex ratio perorationis hervor[94]: Die beiden Warnun-
gen (v18a.21a) stehen einer kurzen recapitulatio (v18b-20) und einem
stark affektischen Schluß in Form einer gradatio (v21b-23) zur Seite.
In der recapitulatio wird nochmals das Thema der σοφία aufgegriffen, in
der gradatio nochmals auf die Parteien angespielt[95]. Damit fällt zum
Schluß noch etwas Licht auf die Zuordnung der beiden Themen zueinander: Beide (Parteien und Weisheit) stehen zunächst schroff nebeneinander, erst ab 3,1ff wird ihr innerer Zusammenhang im Fortgang des
Überredungsprozesses klar. 3,18-23 schließlich zeigen, daß Paulus - wie
schon 3,1-5 - das Thema der Spaltungen nur auf dem Hintergrund des
Problems von Weisheit und Evangelium anspricht:

Alleiniger Gegenstand der recapitulatio ist das σοφία -Thema, die Parteien sind im ganzen nicht mehr als eine Stufe in der gradatio und ver-
lieren durch den überschäumenden Schluß zudem an aktueller Problema-
tik[96].

3. 3.Abschnitt: 4,1-21

a) refutatio 4,1-13

Die Stellung von Kapitel 4 zu 1,10-3,23 ist schwierig. Gewöhnlich begnügt man sich damit, das 4. Kapitel als "Anleitung"[97], "Demonstration"[98] oder "Konsequenz"[99] aufzufassen, wobei dem Abschnitt immer
der Charakter eines Appendix verliehen wird. Einigen Aufschluß über
die Funktion des Kapitels gewinnt man aus v6: ταῦτα δὲ, ἀδελφοί, μετ-
εσχημάτισα εἰς ἐμαυτὸν καὶ Ἀπολλῶν δι' ὑμᾶς, ἵνα κτλ. Der Ausdruck μετ-
εσχημάτισα zieht sich auf die bisherige Art der Argumentation des Paulus[100]. Er hat - das will er sagen - nicht direkt argumentiert, sondern
indirekt, indem er bestimmte Aspekte abgeblendet, andere dafür in den
Vordergrund gestellt hat[101].

4,1-13 ist also nicht als Appendix zu 1,10-3,23 zu verstehen, sondern
als eigenständiger Teil im gesamten Redeprozeß, der die Funktion der
refutatio hat[102]. Paulus scheint durch die Mißstände in der Gemeinde
zur Apologie genötigt zu sein[103]. Dahinter scheinen konkrete Vorwürfe
zu stehen: v3 legt die Annahme nahe, daß er von den (gewissen) Korinthern in "pneumatischer Überheblichkeit"[104] kritisiert wurde, oder
daß ihm gar eine Art Gericht angedroht wurde[105]; v18 verstärkt diesen
Eindruck dadurch, daß offenbar einige Korinther mit einem Besuch des
Paulus gar nicht mehr rechneten[106].

Die refutatio ist in zwei Unterabschnitte aufzuteilen[107]: Im ersten (v1-5) weist Paulus seine Treue als ὑπηρέτης und οἰκονόμος [108] nach und lehnt dabei jede (auch die eigene!) Kontrolle ab[109]. Sein Richter ist allein der Kyrios, dem die obrigkeitlichen Funktionen des Richtens und Lobens zugesprochen werden[110]. Der Ton des Abschnittes ist eher ruhig, Affekte treten kaum hervor[111]. Ganz anders aber im folgenden zweiten Teil (v6-13)[112]: Nach der Einleitung, die - wie wir gesehen haben - den modus tractandi des Paulus erklärt, folgen drei rhetorische Fragen (v7)[113], dann drei ironische[114] Ausrufe (v8a)[115], die v8b korrigiert werden[116], v9a leitet mit der sarkastischen Feststellung[117] über zu dem Bild, daß das Leben des Apostels ein Schauspiel sei[118].

Die drei heftigen Antithesen (v10) sind ironisierende Anspielungen auf die Ansichten der Gegner (im bitter-sarkastischen Ton[119]), in der dritten Antithese sind die Glieder vertauscht (Chiasmus), so leitet Paulus zum kurzen Peristasenkatalog v11-13 über. Diese drei Verse werden durch das einleitende ἄχρι τῆς ἄρτι ὥρας und das abschließende ἕως ἄρτι eingerahmt. Die Steigerung innerhalb des Peristasenkataloges von der Aufzählung v11-12a über die scharfen Antithesen v12b-13a hin zum heftigen Schluß ist deutlich[120].

Paulus ist in der refutatio also bemüht, die gegnerische Meinung zu ironisieren, den Gegensatz zwischen seiner und ihrer Position in scharfe Antithesen zu fassen und überhaupt ihren Standpunkt als unmöglich hinzustellen. Nicht durch eigentlich argumentative Widerlegung, sondern durch bewußte Aufnahme, ironisierende Übertreibung und sarkastische . Paradoxien bestreitet er die Ansichten seiner Gegner.

b) peroratio 4,14-21

Diese peroratio ist Abschluß der refutatio und der ganzen Rede. Sie weist einen anderen Charakter auf als die der probatio nachgestellte peroratio (3,18-23). Während dort in einer recapitulatio (3,18-20) die Argumentation zusammengefaßt, auch die causa (Parteiungen) nochmals erwähnt (3,21) wurde, ist hier vom Abschluß einer sachlichen Argumentation nichts zu merken. Die causa ist gegenüber dem, worauf die Argumentation des Paulus eigentlich hinauslaufen sollte, völlig in den Hintergrund getreten.

Paulus beginnt im Bild des Vater-Kinder Verhältnisses damit (v14-16), seine Stellung gegenüber der Gemeinde zu festigen. Dies wird deutlich v16: παρακαλῶ οὖν ὑμᾶς, μιμηταί μου γίνεσθε [121]. Nicht zuletzt um dieses Ziel zu erreichen, hat er auch Timotheus nach Korinth gesandt. Aber nicht genug damit: Paulus droht selbst seinen Besuch an[122] und mit der sehr scharfen Frage (v21: τί θέλετε;) schließt der Abschnitt und damit auch die ganze Rede 1,10-4,21[123].

Zusammenfassung

Die Disposition 1 Kor 1,10-4,21

Der Aufbau und die Gliederung der Rede wird dadurch übersichtlich, daß sich in ihr relativ leicht deutlich voneinander getrennte Teile ausmachen lassen (1,10-17; 1,18-2,16; 3,1-23; 4,1-21). Auch die Identifizierung der einzelnen Teile mit den aus der rhetorischen Tradition stammenden Bezeichnungen für die Teile der Rede fällt nicht schwer: Das Exordium ist 1,10-17; die argumentatio zerfällt in zwei parallele Teile: die probatio 3,1-17 (peroratio 3,18-23) und die refutatio 4,1-15 (peroratio 4,16-21). Ein Problem stellt allein der Abschnitt 1,18-2,16 dar: Er ist auf der einen Seite umfangmäßig der längste Teil der Rede, auf der anderen Seite ist aber seine Funktion von vornherein nicht klar zu erkennen. Eines ergibt sich aber aus dem weiteren Fortgang der Rede ganz deutlich: Gerade dieser Abschnitt ist es, auf dem Paulus seine eigentliche Argumentation aufbaut. Von dieser, die weitere Argumentation begründenden Funktion her, ließe sich 1,18-2,16 als narratio auffassen[124]. Dieser Auffassung widerspricht aber auf den ersten Blick die breite argumentative Abhandlung 1,18-31. Von einer narratio scheint eigentlich erst ab 2,1 die Rede sein zu können. Allerdings: Das Hauptziel der narratio ist ja (abgesehen vom Gesamtziel der Rede, dem persuadere) das docere[125]. Dies ist im fraglichen Abschnitt (v.a.1,18-25) verwirklicht. Neben dem docere kann allerdings in der narratio unter Berücksichtigung des Gesamtzieles (persuadere) das delectare[126] und movere[127] durchaus auch zur Auswirkung kommen. Jenes ist etwa in der Digression[128] 2,6-16 verwirklicht, dieses hingegen vor allem im Abschnitt 1,26-31.

Obzwar die narratio obligater Bestandteil der Rede ist[129], gibt es doch Gegenstände, die von Natur aus ihrer nicht bedürfen[130] oder bei denen sie zumindest umstritten ist[131]. Was nun das genus deliberativum betrifft (und 1,18-2,16 gehören zu diesem genus, obwohl im weiteren Verlauf der Rede die Apologie und damit das genus iudiciale stärker vortritt), so ist die narratio in der privata deliberatio unnötig, in der öffentlichen Rede hingegen notwendig[132]. Von daher und auch aufgrund der allgemeinen Definitionen dieses Redeteiles[133], die auf unseren Abschnitt zutreffen[134], kann 1,18-2,16 als narratio aufgefaßt werden.

Somit sieht der Aufbau der Gesamtrede folgendermaßen aus: exordium 1,10-17 - narratio 1,18-2,16 - probatio 3,1-17 - peroratio I 3,18-23 - refutatio 4,1-15 - peroratio II 4,16-21. Die grundsätzlich schulmäßige Struktur der Rede ist damit deutlich erkennbar[135].

c. Disposition des Paulus in 1 Kor 15

1 Kor 15 ist - wie wohl kein anderer Abschnitt der Korintherbriefe - geeignet, die Dispositionskunst des Paulus zu zeigen. Dies gilt auch unbeschadet der Tatsache, daß eben dieses Kapitel - auch wie kaum ein anderes - exegetische Probleme in sich birgt[1]. Allerdings - und hier fallen

die beiden einleitenden Bemerkungen zusammen - sollten einige der bisherigen Probleme, die 1 Kor 15 aufgab, durch eine eingehende Analyse der Disposition und damit der Argumentationsstruktur und der Überzeugungsstrategie des Paulus eine methodisch neu versuchte Annäherung an eine Klärung erfahren können. Vor allem zwei Fragen sind dabei in den Mittelpunkt zu rücken:

- Der Aufbau des Kapitels und
- die Position der Gegner.

1. Der Aufbau des Kapitels in der bisherigen Forschung

Sowenig unter den Kommentatoren Einhelligkeit darüber zu finden ist, wie 1 Kor 15 zu gliedern sei, so geschlossen ist der Konsens über die Identität der Kapitelgrenzen mit den Grenzen des Abschnittes über die Auferstehung der Toten[2].

V.1 führt - wenn auch unvermittelt[3] - das neue Thema ein, das mit v58 abgeschlossen wird[4].

Was nun die innere Gliederung des Kapitels betrifft, so scheint einzig darüber Übereinstimmung zu bestehen, daß zwischen v34 und v35 eine Zäsur liegt, die den ganzen Abschnitt deutlich - auch thematisch - in zwei Teile zerfallen läßt[5]. Bei der genaueren Gliederung in Unter- und Teilabschnitte sind erhebliche Unstimmigkeiten unter den Exegeten festzustellen[6]. Dies ist wohl in erster Linie darauf zurückzuführen, daß bei der Gliederung inhaltliche Gesichtspunkte herkömmlicherweise im Vordergrund stehen[7], wobei allerdings die Dynamik des Überzeugungsprozesses, die 1 Kor 15 kennzeichnet, vernachlässigt wird und das Ganze als "Abhandlung"[8], "Erörterung"[9] oder $\delta\iota\delta\alpha\chi\dot{\eta}$[10] mit entsprechend traktatmäßiger Gedankenabfolge mißverstanden wird[11]. Hier sollte eine Analyse nach rhetorischen Gesichtspunkten hinsichtlich der Disposition des Kapitels und seiner Argumentationsdynamik einige Klarheit vermitteln[12].

2. Die Position der Gegner

Im wesentlichen sind es die beiden an den Nahtstellen des Kapitels 1 Kor 15 begegnenden Behauptungen bzw. Fragen $\dot{\alpha}\nu\dot{\alpha}\sigma\tau\alpha\sigma\iota\varsigma$ $\nu\epsilon\kappa\rho\tilde{\omega}\nu$ $o\dot{\upsilon}\kappa$ $\ddot{\epsilon}\sigma\tau\iota\nu$ (v12) und $\pi\tilde{\omega}\varsigma$ $\dot{\epsilon}\gamma\epsilon\dot{\iota}\rho o\nu\tau\alpha\iota$ $o\dot{\iota}$ $\nu\epsilon\kappa\rho o\dot{\iota}$; $\pi o\dot{\iota}\omega$ $\delta\dot{\epsilon}$ $\sigma\dot{\omega}\mu\alpha\tau\iota$ $\ddot{\epsilon}\rho\chi o\nu\tau\alpha\iota$; (v35), von denen aus Rückschlüsse auf die Position der Gegner möglich scheinen. Ein sicheres Urteil wurde dabei allerdings noch nicht gefällt und ist wohl kaum möglich. Im großen und ganzen sind bisher vier verschiedene Möglichkeiten, die Position der Gegner zu bestimmen, vertreten worden. Vorausgesetzt wird dabei aber, daß sie nur die leibliche Auferstehung der Toten bestritten, was ja nach v35 anzunehmen ist[13]:

Die erste Möglichkeit ist, die Gegner als philosophisch Gebildete zu charakterisieren, die die (leibliche) Auferstehung der Toten leugneten und statt dessen an einem Unsterblichkeitsglauben platonischer Observanz festhielten[14]. 1 Kor 15 ist dann als Versuch des Paulus zu verstehen, die jüdisch-pharisäische Vorstellung von einer leiblichen Totenaufer-stehung durch den Kompromißgedanken eines $\sigma\tilde{\omega}\mu\alpha\ \pi\nu\epsilon\upsilon\mu\alpha\tau\iota\kappa\acute{o}\nu$ an sie zu vermitteln[15].

Die zweite Möglichkeit liegt darin, die Gegner als gnostisierende Enthu-siasten zu bezeichnen[16]. Sie wähnten sich - so wird angenommen[17] - bereits im Vollbesitz der Heilsgüter, was eine völlige Abwertung des Leiblichen und eine Beschränkung der Erlösung auf das reine Geist-pneuma zur Folge hatte. Das Schwergewicht der Argumentation des Paulus läge dann beim Nachweis der Leiblichkeit der Auferstehung, also den v35ff.

Eine weitere (dritte!) Möglichkeit, die Position der Gegner zu bestim-men, liegt darin zu behaupten, sie wären der Ansicht gewesen, daß (für sie!) die Auferstehung bereits geschehen sei[18]. Sie meinten, etwa durch die Taufe, bereits (2.Tim.2,18: $\mathring{\eta}\delta\eta$!) im Zustand des Auferstan-den-Seins zu sein[19]. Das Schwergewicht der paulinischen Argumenta-tion läge dann in den v23-28, wo mit Nachdruck die Zukünftigkeit der Auferstehung vom Apostel vertreten wird[20].

Schließlich ist - viertens - auch die Ansicht vertreten worden, daß Paulus seine korinthischen Gegner ganz einfach mißverstanden habe, dies entweder aufgrund falscher bzw. mangelnder Informationen, oder wegen seines eigenen Unvermögens, der Auffassung der Gegner gerecht zur werden[21]. Das Mißverständnis des Paulus zeige sich vor allem daran, daß seine Argumentation eindeutig gegen eine radikale Leugnung jeglicher Hoffnung auf ein Weiterleben nach dem Tode gerichtet sei. Diese Auffassung hätten aber die Gegner des Apostels gar nicht vertreten können, wie der von ihnen geübte Brauch der Vikariatstaufe zeige[22].

Zwischen diesen vier kurz skizzierten Möglichkeiten liegt noch eine ganz beträchtliche Anzahl anderer[23], die sich aber im wesentlichen alle mehr oder weniger auf eine der vier genannten bzw. eine Kombination von ihnen zurückführen lassen[24]. Solange die Frage nach der Position der Gegner allein nach Kriterien des Inhaltes angegangen wird, ist kei-ne Klärung zu erwarten. Hier soll die rhetorische Analyse des Abschni-tes weiterhelfen, dies vor allem dadurch, daß sie die Schwerpunkte des Kapitels und das innere Ziel der paulinischen Argumentation zu Tage fördert.

Das Schwergewicht der Argumentation wird nämlich - so kann voraus-gesetzt werden - die Auffassung der Gegner des Paulus am getreuesten widerspiegeln. So kann das Aufdecken des oft verborgenen Plans, der der Rede des Paulus zugrundeliegt, einen möglichen Weg zur Beantwor-tung der Frage nach der Position der Gegner weisen. Dies wird aber - gemäß dem Ziel und Zweck der Untersuchung - nur am Rande gesche-hen. Im Mittelpunkt steht nach wie vor - wie schon im vorigen Abschnitt - das Interesse nach der rhetorischen Prägung der Korintherbriefe. Die Frage nach den Gegnern ist dabei nur insofern von Belang, als ihr sozialer Status innerhalb der Gemeinde, der sich unter Umständen in einem gehobenen Bildungsgrad manifestierte, die Auseinandersetzung mit Paulus geprägt hat. Als Faustregel hatten wir festgehalten: Je unsicherer die Zustimmung (und das heißt meist: je größer der Bildungsgrad) der Kommunikationspartner, desto größer ist die Notwendigkeit bewußter, planvoller und gekonnter rhetorischer Gestaltung des Überzeugungsprozesses. Aus der Analyse dieser Gestaltung in 1 Kor 15 soll also der Rückschluß sowohl auf den Bildungsgrad des Paulus, als auch auf den Sozialstatus seiner Gegner in Korinth möglich sein.

3. 1 Kor 15,1-2 Exordium

Ohne daß auf den ersten Blick ein Zusammenhang mit dem Vorhergehenden zu erkennen wäre[25], leitet Paulus mit $\gamma\nu\omega\rho\iota\zeta\omega$[26] zum neuen Abschnitt über[27]. Die beiden einleitenden Verse sollen offensichtlich die Zitation des tradierten Evangeliums vorbereiten[28], die wahrscheinlich eine wortgetreue Wiederholung aus der Predigt des Paulus in Korinth darstellt[29]. In welcher Hinsicht lassen sich nun diese beiden Verse als Exordium verstehen? Das Ziel des Exordiums ist es - allgemein formuliert[30] - die Symphatie der Adressaten für den parteiisch vertretenen Redegegenstand zu gewinnen[31]. Die Hauptbedingung der Sympathiegewinnung liegt vornehmlich in der Vertretbarkeit der Partei-causa[32]. Von den insgesamt vier[33] bzw. fünf[34] genannten genera der Vertretbarkeit kommen für die 1 Kor 15 verhandelte causa nur zwei in Frage: Das genus dubium vel anceps[35] und das genus obscurum[36]. Von den genera causae hängt die Gestaltung der ganzen Rede, vor allem aber die des Exordiums ab.

Allgemein fallen dem Exordium drei Aufgaben zu: Es soll die Adressaten aufmerksam, wohlwollend und gespannt stimmen[37]. Diese Aufgaben werden je nach dem Grad der Vertretbarkeit der causa verschieden wahrgenommen: Gerade das genus obscurum verlangt als Realisierung des Exordiums die insinuatio, die den Redegegenstand verbirgt, scheinbar Umwege beschreitet und sich so die Sympathie des Publikums gewinnt[38].

1 Kor 15,1-2 liegt also - soweit wir bis jetzt sehen - ein Exordium vor, das - aufgrund der spezifischen Vertretbarkeit der behandelten causa - als insinuatio realisiert wurde. Wie erfüllen nun diese beiden Verse die drei Hauptaufgaben eines Exordiums?

a) auditores attentos parare[39]: Paulus erfüllt diese Aufgabe, indem er die Gegenstandsvertretbarkeit und die Ansprechbarkeit der Adressaten so miteinander verbindet, daß der Gegenstand (obwohl er noch verborgen bleibt!) als wichtig für die Interessen der Adressaten hingestellt wird[40]. Durch dieses Prinzip des tua res agitur ist es Paulus auch möglich, durch (allerdings sparsamen) Affektgebrauch die Aufmerksamkeit der Adressaten zu gewinnen[41]. Besonders in dem Syntagma $\dot{\epsilon}\kappa\tau\grave{o}\varsigma$ $\epsilon\dot{\iota}$ $\mu\grave{\eta}$ $\epsilon\dot{\iota}\kappa\tilde{\eta}$ $\dot{\epsilon}\pi\iota\sigma\tau\epsilon\acute{\upsilon}\sigma\alpha\tau\epsilon$ kommt die Beeinflussung der Gefühle der Adressaten deutlich zum Ausdruck[42].

b) auditores dociles parare[43]: Diese Aufgabe fällt nur im genus obscurum an und besteht im wesentlichen darin, daß der Informationsvor-

sprung des Redners seinen Adressaten gegenüber sichtbar gemacht bzw.
das Informationsgefälle zwischen den Redepartnern erwähnt wird. Von daher ist das dociles parare eng mit dem attentum parare verwandt. Gewöhnlich wird es durch eine Aufzählung der in der narratio zu behandelnden
Gegenstände angestrebt[44]. Paulus genügt es hier, in aller Kürze auf die
Botschaft seiner Predigt hinzuweisen[45], dies vor allem deshalb, weil er
ja den Eindruck bei den Adressaten erwecken will, daß sie nichts voll-
kommen Neues von ihm zu erwarten haben, vielmehr eine Vergewisserung
von bereits Bekanntem ($\gamma\nu\omega\rho\acute{\iota}\zeta\omega$) [46]. Dabei zeigt sich die geschickte Disposition des Apostels in unserem Kapitel, denn die eigentlich in Frage
stehenden Inhalte werden erst in den argumentativen Teilen der Rede zur
Sprache kommen[47].

c) auditores benevolos parare[48]. Besonders im genus dubium vel anceps
ist die Notwendigkeit des benevolos parare auditores gegeben, da gerade
in einer strittigen causa vom Wohlwollen der Zuhörer viel abhängt.

Es wird gewöhnlich realisiert durch Lob bzw. Tadel entweder der eigenen Person oder der Gegner oder der Zuhörer oder der Sache selbst[49].
Darüberhinaus - auch das entspricht ganz dem genus dubium - kann es
realisiert werden dadurch, daß der Redner Gemeinsamkeiten mit den Zu-
hörern betont und herausstreicht[50]. Von all den verschiedenen Möglichkeiten des auditores benevolos parare scheint 1 Kor 15,1f nur eine (und
zwar ab auditorum persona) angestrebt zu sein durch die Wendung: $\acute{\epsilon}\nu$
$\dot{\hat{\psi}}$ $\kappa\alpha\grave{\iota}$ $\acute{\epsilon}\sigma\tau\acute{\eta}\kappa\alpha\tau\epsilon$[51].

Fassen wir die bisherigen Beobachtungen zusammen:

1 Kor 15 ist - vom Vertretbarkeitsgrad der causa her - dem genus dubium und dem genus obscurum zuzuordnen. Von daher realisiert Paulus
das Exordium als insinuatio. In dieser insinuatio nimmt er die drei Hauptaufgaben des Exordiums wahr, indem er sich die Adressaten gewogen
stimmt, ihre Aufmerksamkeit erregt ohne sie dabei - drittens - zu über-
fahren. Dabei ergibt sich aber der merkwürdige Eindruck, daß dies alles
dem weiteren Verlauf der Rede nicht angemessen erscheint (besonders
ab v12ff). Paulus geht doch bis jetzt in keiner Weise auf die eigentliche
causa ein, noch erwähnt er irgendwelche Gegner, deren ihm widerstre-
bende Meinung zu bekämpfen er sich anschicken könnte.

Offensichtlich konnte sich der Apostel - diese Konsequenz legt sich aus
der rhetorischen Analyse schon jetzt nahe - der Zustimmung seiner maßgeblichen Gesprächspartner in der korinthischen Gemeinde nur in
äußerst geringer Weise sicher sein, weshalb er sich auch bemüht, die
gemeinsame Basis zwischen sich und den Korinthern hervorzustreichen
($\tau\grave{o}$ $\epsilon\dot{v}\alpha\gamma\gamma\acute{\epsilon}\lambda\iota o\nu$) und ihre Sympathie zu gewinnen. Dabei entspricht es
ganz der rhetorischen Theorie und zeigt zudem das große Dispositions-
geschick des Paulus, daß er sein eigentliches Argumentationsziel vorerst nicht erwähnt und mit außer Frage stehenden Behauptungen die
Zuhörer zu gewinnen trachtet[52]. Der rhetorischen Theorie entspricht
weiter, daß Paulus im Pathosgebrauch und der ausgefeilten elocutio
sehr behutsam ist[53]. Im großen und ganzen ist 1 Kor 15,1.2 ein Exordium, das den Forderungen der rhetorischen Theorie entspricht.

4. 1 Kor 15,3a Transitus

Obwohl dieser Halbvers eigentlich noch zum Exordium gehört, setzt er sich
doch - schon äußerlich - durch γάρ vom Vorhergehenden in gewisser Weis
ab. Diese Unstimmigkeit läßt sich von der rhetorischen Funktion eines
Transitus her ausräumen. Die Aufgabe des Transitus ist eine doppelte:
Einerseits muß er die Verbindung zwischen Exordium und narratio her-
stellen, da das Ende des Exordiums mit dem Beginn der folgenden narratio harmonieren muß[54]; andererseits muß durch ihn auch deutlich werden, daß das Exordium nun zu Ende ist und ein neuer Redeteil beginnt[55]
Paulus leitet v3a über zur Zitation des geprägten Überlieferungsgutes,
wie durch die Zusammenstellung von παραλαμβάνω und παραδίδωμι deutlich wird[56]. Der Inhalt dieses Überlieferungsgutes - das deutet er durch
ἐν πρώτοις an - zählt zu den sachlich vorrangigen Themen seiner Missions
predigt[57]. Durch die Bestimmung ἐν πρώτοις wird außerdem die Spannung
der Zuhörer gesteigert. Daraus geht hervor, daß der Transitus noch
exordiale Funktion wahrnimmt.

Wichtig ist gerade in diesem Zusammenhang auch die Bemerkung: ὅ καὶ
παρέλαβον [58]. In doppelter Hinsicht: Einerseits: Paulus nimmt damit das
ὅ καὶ παρελάβετε v1 nahezu gleichlautend wieder auf. Nicht nur die Korinther, auch er selbst sind Empfänger der Tradition[59]. Nochmals wird auch
so die gemeinsame Basis hervorgehoben, somit die exordiale Funktion des
auditores benevolos parare angestrebt. Andererseits: Eine wichtige Forderung der rhetorischen Theorie ist, daß der Redner, wenn er das Wohlwollen der Zuhörer gewinnen will, jeden Verdacht der Arroganz meiden
muß[60]. Gerade wenn Paulus - gemeinsam mit den Korinthern - in die Tradition hinein - und so hinter dieselbe zurücktritt, verzichtet er - zumindest im Exordium - auf jede Vorrangstellung gegenüber seinen Adressaten und erfüllt bekannte Erfordernisse der Schulrhetorik in hohem
Maße.

1 Kor 15,3a ist also ein vollendeter Transitus vom Exordium zur narratio; daneben erfüllt dieser Halbvers wichtige exordiale Aufgaben, vor
allem im Bereich des auditores benevolos parare.

5. 1 Kor 15,3b-11 Narratio

Die Funktion dieses Abschnittes im Ganzen von 1 Kor 15 ist durchaus
umstritten[61]. Fest steht allein, daß Paulus hier ein Stück festgeprägter
Überlieferung zitiert und daß er diese Überlieferung durch eigene Zusätze erweitert. Was aber nun genauer den Umfang[62], die ur-
sprüngliche Gestalt[63] und schließlich die Herkunft dieses Traditionsstückes betrifft[64], ist keine sichere Antwort zu geben. Für unsere Fragestellung sind allerdings die traditionsgeschichtlichen Überlegungen
zu v-3-7 insofern ohne direkten Belang, als sie nur bedingt zur Funk-
tionsbestimmung des Abschnittes herangezogen werden können[65]. Es
geht bei dieser Frage ja im wesentlichen darum festzustellen, was Paulus im Ganzen von v3b-11 und darüber hinaus im Ganzen von Kap. 15

durch die Zitierung (und Erweiterung) dieses Traditionsstückes bei den Korinthern erreichen will. M.a.W. lautet die Frage: Welchen Zweck verfolgt Paulus in den v3-11 im Gesamtzusammenhang seines Überzeugungsprozesses? Geht es ihm allein darum, die Auferstehung Jesu - an der die Korinther offensichtlich nicht zweifeln - als gemeinsames Fundament des Gespräches festzulegen, dann bleiben v9f ohne Sinn[66]. Eine mögliche Klärung dieser offenen Frage wäre nun, die Emphase der Aufzählung genau in den v9f zu sehen, wodurch der ganze Abschnitt v3b-11 die Funktion einer "Apologie des paulinischen Apostolats" erhielte[67].

Eine andere Möglichkeit, den Zweck des Abschnittes zu bestimmen, liegt nun darin, vom Umfang der zitierten Formel auszugehen: Vorausgesetzt wird dann, daß es Paulus gar nicht in erster Linie um die Auferstehung Jesu und deren Beglaubigung durch Zeugen gehe (die ja von den Korinthern nicht angezweifelt wurde), sondern darum, das Ganze des Kerygmas voranzustellen, also auch und besonders Jesu Tod und Grab. Die Emphase der Aufzählung läge dann nicht am Ende des Abschnittes (also etwa v9f), sondern durchaus zu Beginn[68]. Die dritte Möglichkeit schließlich, die Funktion und den Zweck von v3b-11 zu bestimmen, geht von v6 aus. Unter Berücksichtigung des stilistischen Wechsels von v5 zu v6 ist die Annahme durchaus berechtigt, daß v6 paulinischer Zusatz zur zitierten Formel ist[69]. Wenn diese Annahme bezüglich der "Erscheinung vor den 500 Brüdern auf einmal"[70] richtig ist, bleibt nur noch die Frage offen, welchen Sinn der Zusatz: $\dot{\epsilon}\xi$ $\dot{\omega}\nu$ $o\dot{\iota}$ $\pi\lambda\epsilon\dot{\iota}o\nu\epsilon\varsigma$ $\mu\dot{\epsilon}\nuo\upsilon\sigma\iota\nu$ $\ddot{\epsilon}\omega\varsigma$ $\ddot{\alpha}\rho\tau\iota$, $\tau\iota\nu\dot{\epsilon}\varsigma$ $\delta\dot{\epsilon}$ $\dot{\epsilon}\kappa o\iota\mu\dot{\eta}\theta\eta\sigma\alpha\nu$ hat[71]. Sieht man den Akzent auf der ersten Hälfte des Satzes, so hätte damit Paulus die Beweiskraft der Tradition verstärkt: "Einige der Auferstehungszeugen leben (ja) noch[72]!"

Eher wahrscheinlich ist allerdings die entgegengesetzte Akzentsetzung: Nicht etwa, daß einige der Auferstehungszeugen noch leben ist die eigentliche Intention des Paulus in diesem Vers, sondern daß einige bereits gestorben sind[73]!

Fassen wir das Bisherige zusammen:

Der Abschnitt v3b-11 erfüllt als Ganzes die Funktion, die gemeinsame Basis zwischen Paulus und den Korinthern festzuhalten. Insofern wird hier das Fundament für die weitere Argumentation gelegt[74].

Für die weitere Argumentation wird sich aus ihrem Fundament v3b-11 ein Doppeltes erwarten lassen: Einmal, durch die Einbeziehung von Jesu Kreuz und Grab, daß eine Berufung auf die Auferstehung allein unmöglich wird; zum anderen aber, durch die nahezu beiläufige Bemerkung, daß einige der Auferstehungszeugen bereits gestorben sind, daß sowohl die Zukünftigkeit der Totenauferstehung als auch ihr Charakter als Auferstehung der Toten festgehalten bleibt[75]. Schließlich - auch das wird schon in den einleitenden Passagen der Rede deutlich - betont Paulus seine Autorität dadurch, daß er seine eigene Christophanie als (letzte[76]!) Ostererscheinung qualifiziert und daran eine Apologie seines Apostolats anschließen kann. Auch dies wird in der weiteren Argumentation eine nicht unerhebliche Rolle spielen[77]. Was rechtfertigt nun - und damit kommen wir zum eigentlichen Zweck der Untersuchung zurück - die Bezeichnung von v3b-11 als narratio. Die narratio hat innerhalb der Gesamtrede - ganz allgemein formuliert - die Aufgabe, das Fundament der weiteren Argumentation zu legen[78]. Diese allgemeine Bestimmung wird nun dahin gehend spezifiziert, daß die narratio einerseits utilis ad persuadendum sein soll[79], was - andererseits - gleichzeitig bedeutet, daß sie parteiisch im Sinne der zu vertretenden causa sein muß[80]. Von daher erscheint auch v3b-11 in einem neuen Licht: Paulus betont die gemeinsame Basis, auf der sowohl er als auch seine korinthischen Gesprächspartner stehen (= die Auferstehung Jesu). Die Parteilichkeit seiner Darstellung dieser gemeinsamen Basis zeigt sich nun daran, daß er bei der Zitierung der traditionellen Formel die Akzente anders setzt als die Korinther und daß er die Formel im Sinne der von ihm zu vertretenden causa erweitert (v6.8-10). Von den verschiedenen genera narrationis liegt an unserer Stelle die Vorgangserzählung (expositio in negotiis) vor[81].

Von deren drei Unterarten, die je nach dem Tatsächlichkeitsgrad des Berichteten unterschieden und definiert werden[82], kommt allein die historia in Frage[83].

Von daher ergibt sich bereits die Unmöglichkeit, hier ein Dilemma in der Argumentation des Paulus zu vermuten (genauer also einen Gegensatz zwischen v3b-11 und v12ff), insofern v3b-11 nicht als Argumentation aufzufassen sind[84]. Betrachten wir nun den Aufbau der v3b-11 als narratio im Sinne der rhetorischen Theorie: Was als erstes die virtutes narrationis betrifft, so hat sie - wie übrigens die Gesamtrede auch - dem persuadere zu dienen, speziell aber die Aufgabe des docere[85]. Dies geschieht ganz deutlich bei Paulus: Schon das einleitende γνωρίζω (v1) weist darauf hin, das dociles parare auditores des Exordiums bereitet es vor, der Abschluß v11 bringt es zum Ende. Die virtus des docere wird nun besonders durch brevitas verwirklicht[86].

Die brevitas wird aber nach zwei Seiten hin begrenzt: in narratione media haec tenenda ... via dicendi qantum opus est et quantum satis est[87]. Diese Forderungen der rhetorischen Theorie betreffen nun in besonderer Weise den Beginn der narratio als in gewisser Weise ausschlaggebenden Teil dieses Redeabschnittes[88]: Sie muß genau dort einsetzen, wo es nach Ansicht des Redners für die Meinungsbildung der Zuhörer von Belang ist[89]. D.h., übertragen auf v3b-11, daß gerade in v3b.4a von Paulus Entscheidendes vorgetragen wird[90]. Die in einem ersten Schritt als expositio in negotiis (historia) qualifizierte narratio[91] reicht umfangmäßig von v3b bis v8[92]. Mit v9 wechselt Paulus zum genus der Personenerzählung (v9: ἐγὼ γάρ[93] ...).

Im Gesamtzusammenhang von v3b-11 betrachtet, hat v9.10 die Funktion einer Digression[94]. In die narratio eine Digression einzufügen, widerspricht nicht den allgemeinen Vorschriften der brevitas, sondern schafft im Gegenteil die Möglichkeit, schon in der narratio durch den Einsatz affektischer Mittel die durchschlagende Wirkung der folgenden Argumentation zu ermöglichen[95]. Im allgemeinen gilt ja für die narratio, daß sich der Redner in ihr aller affektischen Mittel zu enthalten habe, zugleich besteht aber die Forderung, bereits vom Anfang der Rede an die starke Pathoserregung, deren vornehmlicher Ort die Peroratio ist, vorzubereiten und durch gradmäßige Steigerung darauf hinzuarbeiten[96]. Um dieser doppelten Forderung zu entsprechen, kann der Redner entweder die Pathoserregung verbergen[97], oder in einer Digression - die vor allem am Schluß der narratio stark affektisch sein kann[98] - konzentrieren[99]. Paulus wählt den zweiten Weg: Während der erste Teil seiner narratio (expositio in negotiis, historia) v3b-8 ohne Pathoserregung gestaltet ist, zeigt der zweite Teil (expositio in personis, digressio) v9-10 deutlichen und starken Affektgebrauch[100]: Hier mag die Frage anschließen, ob die Konstruktion der Digression v9-10 nicht auch genau und bewußt nach rhetorischen Kriterien erfolgt ist. Auffällig ist ja der antithetische Gegensatz zwischen v9 und v10. Auf der einen Seite schreibt Paulus: ἐγὼ γάρ εἰμι ὁ ἐλάχιστος τῶν ἀποστόλων, auf der anderen aber: περισσότερον αὐτῶν πάντων ἐκοπίασα. Diese Spannung läßt sich weder psychologisch lösen[101], noch mit theologischen Argumenten allein[102]. Hier kann besonders im Verständnis von v9 die rhetorische Forderung weiterhelfen, daß der Redner gerade in den Anfangsteilen der Rede den Verdacht jeglicher Arroganz meiden muß, um sich die Sympathien des Publikums nicht zu verscherzen[103]. Paulus wäre dann vor der schwierigen Situation gestanden, einerseits seine Intention zu verwirklichen (nämlich durch eine Apologie seines Apostolats seine Autorität und damit die Verbindlichkeit des von ihm Vorgebrachten zu unterstreichen), andererseits aber die Bedachtnahme auf die rhetorischen Forderungen nicht vollends fallen zu lassen.

Aber auch die v3b-8 zeigen das große rednerische Geschick des Paulus: Wie wir gesehen haben, flicht er in diesem Teil der narratio zwei Gedanken - noch dazu in nahezu beiläufiger Form - ein, die für die spätere Argumentation von erheblicher Bedeutung sein werden[104]: Einerseits ist dies die Einbeziehung von Jesu Kreuz und Grab[105]; andererseits die Erwähnung des Umstandes, daß einige der Osterzeugen bereits gestorben seien. Gerade die bewußte Beiläufigkeit der Erwähnung dieser Gedanken ist es, durch die es Paulus gelingt - ohne gleich mit Widerspruch rechnen zu müssen! -, entscheidende Gedanken einzuführen. Dies ist ohne Zweifel geschickte Disposition[106]. Der Zuhörer soll Gedanken, die an sich seinen Widerspruch erregen, zuerst in Andeutungen, erst später in entfalteter Argumentation aufnehmen[107]. Abgeschlossen wird die narratio durch v11: Grundsätzlich gilt, daß die narratio an dem Punkt beendet werden soll, über den hinaus Mitgeteiltes nicht mehr für die Überredung der Zuhörer wichtig ist[108]. Paulus beendet nun v11 - in einer für ihn typischen Ausdrucksweise[109] - sowohl den Exkurs über den Apostolat, als auch die gesamte narratio[110], und kehrt zum Ausgangspunkt zurück[111]. Ob diese Rückkehr nun als gewaltsam empfunden wird oder nicht[112]: Mit v11 gelingt es Paulus, die einleitenden Abschnitte (Exordium und narratio) seiner Rede abzuschließen[113], in denen er sich zuerst der Aufmerksamkeit und des Wohlwollens der Korinther versichern will, sodann das Fundament der weiteren Argumentation legt, dabei Gedanken der Probatio einstreut, und schließlich seine Autorität und damit die des von ihm Vorgebrachten unterstreicht.

6. 1 Kor 15,12-28 Argumentatio I

In die argumentatio als den zentralen, ausschlaggebenden Teil der Rede[114] führt Paulus ein, indem er - für die Hörer wohl überraschend - den zentralen Inhalt der eben beendeten narratio (v12a) mit der Position einiger ($\tau\iota\nu\epsilon\varsigma$) konfrontiert (v12b[115]). V12 bekommt als ganzer von daher die Funktion einer propositio[116], in der der Kern der narratio wiedergegeben wird[117], gleichzeitig aber die Stoßrichtung der argumentatio angegeben wird[118]. Von seinem inneren Aufbau und der logischen Aussagekraft her ist v12 ein Beweis[119]:

Allerdings streichen sowohl die Frageform[120] als auch die direkte Anrede der Korinther[121] das Persuasive auch dieses Beweises deutlich hervor. Soviel wird damit von vornherein klar: Nicht die logisch distanzierte Abhandlung wird im Vordergrund stehen, sondern die Überredung bzw. Überzeugung der Zuhörer[122].

Nun folgt v13-19 die Durchführung der propositio v12. Diese Verse fungieren im Gesamtzusammenhang als refutatio, sie dienen also zur Widerlegung der gegnerischen Meinung[123]. Paulus arbeitet hier hauptsächlich mit Hilfe eines logischen Beweises (v12.16) in der von der antiken Epistolographie dafür empfohlenen Form eines Enthymems[124].

Der Beweis beruht auf dem logischen Gesetz, daß eine allgemeine Behauptung aufgegeben werden muß, wenn eine positive Ausnahme nachgewiesen werden kann. So versucht Paulus zu zeigen, daß die $\tau\iota\nu\epsilon\varsigma$, wenn sie die allgemeine Auferstehung der Toten bestreiten, auch die Auferstehung Jesu von den Toten bestreiten müßten[125]. Jetzt wird auch der innere Zusammenhang zwischen narratio und argumentatio deutlich: Paulus hatte ja gerade in der narratio besonderes Gewicht darauf gelegt die unbestritten geltende gemeinsame Basis (= Auferstehung Jesu) herauszustellen, um dann ab v12 zu zeigen, daß die $\tau\iota\nu\epsilon\varsigma$ diese Basis verlassen, wenn sie an der generellen Bestreitung der Totenauferstehung festhalten. Aber Paulus argumentiert nicht mit logischen Gesetzen und Beweisen allein[126]: Schon die Fortführung v14f macht klar, daß er im weiteren Fortgang der Rede die Folgen der Behauptung $\dot{\alpha}\nu\dot{\alpha}\sigma\tau\alpha\sigma\iota\varsigma$ $\nu\epsilon\kappa\rho\tilde{\omega}\nu$ $o\dot{\nu}\kappa$ $\ddot{\epsilon}\sigma\tau\iota\nu$, was eben gleichbedeutend ist mit der Aussage $X\rho\iota\sigma\tau\dot{o}\varsigma$ $o\dot{\nu}\kappa$ $\dot{\epsilon}\gamma\dot{\eta}\gamma\epsilon\rho$ an sich selbst und an den Korinthern zu exemplifizieren gedenkt[127]. Er argumentiert an dieser Stelle also nicht. streng und ausschließlich von der Sache her, sondern bezieht sein und der Korinther Geschick in die Auseinandersetzung mit ein[128].

V16-19 stellen - das macht schon die Wiederaufnahme von v13 in v16 deutlich - eine steigernde Wiederholung des eben Gesagten dar, rhetorisch gesehen ist dieser Textteil also eine amplificatio, die noch dazu stark mit affektischen Mittel arbeitet[129].

Wir sehen also: Schon in den einleitenden Passagen der argumentatio beschränkt sich Paulus nicht ausschließlich auf eine logische, ausschließlich von der Sache selbst herkommende Beweisführung[130], sondern er bemüht sich, von Anfang an die Gefühle der Adressaten zu beeinflussen und zu erregen, indem er die Konsequenzen massiv herausstreicht, die die Leugnung der Totenauferstehung für ihr ganzes Leben hat (v19)[131].

Damit hat er den Boden bereitet für die durchschlagende Wirkung der probatio, die als positiv beweisender Teil der argumentatio nunmehr folgt (v20-28) und die - was Inhalt und Stil betrifft - ruhiger und weniger affektisch gehalten ist als die refutatio v12-19[132]. Der positive Nachweis der allgemeinen Totenauferstehung wird nun von Paulus mit der Wirklichkeit der Auferstehung Jesu von den Toten begründet[133]. Der Apostel argumentiert dabei mit Hilfe eines bekannten und anerkannten Sachverhaltes[134]: Wie durch einen Menschen (= Adam, v22) der Tod über die Menschen kam[135], so kommt durch einen Menschen (= Christus, v22) die Auferstehung der Toten[136].

Paulus differenziert dabei aber sehr deutlich: Während die Todesverfallenheit aller Menschen Sache der Gegenwart ist, steht die Auferstehung noch aus ($\zeta\omega\sigma\pi\omega\eta\theta\dot{\eta}\sigma\sigma\nu\tau\alpha\iota$). Gerade die Zukünftigkeit ist hier für die Argumentation des Apostels wichtig[137], dadurch gelingt ihm auch der innere Zusammenhang mit dem "apokalyptischen Fahrplan"[138] der v23.24[139]. Die Frage der Totenauferstehung wird so in den gesamten Heilsplan Gottes integriert[140].

Paulus schließt nun die probatio ab mit einem kurzen, pathetischen Exkurs v24b-28[141]. Ein solcher Exkurs ist zum Abschluß einzelner Redeteile gut möglich und widerspricht nicht den Forderungen der Rhetorik[142]. Der inhaltliche Zusammenhang mit dem Vorhergehenden ergibt sich ohne Mühe aus der hier betonten Totalität des Heilsplanes Gottes einerseits[143] und aus dem Festhalten an der Zukünftigkeit der Totenauferstehung andererseits[144]. Betrachten wir nun die probatio als ganze, so wird deutlich, daß Paulus - wie schon in der refutatio - mit den Konsequenzen, die die Leugnung der Totenauferstehung nach sich ziehen muß, argumentiert[145]. Dabei thematisiert er sein eigentliches Überzeugungsziel in der argumentatio nicht direkt, sondern flicht es in den Redefluß ein (etwa v22 oder v26)[146].

7. 1 Kor 15, 28-34 Peroratio I

Die erste Argumentation des Paulus wird abgeschlossen in den Versen 29-34. Es ist auffällig, daß diese Verse in gewisser Weise die Funktion einer peroratio haben[147]. Weiter fällt ihre Parallelität mit v13-19 auf[148], in beiden Redeteilen wird ja einerseits der Glaube bzw. die sakramentale Praxis der Korinther, andererseits die Stellung und das Geschick des Apostels selbst angeschnitten. Allerdings läßt Paulus - und das unterstreicht den perorativen Charakter der v29-34 und hebt sie von den v13-19 deutlich ab! - nunmehr dem Affektgebrauch freien Lauf[149], was vor allem an dem Einsatz der stark affekterregenden Figuren wie interrogatio, permissio und Ironie abzulesen ist. Der Einstieg in diese peroratio gibt nun nahezu unlösbar scheinende Probleme auf, vor allem durch die Erwähnung der sogenannten "Vikariatstaufe" (v29)[150]. Eines ist aber klar und kann festgehalten werden: Paulus bringt eine argumentatio ad hominem vor[151], die noch dazu - stark affektisch! - in die Form der rhetorischen Frage gekleidet ist[152].

Was nun den Inhalt der interrogatio betrifft, so stellt sich die (relativ einfache[153]) Alternative: Entweder es gab in Korinth Christen, die diese Taufpraxis (begünstigt durch ein entsprechendes Sakramentsverständnis und unter Umständen beeinflußt durch die Mysterienkulte[154]) übten[155], oder die Deutung von v29 in diesem Sinn ist schlicht auf einen Irrtum zurückzuführen, so daß also von einer stellvertretenden Taufe ὑπὲρ τῶν νεκρῶν überhaupt nicht die Rede sein kann[156]. Aber wie dem auch sei: Auf jeden Fall spricht Paulus seine Gegner mit dem Hinweis auf eine Taufpraxis an, die sich nach seinen bisherigen Ausführungen mit der Leugnung der Totenauferstehung nicht verträgt. Insofern liegt auch v29-34a (wie schon v12-19) eine argumentatio ex efficientibus vor [157]: Der Ursach Wirkung Zusammenhang ist hier allerdings umgekehrt[158], außerdem der Zusammenhang zwischen der Leugnung der Totenauferstehung und der Taufpraxis der Korinther bzw. dem Geschick des Paulus kein sachlich notwendiger, sondern eher ein rhetorisch begründeter[159]. Auch die Beschreibung seines eigenen Geschickes[160] stellt Paulus unter den Leitgedanken, daß es ohne eine Hoffnung auf eine Auferstehung der Toten absolut sinnlos, ja geradezu absurd erscheinen muß[161]. Zusammengefaßt wird das alles in der permissio v32b[162], die deutlich einen ironischen Unterton hat[163]. Die beiden v33-34 schließen die peroratio ab: Zwei Imperative[164] und der Abschluß mit πρὸς ἐντροπὴν ὑμῖν λαλῶ charakterisieren diesen Schluß als indignatio[165].

8. 1 Kor 15,35-49 Argumentatio II

V35 signalisiert sowohl vom Stil[166] als auch vom Inhalt her[167] einen Neueinsatz: Paulus wendet sich - so kann man sagen - nun dem "Wie" der Totenauferstehung zu, nachdem er bisher mehr der Frage nach dem "Daß" nachgegangen war. Genauer: Ab v35 steht die Frage im Mittelpunkt: ποίῳ δὲ σώματι ἔρχονται; [168]. Es ist nun sehr wahrscheinlich, daß sich Paulus ab v35 dem Haupteinwand der Gegner zuwendet[169]. Diese Behauptung läßt sich durch ein Doppeltes belegen:

Zum einen von der rhetorischen Theorie her, die empfiehlt, bei der Widerlegung gegnerischer Meinungen mit dem leichtesten Einwand zu beginnen und den gewichtigsten (der zugleich der am schwersten zu widerlegende ist) erst am Schluß der Argumentation aufzunehmen[170]; zum anderen auch von der Theologie des Paulus her, nach der Leiblichkeit auch für die Auferstehung konstitutiv ist, womit v35 einen Nerv paulinischer Theologie berühren würde[171].

Schließlich spricht auch der starke Affektgebrauch der v35ff (vgl. nur die Apostrophe mit ἄφρων!) dafür, daß Paulus sich erst hier dem Haupteinwand der Gegner zuwendet. An den Beginn seiner Argumentation setzt er eine breit ausgeführte similitudo (v37-41)[172].

Diese similitudo wird nun v42 mit *οὕτως καί* auf die strittige Frage selbst bezogen[173]. Somit wird der Beginn der eigentlich beweisenden probatio markiert, deren durchaus nüchterne Einleitung v42 (*οὕτως καὶ ἡ ἀνάστασις τῶν νεκρῶν*) in einer merkwürdigen Spannung zum Folgenden steht, vornehmlich gegenüber den stilistisch höchst ausgefeilten v42b-44a. Im ganzen liegt v42b-44a ein Isokolon vor[174], das mit Anaphora beginnt[175] und mit Homoeoptota ausklingt[176]. Inhaltlich ist der Abschnitt geprägt durch vier Antithesen[177], deren letzte - ganz entsprechend der rhetorischen Theorie[178] - auch diejenige ist, auf die die ganze Aufzählung hinzielt[179].

Dabei ist die äußere Gleichheit der Glieder (Isokola) ein bevorzugt geeignetes Stilmittel, den inhaltlichen Kontrast und Gegensatz, den die Antithesen ausdrücken wollen, zu unterstreichen[180].

Mit v44b geht Paulus wieder auf die v35 formulierten Fragen ein. Dazu bedient er sich des Zitates aus Gen. 2,7 Lxx (v45)[181], dem er v45b als gleichsam selbstverständliche Konsequenz beifügt[182]. Um daraus weitere Argumente zu gewinnen, kann Paulus aus der reichen exegetischen Tradition seiner Zeit zu Gen. 2 schöpfen[183].

Diese Tradition ordnet er aber deutlich seinem Argumentationsziel unter und interpretiert sie demgemäß in markanter Weise[184].

V47-49 liegen wieder (wie v42b-44a) Isokola vor. Inhaltlich verwendet Paulus hier allerdings nicht Antithesen, sondern Analogien[185], die sich bis zum letzten Glied v49 steigern, auf dem dann wieder der Ton liegt[186]. So ist Paulus in seiner zweiten argumentatio ein doppeltes gelungen: Er hat die Notwendigkeit und Denkbarkeit einer leiblichen Totenauferstehung bekräftigt und zugleich - dies scheint ein Nebenziel seiner gesamten Rede zu sein - den eschatologischen Vorbehalt mit anti-enthusiastischer Spitze festgehalten[187].

9. 1 Kor 15,50-58 Peroratio II

Die beiden officia der peroratio sind einerseits die Auffrischung des Gedächtnisses und andererseits die Beeinflussung der Affekte der Zuhörer bzw. Leser[188]. Von daher bekommt die peroratio als letzter Teil der Rede Ähnlichkeiten mit dem ersten, dem Exordium[189]. Bei Paulus tritt diese Ähnlichkeit deutlich hervor, indem er in der peroratio (besonders v58) Wendungen und Vorstellungen aus dem Exordium wiederaufnimmt. Dazu gehört das *κενός* ebenso wie die Mahnung zur Festigkeit (v58: *ἑδραῖοι γίνεσθε*), die mit *ἑστήκατε* (v1) korrespondiert[190].

Was nun die inhaltliche Gestaltung der peroratio betrifft, fällt zuerst auf, daß Paulus offensichtlich auf eine recapitulatio verzichtet[191]: Statt dessen leitet er mit *τοῦτο δέ φημι* (v50) - wie es scheint - etwas Neues ein[192]. Von daher ergibt sich der Eindruck, daß v50-58 eigentlich einen perorativen Exkurs oder besser eine exkursartige peroratio darstellt[193], in der mit stark affektischer Sprache, ja mit großer Emphase, der deliberative Leitaffekt der spes[194] ausgeschmückt wird: *ἰδοὺ μυστήριον ὑμῖν λέγω· πάντες οὐ κοιμηθησόμεθα, πάντες δὲ ἀλλαγησόμεθα* (v51)[195]. V50-58 sind also eine stark affektische peroratio[196], die dem deliberativen Leitaffekt der spes verpflichtet ist. Die Abschlußmahnung v58 nimmt - wie wir gesehen haben - exordiale Gedanken und Wendungen wieder auf, womit sich 1 Kor 15 als in sich geschlossener Argumentationsprozeß, als wohldurchdachte und durchaus kunstvoll disponierte Rede erweist.

Zusammenfassung

Die Disposition in 1 Kor 15

Der Aufbau von 1 Kor 15 stellt sich - wenn das Kapitel nach rhetorischen Gesichtspunkten analysiert und als Rede aufgefaßt wird - folgendermaßen dar: exordium 15, 1-3a - narratio 15, 3b-11 - argumentatio I 15, 12-29 - peroratio I 15, 29-34 - argumentatio II 15, 35-49 - peroratio II 15, 50-58. Auffällig daran ist die Doppelung der argumentationes, von denen beide mit perorationes abgeschlossen werden. Diese Eigenart der Disposition des Paulus war schon 1 Kor 1, 10-4, 21 aufgefallen: Auch dort sahen wir, daß der Apostel seine Argumentation zweiteilt und jeden Teil mit einer peroratio abschließt. Zwischen 1 Kor 1, 10-4, 21 und 1 Kor 15 herrscht also, was den Aufbau beider Reden betrifft, Parallelität[197]:

1 Kor 1, 10-17	= 1 Kor 15, 1-3a	exordium
1 Kor 1, 18-2, 16	= 1 Kor 15, 3b-11	narratio
1 Kor 3, 1-17	= 1 Kor 15, 12-28	argumentatio I
1 Kor 3, 18-23	= 1 Kor 15, 29-34	peroratio I
1 Kor 4, 1-15	= 1 Kor 15, 35-49	argumentatio II
1 Kor 4, 16-21	= 1 Kor 15, 50-58	peroratio II

Der grundsätzlich schulmäßige Charakter des Aufbaus beider Reden ist damit deutlich erkennbar[198].

Von hier aus läßt sich nun auch auf die zweite Ausgangsfrage, nämlich die nach der Position der Gegner in 1 Kor 15 eine Antwort versuchen[199].

Wir haben gesehen, daß Paulus in seiner Rede über die Auferstehung der Toten besonderes Gewicht darauf legt (obwohl die diesbezüglichen Ausführungen nicht über Andeutungen hinausgehen!), den Tod als Realität ernstzunehmen und die Auferstehung - eingebettet in den universalen Heilsplan Gottes - als zukünftige festzuhalten. Offensichtlich waren die Gegner in der Tat Enthusiasten, die (vielleicht aufgrund ihres Sakramentsverständnisses) wähnten, die eschatologische Existenz ohne alle Einschränkungen zu besitzen. Ihre Position läßt sich also durch die Parole 2.Tim.2, 18 am treffendsten wiedergeben.

III. Schlußbemerkungen

Wenn also nun der Aufbau der Reden als im großen und ganzen schulmäßig erkannt wurde, so erhebt sich zum Abschluß die Frage, worin
das eigentlich Kunstvolle in ihnen liegt. An drei Punkten soll also nun
das rednerische Geschick des Paulus skizziert werden:

a) Die Anpassung an die Hörer

Dies gehört zur allgemeinen Forderung des aptum[200]. Für den Redner
heißt das, daß er zunächst (in der inventio) Für und Wider der kontro-
versen causa sammelt, dabei die seiner Argumentation dienenden Aspekte
positiv hervorhebt (amplificatio), die abträglichen hingegen abschwächt
(adtenuatio)[201]. Wichtig ist dabei vor allem, daß er die Meinungen und
Vorurteile der Hörer aufnimmt[202]. 1 Kor 1,10-4,21: Paulus verwirklicht
diese Forderung vor allem in 1,18-2,5, rhetorisch am wirkungsvollsten
vielleicht aber in der refutatio 4,1-15.

1 Kor 15: Auf der einen Seite streicht Paulus die gemeinsame Basis mit
den Korinthern deutlich hervor, auf der anderen schwächt er einige Gedanken stark ab und begnügt sich mit Andeutungen (etwa v3.6.26 u.ö.).

b) Die Abfolge der Gedanken

1 Kor 1,10-4,21: Paulus zeigt durch ein Zweifaches sein Geschick: Zum
einen verknüpft er zwei, auf den ersten Blick nicht zusammenpassende
Themen (Parteienfrage und Weisheit), zum anderen bereitet er konsequent (vom Exordium an) vor, worauf er eigentlich hinauswill: seine
durch die Parteien angegriffene Autorität in der Gemeinde wiederherzustellen[203].

1 Kor 15: Zuerst ist die deutliche Steigerung der Gedanken von der gemeinsamen Basis (v3b-11) bis hin zum Haupteinwand der Gegner (v35)
beachtenswert. Gegenläufig dazu ist die Dissoziierung der Adressaten:
Vom allgemeinen ἀδελφοί (v1) über die τινες (v12) bis hin zum τις (v35)
und wieder zurück (v58).

Beachtenswert ist ferner auch hier die Konsequenz, mit der Paulus gewisse Gedanken, die er bereits im Exordium andeutet, bis zur peroratio
durchzieht. Gerade dadurch stellt sich 1 Kor 15 in besonderer Weise
(vielleicht noch mehr als 1 Kor 1,10-4,21) als geschlossene, genau ge-
plante und geschickt konstruierte Rede dar.

c) Die Adressaten

Die Analyse der Disposition gewisser Abschnitte der Korintherbriefe
sollte uns ja weiterhelfen bei der Frage, an wen diese Schreiben nun genauer gerichtet sind, in welchen Kreisen der Gemeinde wir die vornehmlichen Gesprächspartner des Paulus zu suchen haben. Dafür hatten wir
als methodische Faustregel festgehalten: Je unsicherer die Zustimmung

der Zuhörer, desto notwendiger ist für den Redner die bewußte und planvolle Gestaltung der Rede. So soll der Redner nur dort stärker mit seiner elocutio hervortreten, wo er mit der Zustimmung der Hörer bereits rechnen kann, also etwa in Digressionen oder am Ende der Rede. Paulus hält sich daran: Die schmuckreichsten und stilistisch ausgefeiltesten Abschnitte seiner Reden sind einerseits die Digressionen, andererseits die refutationes (4,5-15; 15,34-49).

Aber kehren wir zur Ausgangsfrage zurück: Wir haben gesehen, daß Paulus großes rednerisches Geschick und Können zeigt, gerade was die Planung und Gestaltung eines Argumentationsprozesses und damit die dispositio seiner Reden betrifft. Daraus kann man schließen, daß er in unseren beiden Fällen (Parteien und Auferstehungsleugnung) der Zustimmung der Zuhörer bzw. Leser nicht sicher sein konnte und so genötigt war, sie Schritt für Schritt zum Ziel und Höhepunkt seiner Argumentationen zu führen. Dabei greift er zu allen Mitteln der rhetorischen Kunst, über die er verfügt, allerdings mit der großen Einschränkung, daß er in keinem Fall zu propagandistischen und manipulatorischen Mitteln greift, um seine Hörer bzw. Leser zu überreden. Er steht der rhetorischen Theorie seiner Zeit kritisch gegenüber, was etwa 1 Kor 2,1-5 ganz deutlich wird. Dessen unbeschadet wendet er eine Fülle schulrhetorischer Erkenntnisse und Erfahrungen in seinen Briefen an, wie etwa geschickte und planvolle Disposition und wohlüberlegten Affektgebrauch.

Die eigentlichen Adressaten seiner Reden sind nun nicht etwa alle Korinther, sondern die jeweiligen Protagonisten der gegnerischen Front, die offensichtlich den gehobenen sozialen Schichten innerhalb der Gemeinde angehörten. Paulus macht im Grunde nichts anderes, als sich in seiner Ausdrucks- und Redeweise an sie anzupassen.

1 Kor 1,10-4,21; 15 liegen also die Reden eines (relativ) Gebildeten an (relativ) Gebildete vor. Der implizite Leser der Korintherbriefe ist unter den wenigen Gebildeten (1 Kor 1,26) zu suchen.

Ergebnis

Bevor nun das Ergebnis der Arbeit zusammengefaßt und bewertet werden soll, sei eine Erinnerung an ihr doppeltes Ziel erlaubt. Es handelte sich dabei um ein a) inhaltliches und ein b) methodisches Ziel:

a) Inhaltlich: Aus der sprachlichen Gestalt der Korintherbriefe, die selbst ein sozial bedingtes Faktum darstellt, sollte die soziale Stellung der an dieser brieflichen Kommunikation vornehmlich Beteiligten erhoben werden.

b) Methodisch: Die soziokulturelle Bedingtheit der sprachlichen Gestalt der Korintherbriefe sollte durch eine Analyse ihrer Partizipation an und Geprägtheit durch antike Epistolographie und Rhetorik erhellt werden.

Dadurch war die Möglichkeit angestrebt, zwischen dem impliziten und dem expliziten Leser der Korintherbriefe zu unterscheiden und jedem der beiden Lesertypen eine bestimmte Stellung innerhalb der sozialen Schichtung der korinthischen Gemeinde zuzuweisen.

Wir waren dabei so vorgegangen, daß wir zuerst die Korintherbriefe insgesamt auf ihre Geprägtheit durch die antike Epistolographie, genauer: die Theorie des Freundschaftsbriefes, untersuchten. Dabei hat sich ergeben, daß die Korrespondenz zwischen Paulus und den Korinthern von dieser Brieftheorie der Gebildeten beeinflußt ist, was sich vornehmlich an dem Vorkommen briefspezifischer Topoi aber auch typisch philophronetischer Phrasen und Wendungen zeigt. Darüber hinaus haben wir gerade durch den Vergleich mit Senecas epistulae morales gesehen, daß die Korintherbriefe in einer gewissen Abhängigkeit von der besonders durch Epikur, aber eben auch Seneca vertretenen Tradition des philophronetischen Lehrbriefes stehen, was sich zunächst in der Doppelheit der Argumentationsform (lehrhaft-theoretisch und paränetisch), sodann in den verwendeten Beweismitteln und -hilfen, schließlich aber und vor allem in der spezifischen Briefsituation, die durch die Analogie zwischen dem Lehrer-Schüler Verhältnis und dem Apostel-Gemeinde Verhältnis bestimmt ist, zeigt.

Wesentlich dabei ist, daß sich Paulus - ganz in der Tradition der Brieftheoretiker - in seiner Rede- und Argumentationsweise den Bedürfnissen und Erwartungen seiner Adressaten anpaßt und speziell auf sie (durchaus auch kritisch, ja oft polemisch) eingeht, so daß der Schluß gerechtfertigt erscheint, seine vornehmlichen Gesprächspartner in der Gemeinde von Korinth (soweit dies die Briefe widerspiegeln) sind unter den "wenigen Gebildeten, Angesehenen und Hochgeborenen" (1 Kor 1,26) zu suchen, oder allgemeiner formuliert: Der implizite Leser der Korintherbriefe gehört zu den sozial Höhergestellten in der Gemeinde.

Dieses Urteil wurde durch den zweiten Gang der Untersuchung bestätigt. Dabei hatten wir uns auf die Frage konzentriert, ob Paulus gewisse Kenntnisse der antiken (Schul-) Rhetorik hatte, und hatten diese Frage durch eine rhetorische Analyse an zwei Beispielen (1 Kor 1,10-4,21; 1 Kor 15) hinsichtlich der dispositio dieser Argumentationsgänge bzw. Reden zu beantworten gesucht.

Dabei hat sich zweierlei ergeben:

(1) Die rhetorische Analyse, insofern sie über die Frage nach dem vorfindlichen Repertoire von Wort- und Gedankenfiguren und den bloßen Stilvergleich hinausgeht, ist ein durchaus geeignetes Instrument zur Erhellung der argumentativen Struktur der Korintherbriefe oder zumindest von Teilen derselben. Die traditionelle antike Rhetorik gibt uns Kriterien an die Hand, mit deren Hilfe eine solche Analyse durchzuführen ist.

(2) Paulus zeigt gewisse Kenntnisse dieser traditionellen Rhetorik, die - und diese Einschränkung ist durchaus angebracht - allerdings nicht allzuhoch veranschlagt werden dürfen. So haben wir ja gesehen, daß die dispositio der beiden analysierten Reden im Grunde durchaus schulmäßig

ist und sich das rhetorische Engagement bzw. die rednerische Originali-
tät des Apostels über ein sehr mittelmäßiges Niveau - gemessen an den
Vorstellungen der Rhetoriklehrbücher - kaum und selten hinausbewegt. Gerade aus diesem Grund ist es auffällig und beachtenswert, daß Paulus
sich den höheren Künsten der (vornehmlich forensischen) Rhetorik, wie
etwa der dissimulatio artis oder der persuasio als "Maschine der Überredung" (Kant) gegenüber sehr kritisch, ja geradezu ablehnend verhält.
Darauf wird noch kurz einzugehen sein.

Trotzdem: Ein gewisses Maß an rhetorischer Bildung wird man dem Apostel schwerlich absprechen können und die Korintherbriefe sind der beste
Beleg dafür. In ihnen sind es wiederum gerade diejenigen Abschnitte,
in denen er offensichtlich mit einer gegnerischen Front innerhalb der Gemeinde zu rechnen hat (eben 1 Kor 1,10-4,21 und 1 Kor 15 aber auch
2 Kor 10-13!), die dies am deutlichsten zeigen.

Dieser Umstand weist wohl darauf hin, daß er sich genau an diesen Stellen in besonderer Weise genötigt sah, alle Register seines rhetorischen
Könnens gemäß seinem Rhetorikverständnis zum Einsatz zu bringen, wo-
raus wiederum der Schluß gezogen werden darf, daß diese Abschnitte
nicht etwa an die Ungebildeten und sozial Schwachen in der Gemeinde
gerichtet sind, sondern eben an die (relativ) Gebildeten und sozial Höhergestellten, aus deren Reihen dem Apostel ja immer wieder Gegner
oder zumindest Protagonisten gegnerischer Meinungen erwuchsen.

Die Korintherbriefe - das ergibt ihre soziologische Interpretation - verweisen als literarische Produkte in das Milieu (relativ) Gebildeter, was
gemessen an der sozialen Schichtung der korinthischen Gemeinde heißt,
daß die an der durch die Briefe dokumentierten Kommunikation vornehmlich Beteiligten (der implizite Leser) der oberen Schicht innerhalb der
Gemeinde angehörten.

Anhang: Kerygma und Rhetorik bei Paulus

Im Folgenden soll kurz auf die Frage eingegangen werden, inwieweit,
wenn anders Paulus in der Tat gewisse Kenntnisse der traditionellen
antiken Rhetorik hatte und diese auch einsetzte, eine Verbindung zwischen der rhetorisch geprägten Argumentation des Apostels und dem
von ihm zu verkündigenden Kerygma besteht. Daß es sich bei dieser
Frage um ein Problem handelt, daß von Paulus selbst sehr wohl gesehen
und artikuliert wurde, geht sowohl aus 1 Kor 1,10-4,21 als auch aus
1 Kor 15 hervor. So ist ja schon in bezug auf 1 Kor 1,17 von einer "Dialektik des theologischen Standpunktes"[1] des Paulus gesprochen worden,
die genauer darin bestehen soll, daß er auf der einen Seite seine Position zunächst negativ, als Nicht-Standpunkt, definiert[2], auf der anderen Seite jedoch gezwungen ist, diesen Nichtstandpunkt (begründet
durch den λόγος τοῦ σταυροῦ) wiederum zu einer Position zu erheben, von
der aus ein Argumentieren möglich ist[3]. Auf unser Problem übertragen
und zugespitzt heißt das: Obwohl Paulus auf der einen Seite die σοφία

λόγου (1 Kor 1,17), die ja zugleich *σοφία ἀνθρώπων* (1 Kor 2,5) und somit *σοφία τοῦ αἰῶνος τούτου* (1 Kor 2,6) bzw. *τοῦ κόσμου* (1 Kor 1,20) ist, zurückweist, redet er doch auch *ἐν σοφίᾳ*, allerdings *ἐν σοφίᾳ θεοῦ* (1 Kor 1,21; 1,24), und zwar genauer *ἐν μυστηρίῳ* (1 Kor 2,7).

Daß er damit auch die Rhetorik, und sie besonders in ihrer Ausformung als persuasio, zur *σοφία τοῦ κόσμου*, und damit zum Herrschaftsbereich des *αἰὼν οὗτος*, zählt, geht aus 1 Kor 2,4f deutlich hervor. Damit spitzt sich unsere Ausgangsfrage noch einmal zu, denn wenn Paulus selbst die Rhetorik dem Machtbereich des *κόσμος* zuordnet, scheint das Dilemma unausweichlich: Bemüht er sich doch - gerade im ersten Korintherbrief! - vom *λόγος τοῦ σταυροῦ* ausgehend das neue, eschatologisch qualifizierte Sein *ἐν Χριστῷ* auszusagen und kann dies nicht anders als unter Zuhilfenahme der Rhetorik, die doch als Element des *κόσμος* dem *εἶναι ἐν Χριστῷ* diametral entgegenstehen müßte.

Einige Beobachtungen mögen uns bei der Klärung dieser Frage weiterhelfen:

(1) Es fällt auf, daß die jüngsten Briefe des Paulus diejenigen sind, in denen die rhetorische Prägung am stärksten zu Tage tritt. So ist die Differenz etwa zwischen 1 Kor (aber auch Röm; 2 Kor 10-13) und dem 1 Thess in dieser Hinsicht deutlich. Einsichtig wird dieses Phänomen durch die Erklärung, daß gerade die Adressaten des Paulus in den Gemeinden von Korinth und Rom dem Apostel ein gesteigertes Maß rhetorischer Bemühung abverlangten[4].

(2) Es fällt weiter auf, daß nur in der Korintherkorrespondenz Bemerkungen und Ausführungen zur Rhetorik des Paulus zu finden sind (1 Kor 2,4f; 2 Kor 10,10; 11,6), und zwar an Stellen, wo Paulus sich gegen Angriffe zu wehren genötigt sieht. Offensichtlich (für 2 Kor 10-13 ist das eindeutig) war seine Rede kritisiert worden, und das wohl nicht isoliert, sondern verbunden mit der Bestreitung der Rechtmäßigkeit seines Apostolates[5].

Wenn wir nun unseren Blick auf 1 Kor 2,4f konzentrieren[6], so sehen wir, daß die Adressaten an dieser Stelle Angehörige der korinthischen Gemeinde sind (also nicht etwa von außen eingedrungene Gegner[7]), die sich im Besitz besonderer (göttlicher) Weisheit wähnten und dieses hohe Selbstbewußtsein gegen Paulus und die übrigen Gemeindemitglieder ausspielten[8].

Es handelt sich hier also um die "Starken" innerhalb der Gemeinde, die aller Wahrscheinlichkeit nach zu den wenigen Gebildeten und sozial höher Gestellten (1 Kor 1,26ff) gehörten[9]. Sie sind es, die Paulus zur grundsätzlichen Überlegung 1 Kor 2 provozieren. Das unausweichliche Dilemma, in dem Paulus hier also zu stehen scheint, ist auf diesem Hintergrund der Auseinandersetzung zwischen dem Apostel und einer bestimmten Gruppe innerhalb der Gemeinde zu sehen.

Fragen wir nun, wie Paulus diese Auseinandersetzung führt: Genügt ihm
etwa seine eigene durchaus kritische Unterscheidung von persuasio und
apodeixis, von "guter" und "schlechter" Rhetorik, um diesen grundsätzlichen Gegensatz zu überwinden? Wir haben zwar gesehen, daß eben diese von Paulus selbst getroffene Unterscheidung für das rechte Verständnis seines Sprachgebrauches und seiner Rhetorik ungemein wichtig ist.
Trotzdem: Gerade das für ihn notwendige Bemühen um eine sachge-
mäße sprachliche Vermittlung des λόγος τοῦ σταυροῦ, und das schließt ja das
Bemühen um eine entsprechende Rhetorik ein, steht in nicht leicht auf-
zulösender Spannung zum κήρυγμα selbst, das in seinem Kern die Bedingungen des αἰών οὗτος und damit auch die Rhetorik als Form seiner sprachlichen Vermittlung transzendiert, ja negiert. Diese Konsequenz ergibt
sich aus den theologischen Ansätzen des Paulus selbst: κόσμος als der die
σοφία und Rhetorik qualifizierende Begriff meint ja an unseren Stellen
"den Inbegriff der irdischen Lebensbedingungen und Möglichkeiten"[10].
Von daher ist es ein geschichtlicher, ja eschatologischer Begriff, wie
Rudolf Bultmann ausführlich gezeigt hat[11].

Der so verstandene κόσμος qualifiziert alles zu ihm Gehörige als im radikalen Gegensatz zum κύριος stehend. So ist eben die σοφία τοῦ κόσμου τούτου
(1 Kor 3,19) diejenige, die sich der göttlichen Weisheit verschließt. Der
Gegensatz zwischen κόσμος οὗτος und κύριος, dem etwa Gegensätze wie νόμος
und πίστις und θάνατος und ζωή entsprechen, entspricht dem (apokalyptischen) Gegensatz von "Alt" und "Neu"[12]. Die Rhetorik steht dann,
als menschliche, irdische, in diesem Sinne "kosmische" Bemühung zum
κήρυγμα als μυστήριον in Gegensatz, denn dieses ist den Bedingungen
menschlicher Sprache letztlich entnommen und Inhalt der Geistoffenba-
rung (1 Kor 2,10). Diese Spannung ließe sich nicht überwinden, wenn
Paulus sie unvermittelt stehengelassen hätte. In seinen theologischen Ansätzen finden sich allerdings zwei Gedanken, die hier weiterhelfen, nämlich
der eschatologische Vorbehalt auf der einen, und die ἀπαρχή auf der
anderen Seite. Der κόσμος und die ἄρχοντες τοῦ κόσμου sind zwar dadurch,
daß der Gekreuzigte sich als κύριος offenbart, faktisch entmachtet, trotzdem gilt: "Das Sein des Christen ist nicht zauberhaft verwandelt, sondern verläuft auch weiterhin als ein geschichtliches, solange er ἐν
σαρκί ist[13]." Hier bekommt der eschatologische Vorbehalt, mit dem Paulus an der (noch) geschichtlichen Existenz der Christen festhält, seine sachliche Berechtigung, insofern ohne ihn die Konsequenz stracks
in den Enthusiasmus, wie wir ihn z.B. in Korinth sehen, führt[14].

Gegenläufig dazu erscheint der Gedanke der ἀπαρχή, der in gewisser
Weise ein "Spezifikum paulinischer Apokalyptik"[15] darstellt. Sachlich
entspricht hier der christologischen Rede (1 Kor 15,20) diejenige vom
Geist als ἀπαρχή (Röm 8,23) bzw. ἀρραβών (2 Kor 1,22), wobei auch die
Geisterfahrung Kennzeichen, ja Garant der radikalen kosmischen Wen-
de von Alt zu Neu ist[16].

Somit sollte jetzt in groben Umrissen das Spannungsfeld abgesteckt sein,
in dem auch die Rhetorik des Apostels als die schriftliche Gestalt seiner
Predigt in den Briefen ihren Platz hat. Paulus qualifiziert sie - so kön-

nen wir jetzt sagen - als die im Grunde überholte, im tiefsten Wesen zwei-
felhafte und zumindest zweideutige Bemühung des Menschen, unter den
Bedingungen des κόσμος das κήρυγμα als μυστήριον aussagbar und versteh-
bar zu machen. Zweideutig ist Rhetorik, wie sprachliche Vermittlung überhaupt, dadurch, daß sie immer ein Moment der Bemächtigung, und zwar
sowohl des Gegenstandes als auch der Gesprächspartner in sich schließt[17].
Deshalb muß der Apostel, sofern er argumentiert, sich um Rhetorik bemühen, obwohl damit bereits objektiviert wird, was sich im Grunde der
Objektivierbarkeit entzieht[18]. Die Rhetorik dokumentiert so eigentlich
den je unternommenen Versuch, Unmittelbarkeit sprachlich zu vermitteln[19] und entlarvt so die ergehende Rede als "uneigentliche Rede"[20],
unternommen im "Wagnis der Sprache"[21] und im Bewußtsein, daß sich
der eigentliche Gegenstand der Sprache letztlich entzieht[22] und in der
permanenten Gefahr, dem selbst zu Wort kommen wollenden Gott damit
ins Wort zu fallen[23]. Einschränkend muß allerdings gesagt werden, daß
Paulus - obzwar er das angesprochene Problem des Verhältnisses von
Kerygma und Theologie deutlich dokumentiert - in der Lösung desselben über intentionale Vermittlungsversuche nicht hinauskommt.

So kann er dieses Verhältnis von Kerygma als "direkte Anrede" und Theologie als "indirekte Anrede" nicht anders als im Paradox - etwa 1 Kor
1,17ff - ausdrücken[24]. Paulus hat seine Ausführungen über den Gegensatz von σοφία λόγου und σοφία θεοῦ als Reaktion auf die Provokation einiger Korinther angestellt. Ihm kam es darauf an, ihren Selbstruhm unmöglich zu machen (vgl. 1 Kor 1,31). Das Paradox genügt ihm zu diesem
Zweck. Allerdings ist damit - für uns - ein grundsätzliches Problem angesprochen, das über die Besinnung auf die Funktion der Rhetorik hinausgeht, durch sie höchstens signalisiert wird. Abzulehnen ist von daher auf jeden Fall das Mißverständnis, als handle es sich dabei im Spe-
ziellen um ein Problem des Paulus, um eine Episode in der Geschichte
des Urchristentums, wenn Kerygma und Theologie zueinander in Spannung treten[25].

Diese Spannung liegt aber im Begriff des Kerygma selbst begründet,
das auf der einen Seite als "reiner Entscheidungsanspruch" im "unaus-
weislichen Daß der eschatologischen Tat Gottes in Christus"[26] charak-
terisiert werden kann, auf der anderen Seite aber als "durch und durch
zeithaft"[27] zu verstehen ist, weshalb es den Betroffenen auch unausweichlich "an die Geschichte weist"[28]. Insofern ist es folgerichtig, die
Theologie als Explikation und Interpretation im Kerygma selbst angelegt
zu sehen[29], was nun die offenkundige Spannung nicht etwa löst, sondern eigentlich verschärft[30]. Dies zeigt sich auch an der Stellung des
Paulus zur Rhetorik bzw. zur Sprachlichkeit der theologischen Vermittlung überhaupt. Gerade weil er nicht zwischen Inhalt und Form seiner
Verkündigung künstlich zu trennen vermag und sich um eine der Sache
angemessenen Sprache bemüht, kritisiert er die Rhetorik als Erschei-
nungsform der Weltweisheit. So steht er selbst in der Spannung, die das
Kerygma bedingt: Eschatologischer Anspruch und Geschichtsmächtig-
keit des Evangeliums gehen weder ineinander auf, noch schließen sie sich
gegenseitig aus. Diese Spannung zu sehen und zu artikulieren ermög-

licht und fordert Theologie auch und gerade als "kritisch-polemische Lehre"[31] und nicht ohne das Element radikaler Selbstkritik. Daß diese Spannung von Paulus gesehen und – am Beispiel der Rhetorikkritik – artikuliert wurde, erlaubt, ihn als Theologen zu bezeichnen. Insofern kann Paulus zurecht als Vertreter einer Theologie in statu nascendi bezeichnet werden, als er sich der geschichtlichen Notwendigkeit verantwortlicher Rede von Gott bewußt ist, zugleich aber um deren eschatologische Unmöglichkeit weiß und vom λόγος τοῦ σταυροῦ her der Rhetorik als Bedingung dieser Rede von Gott äußerst kritisch gegenüberstehen kann.

Paulus sieht also die Rhetorik als zu diesem vergehenden und in seinem Herrschaftsanspruch bereits entmachteten Äon gehörig an, was für ihn ein Doppeltes zur Folge hat: Die Rhetorik als die Ermöglichung der "Verzauberung des Bewußtseins durch Sprache" (Th.W. Adorno) ist für ihn ebenso entmachtet wie als unwiderstehliche "Maschine der Überredung" (I.Kant). Trotzdem – weil er sich des eschatologischen Vorbehaltes bewußt ist und um die Begrenztheit und Endlichkeit menschlicher Existenz und menschlicher Rede weiß – nimmt er die Rhetorik für seine Verkündigung in Anspruch.

Eschatologische Motivation und Realitätsbewußtsein ergeben also diese dialektische Spannung, in der auch die paulinische Rhetorik als Form seines theologischen Gespräches mit den Korinthern zu sehen ist, eine Spannung, die nicht aufgelöst wird – εἰς ἡμέραν Χριστοῦ.

Anmerkungen

Zu S. 12-13

1 So der Titel des grundlegenden Aufsatzes von W.C.v.Unnik, NedThT 25 (1971) 28-43.

2 Vgl. dazu die Aufsatzbände von W.A.Meeks; G.Theißen, Studien (v.a. 3-34).

3 Dies gilt in besonderer Weise für die "Klassiker" auf diesem Gebiet: J.Weiß, Beiträge; R.Bultmann, Stil, aber auch etwa für die Untersuchung von H.Thyen.

4 H.Böhlig, S.155.

5 Hierzu wären - allerdings mit mehr oder weniger großen Einschränkungen - die bereits erwähnten "Klassiker" (J.Weiß, Beiträge; R.Bultmann, Stil), aber etwa auch A.Bonhöffer zu zählen. Nicht unwesentliche Schützenhilfe erhielt diese Position durch U.v. Wilamowitz-Moellendorff, Geschichte, S.32f, der Paulus als einen Vertreter der tarsischen Schulrhetorik versteht.

6 So spricht etwa E.Lohmeyer (unter der Voraussetzung, daß Paulus der Verfasser des Kol sei), S. 13, von "einer geheimen oder offenen, pathetischen Rhetorik, die ihr Gesetz nicht der griechischen Syntax, sondern der Tradition semitischen oder genauer aramäischen religiösen Sprechens und Denkens entnimmt".

7 Etwa E.Meyer, der Paulus zwar den Genuß der ἐγκύκλιος παιδεία und damit ein gewisses Maß an stilistischer Schulung zugesteht, aber trotzdem festhält, Paulus sei, auch was seine Sprache betrifft, "innerlich durch und durch Jude geblieben" (S.315). Denn: "Kein Grieche und kein wirklich gebildeter Asiate hätte so geschrieben wie Paulus" (S. 318).
Differenzierter ist die Position von H.Thyen: Er geht davon aus (S. 40-63), daß bereits vor Paulus mit einer Verschmelzung des hellenistischen und jüdischen Stils vor allem durch die hellenistische Synagogenpredigt (dazu: A.Wifstrand, S.13 u.32; G.Bornkamm, Paulus, S.32f) zu rechnen sei. Paulus hätte also - dies versucht Thyen durch einen Vergleich zwischen jüd.-hell. Homilien, der Diatribe und den Paulusbriefen zu zeigen - gerade im Stil dieser Synagogenpredigt sein Vorbild (S.119).

8 So auch: H.Thyen, S.117-120; W.Bujard, S.136.

9 Vgl. dazu die Monographie von N.Schneider zur "rhetorischen Eigenart der paulinischen Antithese" (zum methodischen Ansatz S.1-15).

10 So W.Bujard, der die Syntax sowie Gedanken- bzw. Wortfiguren des Kol im Unterschied zu den als echt anerkannten Paulusbriefen untersucht (zur Methode: S.15-20).

11 Neuerdings hat J.Zmijewski einen Beitrag zur Methodik von Stiluntersuchungen neutestamentlicher Texte zu liefern versucht. Er konzentriert sich dabei aus guten Gründen auf die "Narrenrede" 2.Kor 11, 1-12,10, wobei er den bloßen Stilvergleich bewußt ablehnt (S.36-40)

Zu S. 13-16

und von einem Stilbegriff ausgeht, den er so definiert (S.48): "Dem-
nach wird unter Stil verstanden: die gesamte sprachliche Gestaltung
eines Satzes bzw. Textes, die auf einer teils unbewußten, teils bewußten, durch die Persönlichkeit des Sprechers (Verfassers), die Aussage-
situation und -intention u.a. Faktoren bestimmten Auswahl aus mehreren, grammatisch-lexikalisch gebotenen, gewöhnlichen oder außerge-
wöhnlichen Ausdrucksmöglichkeiten beruht und als solche wesentlich
auf die inhaltliche Aussage hingeordnet ist."
Der große Nachteil der Untersuchung liegt m.E. darin, daß Zmijewski
den Stil des Paulus nicht aus den rhetorischen Quellen der Antike selbs
entwickelt (dazu S.41f), sondern einem ungeschichtlichen Strukturalis-
mus (etwa in der Konzentration auf die synchrone Betrachtungsweise,
S.48) verhaftet bleibt. Dazu: G.Lepschy, S.34-36.

12 J.Weiß, Beiträge, S.166. Er nimmt damit eigentlich eine Forderung von
F.C.Overbeck, HZ 12 (1882) S.429, auf.

13 Der Anstoß dazu kam nicht zuletzt aus der amerikanischen Kommunika-
tionsforschung, die eine neuerliche Bemühung um die Rhetorik notwendig erscheinen ließ. Mittlerweile ist die Literatur zur Rhetorik perma-
nent angewachsen. Vgl. die Bibliographien bei: J.Kopperschmidt, S.
202-211; J.Dubois, S.326-330; G.Ueding, S.319-336.

14 Jetzt in: K.P.Donfried (ed.), S.120-148.

15 Diese Bezeichnung stammt von M.L.Stirewalt, der der Beziehung der
Paulusbriefe zu griechischen Lehrbriefen nachgegangen ist (in: K.P.
Donfried (ed.), S.175-206).

16 In: K.P.Donfried (ed.), S.152-174.

17 NTS 21 (1975) S.353-379.

18 S.354: "It is my theses that Paul's letter to the Galatians is an example
of the 'apologetic letter' genre."

19 H.D.Betz, Tradition, S.52f; 138-142.

20 So schreibt Betz, NTS 21 (1975) S.378: "Rhetoric, as antiquity under-
stood it, has little in common with the 'truth', but it is the exercise of
those skills which make people believe something to be true. For this
reason, rhetoric is preoccupied with demonstrations, persuasive stra-
tegy, and psychological exploration of the audience, but it is not inter-
ested in establishing the truth itself." Diese Behauptung ist in ihrer
Allgemeinheit schlichtweg falsch. Schon Platon polemisierte gegen eine
rein auf Überredung ausgerichtete (sophistische) Rhetorik (Phaidr.
277b7-278b4). Seine Kritik wurde von Quint. 1, prooem.13; Cic., de
or. 3,15,50f in die Rhetoriklehrbücher aufgenommen. Dazu: H.Mayer,
S.120; V.Buchheit, S.114; U.v.d.Steinen, EvTh 39 (1979) S.108f.

21 Die riesige Literatur zur Literatursoziologie und Sozialgeschichte der
Literatur ist bibliographiert in: IASL 1 (1976) S.332-396; 2 (1977) S.
144-186; 3 (1978) S.262-338; 4 (1979) S.298-371.

22 So: U.Jaeggi, S.398.

23 Diese Trias findet sich im Ansatz bereits bei: E.Kohn-Bramstedt,
NJWJ 7 (1931) S.721: "Die Literatursoziologie erfaßt den gesamten

Zu S. 16-17

Wirkungszusammenhang von literarischer Produktion und Rezeption auf dem Hintergrund der Gesellschaft." Dazu: L.L.Schücking, S.80f; H.-N.Fügen, S.10-15.

24 Zu diesem Kriterium: C.Mühlfeld, Soziale Welt 26 (1975) S.333f. Folgerichtig schreibt U.Jaeggi, S.410: "Die Frage: 'Was ist Literatur?' hat sich zur Fragestellung verändert: 'Was ist und was vermag Sprache?'".

25 Dazu: C.Mühlfeld, Soziale Welt 26 (1975) S.334f.

26 Aber nicht nur er, sondern auch die Autoren des von W.Schottroff/ W.Stegemann herausgegebenen Sammelbandes.

27 So in Kairos 17 (1975) S.284-299; NZSysThR 16 (1974) S.35-56; Jesusbewegung, S.9-14.

28 Dieses Konzept stammt von H.-N.Fügen, S.30-33, dem Hauptvertreter der positivistischen Literatursoziologie. Siehe dazu die Darstellung bei J.Scharfschwerdt, S.112-136. Zur Kritik an der positivistischen Literatursoziologie: B.J.Warneken, S.81-150; K.-P.Philippi, DVLG 49 (1975) S.425-448.

29 Grundlegend: ZThK 70 (1973) S.245-271.

30 Jesusbewegung, S.9: "Eine Soziologie der Jesusbewegung hat die Aufgabe, typisches zwischenmenschliches Verhalten in der Jesusbewegung zu beschreiben und seine Wechselwirkung mit der jüdisch-palästinischen Gesamtgesellschaft zu analysieren."

31 Theißen setzt dabei immer bei einzelnen Konflikten ein: So geht er entweder der Frage des Unterhaltsverzichtes nach (NTS 21 (1975) S.192-221), oder er behandelt das Problem der Starken und Schwachen in Korinth (EvTh 35 (1975) S.155-172). Gleiches gilt für seine Analyse von 1.Kor 11,17-34 (NT 24 (1974) S.179-205).

32 Zur sozialen Schichtung der korinthischen Gemeinde: G.Theißen, ZNW 65 (1974) S.232-272; E.A.Judge, S.58f.

33 Zu diesem Bemühen des Paulus (gerade beim Konflikt ums Herrenmahl): G.Theißen, NT 24 (1974) S.200-205.

34 So kommt Theißen bei der soziologischen Analyse der korinthischen Parteien (1.Kor 1-4) zu dem Schluß (NTS 21 (1975) S.219): "In der Parteienfrage sind die wenigen 'Weisen, Einflußreichen und Hochgeborenen' (i.26) die Adressaten des Paulus."

35 Daß die überwiegende Mehrheit der korinthischen Christen aus den sozial unteren Schichten stammt, steht ja außer Zweifel. Dazu: G.Theißen, ZNW 65 (1974) S.270-272 (dort weitere Literatur).

36 W.Iser, Akt, S.60: "Folglich ist der implizite Leser nicht in einem empirischen Substrat verankert, sondern in der Struktur der Texte selbst verankert."

37 Dazu: W.Iser, Akt, S.60-66, wo die verschiedenen Lesertypen definiert werden. Zur Forschungsgeschichte: G.Grimm, IASL 2 (1977) S.144-186.
P.Brang, IASL 2 (1977) S.50 formuliert: "Mögliche Aufgabenstellung: auf welchen Leser zielt ein gegebenes Werk, und mit welchen, aus dem

Zu S. 17-20

Text zu entnehmenden Tatsachen läßt sich beweisen, daß es auf diesen bestimmten und nicht einen anderen Leser zielt?"

38 Dies ist ja genau die Methode, die G.Theißen bei seiner Untersuchung der sozialen Schichtung der korinthischen Gemeinde anwendet, ZNW 65 (1974) S.232-272. Theißen begründet und entfaltet dieses konstruktive Rückschlußverfahren: Kairos 17 (1975) S.286-288.

39 So auch G.Theißen, EvTh 35 (1975) S.169.

40 Dies wird breit ausgeführt und forschungsgeschichtlich belegt bei G.Theißen, Studien, S.4-9.

41 Dazu: G.Theißen, Kairos 17 (1975) S.290-292; ders., Jesusbewegung, S.11: "Analytische Rückschlußverfahren gehen von Texten aus, die indirekt den Blick auf soziologische Daten freigeben. Aufschlußreich sind Aussagen über wiederkehrende Einzelereignisse, Konflikte zwischen Gruppen oder ethische und juridische Normen, ferner literarische Formen und poetische Aussagen (z.B. Gleichnisse)."

42 Dazu: K.Thraede, Topik, S.8.

43 Sen., ep. 88,2: quare liberalia studia dicta sunt, vides; quia homine libero digna sunt.

44 Dazu: H.-I.Marrou, S.245f.

45 Grundsätzlich zur Kommunikationssoziologie: J.Hennig/L.Huth, S.68; H.Holzer, S.60-64.

1 A.Wilhelm, JÖAI 7 (1904) S.94-104. Wenn die beiden bei Thuk. I 128, 7ff; 129,3ff überlieferten Schreiben nicht ebenso wie viele Reden erst vom Verfasser geschaffen wurden, könnte man sie als die ältesten im Originalwortlaut erhaltenen Briefe bezeichnen (term. ad quem: 466 v.). Dazu: H.Hofmann, S.138. Am Sachverhalt ändert dies aber nichts.

2 Die wichtigsten Aussagen sind erhalten bei: Dem. $\pi.\dot{\epsilon}\rho\mu.$ §§ 223-235. Vgl. dazu: J.Sykutris, Sp. 189f; H.Koskenniemi, S. 24-26.

3 Vita soph. II 33,3 (ed. R.Hercher, S.14f). Dazu: H.Hunger, S.199.

4 Par. 63. Dazu: H.Koskenniemi, S.59.

5 So vor allem bei: Dem. $\pi.\dot{\epsilon}\rho\mu.$, §§ 223-235; aber auch: Quint. 9,4,19f.

6 Hier ist zu denken an: Cicero, Plinius, Seneca, Gregor v.Nazianz, Isidor v.Pelusion u.a.m.

7 Ars rhet. XXVI; XXVII. Die Antwort auf die Frage, ob Iul.Vict. (4. Jh.n.) vielleicht auf Iulius Tatianus (2.Jh.n.) zurückgreift, berührt die grundsätzliche Feststellung nicht. Dazu: J.Sykutris, Sp.190; H.Koskenniemi, S.31f.

8 Zeit: 14.Jh.n. Dazu: H.Hunger, S.201.

9 Eine ausgebildete Theorie kannte die spätrepublikanische und frühe Kaiserzeit nur für die Gerichtsrede. Dazu: J.Sykutris, Sp.189.

10 K.Thraede, Topik, S.9 Anm.7 formuliert: "Also die Folge: Praxis - Theorie - Praxis war das Übliche."

11 K.Thraede, Topik, S.8, faßt dies so zusammen: "In Wirklichkeit zehrt die spätantike Epistolographie in beiden Sprachen und ungeachtet der Religion des Verfassers so einmütig von einer fortdauernden und allerorts anerkannten, obschon nicht jedesmal aufgegriffenen, briefeigenen

Zu S. 20-21

Thematik und Phraseologie, daß wir gar nicht umhin können, mit
einer festumrissenen Bildungstradition zu rechnen."

12 Dazu verweise ich hier auf die einschlägigen Artikel und Monogra-
phien: J.Sykutris, Sp.185-220; F.X.Exler, H.Koskenniemi, G.Luck,
Das Altertum 7 (1961) S.77-84; K.Thraede, Topik.

13 Demetrius, Περὶ ἑρμηνείας , ed. L.Radermacher, Leipzig 1901; Demetrius, On Style, ed. W.R.Roberts, LCL, London 1927 (repr. 1960).

14 Die Vermutung von W.R.Roberts, LCL, London 1927, S.271ff; ders.,
Greek Rhetoric , S.57, es handle sich dabei um den Plut., de def.
or.2 erwähnten Demetrius von Tarsus, hat wenig positive Resonanz
gefunden. Dazu: H.Koskenniemi, S.21-23; K.Thraede, Topik, S.19f.

15 Siehe dazu: F.Solmsen, pass.; K.Thraede, Topik, S.20.

16 Dem., π.ἑρμ., §§ 223-235.

17 So schließt F.Solmsen seine Quellenanalyse mit der Bemerkung (S.312):
"Übrig bleiben in der Schrift des Demetrios nur noch zwei Abschnitte,
die prinzipiell etwas anderer Natur sind als die bisher behandelten:
der über die ἐπιστολή (223-235) und der über den λόγος ἐσχηματισμένος
(287-299). Sie sind die einzigen, für deren Herkunft ich keine In-
dizien habe."

18 Dazu der Hinweis bei: Elias in Arist.comm. XVIII 1,113,24.

19 So: K.Thraede, Topik, S.20. Dagegen: H.Koskenniemi, S.24.

20 Wie wir sie etwa von Cicero und Quintilian kennen. Darauf verweist
auch G.Kennedy, S.286: "'On Style' is a work of criticism rather than
a rhetorical treatise."

21 Ein Umstand, den H.Koskenniemi, S.23, zu Recht betont.

22 Wie bereits oben (S.19) betont, beeinflußt die aristotelische Freundschaftslehre die Brieftheorie der gesamten Antike. Ausgeführt hat
Aristoteles diese Lehre in seiner Ethica Nicomachea (VIII; IX), wobei er von der These ausgeht, daß für wahre Freundschaft das Zu-
sammenleben der Freunde konstitutiv sei (1157b 20; 1159b 31). Die
Überbrückung der (aufgezwungenen und bedauerten) räumlichen
Trennung der Freunde geschieht durch den Brief, der so seinen
philosophisch begründeten Ort erhält. Als Beweis für diese Ausführung zitiert Aristoteles einen Hexameter unbekannter Herkunft (1157b
13): πολλὰς δὴ φιλίας ἀπροσηγορία διέλυσεν.

23 Dem., π.ἑρμ., § 223: εἶναι γὰρ τὴν ἐπιστολὴν οἷον τὸ ἔργον μέρος τοῦ διαλόγου.

24 Dem., π.ἑρμ., § 224: δεῖ γὰρ ὑποκατεσκευάσθαι πως μᾶλλον τοῦ διαλόγου τὴν
ἐπιστολήν. ὁ μὲν γὰρ μιμεῖται αὐτοσχεδιάζοντα, ἡ δὲ γράφεται καὶ δῶρον πέμπεται
τρόπον τινά.
Dazu auch: K.Thraede, Topik, S.22.

25 Dazu stellt K.Thraede, Topik, S.22f, fest: "Das δι' ἐπιστολῆς λαλεῖν
vollzieht sich ganz und gar auf dem Boden der Schriftlichkeit als Gespräch, als in sich geschlossene Möglichkeit und sinnvoller Träger
sonst nicht realisierbarer freundschaftlicher Verbindung." Im Brief
fließen also von vornherein persönliche Bedürfnisse und rhetorische
Stilisierung ineinander, erst die rechte Mischung zwischen Rhetorik
und Briefpraxis ermöglicht das angestrebte λαλεῖν .

Zu S. 21-23

26 Dem., *π.ἑρμ.*, § 227: σχεδὸν εἰκόνα ἕκαστος τῆς ἑαυτοῦ ψυχῆς γράφει τὴν ἐπιστολ
Dazu: H.Koskenniemi, S.40; K.Thraede, Topik, S.14.

27 Text bei: R.Hercher, S. 1ff.

28 Die zeitliche Einordnung schwankt außerordentlich. So ist der gesamte
Zeitraum von ca. 200 v. bis 300 n. in Betracht gezogen worden (J.Sy-
kutris, Sp.190; H.Koskenniemi, S.55; K.Thraede, Topik, S.26; H.Hur
ger, S.200). In der Tat scheint es sehr wahrscheinlich, daß die *τύποι*
ἐπιστολικοί mehrfach überarbeitet, redigiert und so den jeweiligen Bedürfnissen angepaßt wurden. Der Grundbestand des Materials bzw.
eventuelle Vorbilder lassen sich nicht mehr ausmachen (H.Koskenniemi
S.55). Sollte aber der älteste Bestand dieser Schrift wirklich aus vorchristlicher Zeit stammen (so: K.Thraede, Topik, S.26; J.Sykutris, Sp
190), die Endredaktion aber erst im 4.Jh.n. erfolgt sein, so wäre das
nur ein Hinweis darauf, wie lange und nachhaltig der Freundschaftsbrief (*τύπος φιλικός*), der bei Ps.-Dem. als Nummer 1 rangiert, als Brief
"schlechthin" galt. - Ein später Beleg dafür ist nicht zuletzt die bei
Joseph Rhakendytes gegebene Definition des Briefes: ὁμιλία φίλου πρὸς
φίλον (syn.rhet. XIV).

29 Als Erklärung führt J.Sykutris, Sp.191, an: "Er will nur praktischen
Bedürfnissen, keinen literarischen entgegenkommen." Wesentlich schär
fer und treffender in der Beurteilung dieser Schrift ist A.Lesky, S.77(
gilt sie ihm doch als "geistlos schematischer Traktat".

30 Edd. R.Foerster/E.Richtsteig (= Libanios, ed. R.Foerster, Bd. IX),
Leipzig 1927. Dazu auch der Aufsatz: J.Sykutris, BNJ 7 (1930) 108-118

31 Zu Verfasserfrage und Abfassungszeit siehe: J.Sykutris, Sp.191; H.Kc
kenniemi, S.56; H.Hunger, S.200.

32 Das betont und zeigt H.Koskenniemi, S.57.

33 Darauf hat nachdrücklich H.Koskenniemi (etwa im Gegensatz zu J.Sy-
kutris - siehe Anm. 29) hingewiesen. Am Ende seiner Analyse stellt er
fest (S.61f): "So ist klar, daß ihre (= der Briefsteller, Verf.) Benut-
zung auf einen ziemlich kleinen Kreis von Gebildeten (oder eigentlich
Halbgebildeten) beschränkt gewesen sein muß."

34 Eine knappe Übersicht über die verschiedenen Brieftypen, bestimmt
nach deren Funktion, gibt H.Hunger (S.203-207). Er teilt ein in: Amtliche Briefe, reine Privatbriefe, literarische Briefe und literarische Pri
vatbriefe. Ähnlich, aber umfangreicher ist die Aufteilung bei J.Syku-
tris, Sp.195-216.

35 So schon: J.Sykutris, Sp. 187.

36 Dieser mißverständliche, sensu malo gemeinte Begriff stammt von
A.Deissmann, Licht, S.160. Deissmann versteht unter dieser "Mischgattung" - ebenso mißverständlich - "epistolische Briefe" (a.a.O.),
die uns "... mit ihrer Frostigkeit, Geziertheit oder eitelen Unwahr-
haftigkeit lehren, wie ein wirklicher Brief nicht sein soll." (a.a.O.).
So auch: A.Deissmann, Bibelstudien, S.187-255.

37 Dazu und zur Auseinandersetzung mit A.Deissmann: K.Thraede, Einheit, S.3f; ders., Topik, S.8ff.

Zu S. 23-24

38 Der Brief läßt sich als multifunktionale literarische Gebrauchsform
    verstehen (H.Belke, S.142-157). Er kann vier wesentliche Funktio-
    nen wahrnehmen: informierend, wertend, appellierend, bekennend.
    Diese vier Funktionen werden in drei Textklassen realisiert:
    (a) Der Briefschreiber wendet sich dem Partner zu (ICH-DU)
    (b) Der Autor wendet sich dem Gegenstand zu (ICH-ES)
    (c) Der Autor wendet sich sich selbst zu (ICH-ICH)
    Daraus ergeben sich schließlich die Idealtypen des partnerbezogenen
    appellativen Briefes, des sachbezogenen informierenden und des autor-
    bezogenen Bekenntnisbriefes. Hinter dieser Einteilung steht einerseits
    K.Bühler's Organon-Modell (S.24-48), andererseits die Texttheorie
    von S.J.Schmidt (Der Deutschunterricht 24 (1972) S.7-28) bzw. die
    Semiotik von Ch.Morris. Zum ganzen: H.Belke, S.26-57.
    - Gerade der Hinweis auf die Multifunktionalität des Briefes und sei-
    ne Bestimmung als literarische Gebrauchsform ist m.E. methodisch
    fruchtbar und - cum grano salis - der antiken Epistolographie ad-
    äquat.
39 Zu diesem Begriff: K.Thraede, Einheit, S.3; ders., Topik, S.15;
    P.Raabe, S.106.
40 So ist spätestens seit Theon (1.Jh.n.) das Briefschreiben als Form der
    rhetorischen Schulübung (προγύμνασμα) zum Zwecke der ἠθοποιία belegt.
    Dazu: J.Sykutris, Sp.190; H.Koskenniemi, S.29.
41 Dazu: K.Thraede, Einheit, S.8.
42 Einzige Ausnahme: PMert 12, er geht über bloße Nachrichtenübermitt-
    lung hinaus. H.Koskenniemi stellt zu diesem Befund S.120 fest: Es
    "... dominieren aber wirtschaftliche und andere Angelegenheiten des
    täglichen Lebens in den Briefen dieser Zeit, ohne daß dabei zu spü-
    ren wäre, daß auch einiges Gewicht auf die Unterhaltung einer per-
    sönlichen Verbindung gelegt würde." Ob dieser Umstand allein durch
    die Quellenlage bedingt ist, oder (auch) andere Ursachen hat, mag
    hier dahingestellt bleiben.
43 Dazu allgemein (vom literaturwissenschaftlichen Standpunkt aus):
    W.Veit, S.567f.
44 W.Veit, S.569: "Der Topos verweist von sich selbst auf das ihm zu-
    grundeliegende Gedachte, und eine ernsthafte Toposforschung erhält
    ihre Bedeutung durch dieses Vordringen in die Bedeutung des Topos."
45 Diese Formulierung stammt von K.Thraede, Einheit, S.37.
46 K.Thraede, Einheit, S.39.
47 Die beiden klassischen Belege sind: ad fam. 2,4 und ad fam. 4,13. Wäh-
    rend Cicero an jener Stelle drei genera des Briefes unterscheidet (cer-
    tiores facere absentem; familiare et iocosum; severum et grave), sind
    es an dieser hingegen nur zwei (secundae res; triste et miserum).
48 Belege: ad Att. 5,5,1; 6,5,4; 7,5,4f; u.ö.
49 Belege: ad Att. 8,14,1; 9,4,1; 9,10,4; 15,19,1; u.ö.
50 Diesen Gedanken nehmen die späteren Rhetoren auf und behandeln
    den Brief folgerichtig als sermo (z.B. Iul.Vict., de serm. 26).

Zu S. 24-25

51 Die üblichen Phrasen und Wendungen, die dies zum Ausdruck bringen sollen, sind: quasi tecum loqui (ad Att. 8,14,1; 9,10,1) und videor tecum loqui (ad Att. 12,53; 15,19,1). K.Thraede, Topik, S.16 stellt in bezug auf diesen Topos bei Cicero treffend fest: "Das Rätsel, daß weit Getrennte miteinander sprechen, findet im Brief seine Lösung."

52 Der wohl eindringlichste Beleg dafür lautet (ep. 75,1): minus tibi accuratas a me epistulas mitti quereris. quis enim accurate loquitur, nisi qui vult putide loqui? qualis sermo meus esset, si una sederemus aut ambularemus, inlaboratus et facilis, tales esse epistulas meas volo, quae nihil habent accersitum nec fictum.
So auch: ep. 40,1; 45,8; 67,2; u.ö.

53 Dazu vor allem: ep. 118,1-3: Seneca zitiert Cic., ad Att. 1,12,4 (si rem nullam habebit, quod in buccam venerit scribat) und setzt selbst fort (ep. 118,2): nunquam potest deesse, quod scribam, ut omnia illa, quae Ciceronis implent epistulas, transeam.
K.Thraede, Topik, S.67f gibt den möglichen Grund dieser Kontroverse an: "In ep. 118 spielt also Seneca mit einer scheinbar gleichartigen Gattung um einer philosophischen Pointe willen, außerdem strebt er wohl, ..., eine Überbietung des Verhältnisses Cicero-Atticus durch die Relation Seneca-Lucilius an, Ersatz des Freundschaftsbriefes durch Briefe 'der' Freundschaft, durch sozusagen epistolische Amicitia."

54 Belege: ex Ponto 1,6,16; 2,4,1; 3,5,29; 3,5,50; 3,6,40; u.ö.

55 So vor allem: tr. 3,8,5f; 4,2,49f; u.ö.

56 Belege: ep. 3,5,20; 3,9,27; 4,17,11; 5,6,42; 7,9,16; 9,13,26; u.ö.
Ähnlich (zur Rechtfertigung überlanger Briefe)wird der Topos aber schon bei Cic., ad fam. 6,3,1; 6,4,4 verwendet.

57 Weitere Belege: ad fam. 3,11,2; 5,13,5; 15,16; 2,9,2; u.ö.

58 Dazu stellt K.Thraede, Topik, S.17 fest: "Dahinter steht folglich die gattungseigene Rede vom Adressaten als ὡς παρών, und Cicero ist ihr ältester Zeuge."
- Weiterer Beleg für die ὡς παρών- Formel und gleichzeitig Beweis ihrer weiten Verbreitung (auch im griechischen Bereich) ist: BGU 4, 1080, S.6ff.

59 Belege: ex Ponto 2,10,19; 2,11,3f; 1,9,7; 3,5,47; u.ö.

60 Ep. 6,28,1 u.ö.

61 So etwa: ep. 5,11,12; 9,11,2; 9,31,1; 9,37,5.

62 So gibt es Freundschaftsbriefe einerseits aus vorchristlicher Zeit (z.B. PCairoZen. 1,59,135; BGU 3,1009), andererseits erst ab dem 2.Jh.n. (z.B.: PBad.39; PHamb. 1,37; PRyl. 2,235; PStraßb. 2,140; PFlor. 3,367; POxy. 14,1766; 14,1664). Zum einzigen Freundschaftsbrief aus dem 1.Jh.n. (PMert. 12) siehe: Anm. 42.
- Für unseren Topos erwähnenswert ist: PMich. 8,482,23f; POxy. 1,32: hanc epistulam ant(e) oculos habeto domine puta(t)o me tecum loqui. Dazu: H.Koskenniemi, S.173f.

63 Belege hierfür sind vor allem: Greg.Naz., ep. 52; 68; Greg.Nyss., ep.18; Bas., ep.163; 271; 297; Syn., ep.138; Lib., ep. 145 u.a.m.

Zu S. 25-29

64 Schon der Musterbrief bei Ps.-Dem., τύπ.ἐπ. für den τύπος φιλικός ist
von diesem Motiv durchzogen (οἱ μὲν οὖν φιλικός ἐστιν ὁ δοκῶν ὑπὸ φίλου
γράφεσθαι πρὸς φίλον, R.Hercher, S.1), sein Hauptgedanke ist ja: "Obwohl leiblich weit getrennt, muß ich immer an dich denken." Dazu:
K.Thraede, Einheit, S.26f.
65 Nach: H.Koskenniemi, S.177.
66 H.Koskenniemi, S.179: "Dieser Auffassung zufolge kann also die
leibliche Anwesenheit durch den Brief ersetzt werden, ...".
67 Greg.Naz., ep. 129 (weitere Belege: Anm. 63), dazu: H.Koskenniemi,
S.179f.

1 Dem., π.ἐρμ. § 234.
2 Wie etwa: 1.Kor 10,23ff; 14,26ff; 15,35ff; 2.Kor 10,7ff u.ö.
3 Diesen Versuch scheint J.B.White, S.160-163 zu unternehmen, wenn
er (allerdings auf Formeln, nicht auf Topoi bezogen) in dieser Frage
Paulus mit griechischen Papyrusbriefen auf einen Nenner bringen will.
4 Vgl.: 1.Kor 11,13; 14,20. H.Conzelmann, S.201: "Wieder einmal appelliert Paulus an das Urteilsvermögen." Gemeint: der Korinther.
5 Dazu: H.Lietzmann, S.47; H.Conzelmann, S.201. M.E. ist εἰδωλολατρία
als Stichwort durch v7 vorbereitet, das Thema des Abschnittes vv14-22
aber im Zusammenhang mit den εἰδωλόθυτα von Kap.8 zu sehen, wie die
Spitze der Paränese v21 unmißverständlich zum Ausdruck bringt.
6 Die beiden rhetorischen Fragen v22 sollen nur noch die apodiktische
Feststellung von v21 bekräftigen.
7 Der rhetorische Typ der captatio benevolentiae ist der des "iudices
benevolos parare ab iudicum persona". Die entsprechenden Vorschriften für diesen Typ bei: adHer. 1,5,8; Cic., de inv. 1,16,22; Quint.
4,1,16. Zum ganzen: H.Lausberg, § 277.
8 5,13 ist Zitat aus Dtn. 17,7; 19,19; 22,21; 22,24; 24,27 LXX mit der
Erweiterung von ἐξάρεις (LXX) zu ἐξάρατε.
9 Belege: Siehe Anm. 57-63. R.W.Funk, S.249-268 sieht die apostolische
Parusie des Paulus in dreierlei Hinsicht verwirklicht: Durch Schreiben
eines Briefes, durch Senden eines Mitarbeiters und durch persönlichen
Besuch. Folgende Stellen führt er dafür an: Röm 1,8ff; 15,14ff; 1.Kor
4,14ff; 16,1ff; 2.Kor 12,14-13,10; Phil 2,19ff; 1.Thess 2,17-3,13;
Phlm 21f.
10 So: H.Conzelmann, S.177.
11 So: H.Lietzmann, S.23.
12 Dies vermutete bereits: G.Karlsson, Eranos 54 (1956), S.138ff. Überzeugend gefestigt wurde diese Interpretation durch K.Thraede, Einheit, S.22-25, der (S.23) schreibt: "Der Brief selbst ist es, der die
παρουσία des Apostels vermittelt."
13 Perfekt im Brief bedeutet eine für den Empfänger abgeschlossene Handlung, dazu: H.Koskenniemi, S.195f.
14 H.Koskenniemi, S.46; 186 spricht vom Briefempfang als "ideellem Schwerpunkt des Schreibens".

Zu S. 29-31

15 So schreibt K.Thraede, Einheit, S.24 zutreffend: "Seine (des Paulus, der Verf.) Entscheidung ist im Brief gegenwärtig wie er selbst, so daß er vorschlagen kann, die Gemeinde versammle sich mit ihm im Gottesdienst, in dem der Brief ja verlesen wird -...".

16 πνεῦμα ist hier also - wie v4 - kein "theologischer" Begriff, sondern meint einfach das "briefliche Ich" des Paulus (K.Thraede, Topik, S. 72 Anm.55), wäre also sinngemäß zu ersetzen durch ἐν ἐπιστολῇ .

17 Auf dieses "zwar - aber"-Verhältnis weist R.Bultmann, S.192 hin.

18 Dies legt sich nahe aus 2.Kor 11,6, wo ein ähnlicher Vorwurf an Paulus von ihm abgewehrt wird: εἰ δὲ καὶ ἰδιώτης τῷ λόγῳ, ἀλλ' οὐ τῇ γνώσει, ...

19 Obwohl dies doch eine wesentliche Forderung der Brieftheorie war: Dem., π. ἑρμ. § 227: πλεῖστον δ' ἐχέτω τὸ ἠθικὸν ἡ ἐπιστολή, ὥσπερ καὶ ὁ διάλογος · σχεδὸν εἰκόνα ἕκαστος τῆς ἑαυτοῦ ψυχῆς γράφει τὴν ἐπιστολήν.

20 λόγος hat hier eine andere Bedeutung als in v10: Meinte es dort die mündliche Verkündigung, so hier den brieflichen Verkehr. So gibt R.Bultmann, S.193 λόγος v10 mit "Rede", v11 mit "Wort" wieder.

21 So R.Bultmann, S.193: "Er (= P., Verf.) wird sich bei seiner Anwesenheit als der gleiche erweisen, als der er in seinen Briefen erscheint."

22 Deutlich kehrt Paulus 13,2-10 zu 10,1-11 zurück: R.Bultmann, S.251; H.Lietzmann, S.162.

23 So konstruieren: R.Bultmann, S.243; H.Lietzmann, S.160.

24 Wie ja schon einige Abschreiber versuchten: K pl syp setzten γράφω hinter ἀπὼν νῦν ein. Das ist aber eine offensichtliche Glättung.

25 ὡς + Part. = als einer, der (Bl.-Debr. § 425,3). So heißt ὡς ἔχων "gleich als hätte er" (Ios., ant. 1,251; Ditt., Syll. 3,1168,135; Act. 28, 19). Immer schwingt dabei die Bedeutung von "gleichsam" (quasi) mit.

26 Dann läge klar der briefspezifische Topos der "Als-Ob-Gegenwart" vor.

27 τὸ δεύτερον = "zum zweiten Mal": Gen 22,15; Jer 40,1; Ios., bell. 1,25; Ditt., Or. 82,5. "Beim zweiten Male" hieße ἐν τῷ δευτέρῳ (Act. 7,13), was zu erwarten wäre, wollte Paulus sagen "beim zweiten Mal meiner Anwesenheit".

28 R.Bultmann, S.243 behauptet, für "obwohl" müßte eher καίπερ statt καί stehen. Aber καί allein kann durchaus eine Parenthese einleiten (Bl.-Debr. § 465,1), wie Eurip., Orest. 4, aber auch Röm 1,13 zeigt. Das bloße καί genügt ja auch Bultmann nicht, um seine Konstruktion durchzuführen, muß er doch οὕτως vor καὶ ἀπὼν νῦν einfügen (S.243).

29 Dies ist nicht nur ein Hinweis auf den hohen Bekanntheitsgrad der antiken Brieftheorie und ihrer Topik, sondern auch auf den Bildungsstand der korinthischen Christen, die Paulus diesen Vorwurf machten!

30 Daß bereits der allgemeine Briefstil und nicht ausschließlich der reine Freundschaftsbrief philophronetische Phrasen enthält, zeigt: H.Koskenniemi, S.94.

31 Ob ἔγραψα v11 Aorist des Briefstils (= Praesens) ist - im Gegensatz etwa zu v9, wo ἔγραψα sich deutlich auf einen vorhergegangenen Brief bezieht -, ist für unsere Frage nicht von entscheidender Bedeutung. Ich neige zur Ansicht H.Conzelmanns, der v9 und v11 wirklichen Aorist

Zu S. 31-32

liest (S.124 Anm.81; S.120 Anm.55), im Gegensatz zu H.Lietzmann, S.25 (v9: "schrieb"; v11: "schreibe jetzt").

32 ἔγραψα in beiden Fällen wirklicher, nicht brieflicher Aorist. So auch: R.Bultmann, S.49.

33 R.Bultmann, S.58: "Die ἐπιστολή ist natürlich die von 2,3f.9, die also Titus offenbar nach Korinth überbracht hatte."

34 Zu 2.Kor 10,10f siehe: S.29-30.

35 ἵνα bezieht sich auf οὐκ αἰσχυνθήσομαι (v8), R.Bultmann, S.191.

36 Die wichtigsten: BGU 846,9f; POxy.1066,8f; 1757,19; 1842,6; 1671,19; PMich.55,11f; 36,1; 58,29f; Sen., ep.40,2; 47,5; 50,1; 70,25; 72,1; 79,5; 109,1; 114,1 u.ö. Weitere Belege: H.Koskenniemi, S.64ff; J.B.White, S.25f; 54f.

37 Parallelen etwa: POxy.530,2ff; 1220,23; PMich.201,4ff; 55,11f; 201,9; PTebt.423,2ff.

38 Diesen kommunikationsvertiefenden Aspekt der Formel betont auch J.B.White, S.31, wo er schreibt: περί + Genitiv bezieht sich "to the subject mentioned in previous communication". Einen Schritt weiter geht D.V.Bradley, JBL 72 (1953) S.241f, der hinter der Einleitungsphrase περί + Genitiv einen feststehenden Topos der Paränese vermutet, was er an 1.Thess 4,9-5,11 zu zeigen versucht (S.245f). Bradley vermutet Einfluß der kynisch-stoischen Predigt (S.246).

39 In der Zenon-Korrespondenz: PCairoZen.I 59093,2f; 59076,3; 59135,2.

40 Der sich sonst bei Paulus sehr wohl findet: Röm 1,9 ἀδιαλείπτως μνείαν ὑμῶν ποιοῦμαι (vgl.auch: 1.Thess 1,2; Phlm 4); 1.Thess 3,6: ἔχετε μνείαν ἡμῶν ἀγαθὴν πάντοτε (also Gedenken der Thessalonicher!).

41 Die Funktion des Verses ist durch ἐπαινῶ als captatio benevolentiae ausgewiesen (dagegen 11,17: οὐκ ἐπαινῶ!). Zum ganzen: A.Strobel, ZNW 47 (1956) S.80-84ff. Strobel will - ausgehend vom Röm 13,3b - zeigen, daß es sich dabei um eine laudatio iudicialis handelt. Die Quellen "belegen die im offiziellen Schriftverkehr verbreitete Gewohnheit, wenn immer Anlaß dazu bestand, das Verhalten der Untertanen zu würdigen, ja...tatsächlich zu loben" (S.82). Belege: Ditt., Syll.I,34; I,57; I,186. Dies wirft ein Licht auf das Verhältnis zwischen Paulus und der Gemeinde. Zu 1.Kor 11,2.17.22 siehe: A.Strobel, ZNW 47 (1956) S.82 Anm.86; H.Conzelmann, S.214. Das Lob des Apostels muß sich nicht unbedingt auf eine Bemerkung im Brief der Korinther beziehen, wie H.Lietzmann, S.53 behauptet.

42 H.Koskenniemi, S.147 stellt zu unserer Stelle fest: "Man hat allen Grund anzunehmen, daß bei dem Apostel diese Ausdrücke auf den allgemeinen stilistischen Gepflogenheiten, die ihm bekannt waren, beruhen, ...".

43 Sehr schöne Beispiele bei: Sen., ep.26,1f; 70,1-3 u.ö. Papyrusbelege: BGU 1204,7f; 1208,48f; POxy.939,20. Dazu: H.Koskenniemi, S.128-130.

44 Bei Paulus begegnen zwei Typen von Prooemien, die mit εὐχαριστῶ eingeleitet werden: a) εὐχαριστῶ ... ὅτι + Konsekutivsatz 1.Kor 1,4-9 (vgl. 2.Thess 1,3f). b) εὐχαριστῶ Partizip + Finalsatz (finaler Infinitiv)

Zu S. 32-33

1.Thess 1,22ff; Phil 1,3ff; Phlm 4ff. 2.Kor 1,2 ist $\varepsilon\dot{\upsilon}\chi\alpha\rho\iota\sigma\tau\tilde{\omega}$ durch $\varepsilon\dot{\upsilon}\lambda o\gamma\varepsilon\tau\acute{o}\varsigma$ ersetzt. Dazu: P.Schubert, S.43-82 (S.44: 1.Kor 1,4-8; S.46f: 2.Kor 1,10-11; vgl. auch die tabellarische Übersicht auf S. 54f). Zur Frage nach der Herkunft der termini (hellenistisch?) und des Stils des Prooemiums (jüdisch-liturgisch?) siehe: H.Conzelmann, S.39 Anm.13 + 14 (dort weitere Literatur!). Stark von ihrer epistolo-graphischen Funktion her interpretiert P.T.O'Brien die paulinischen Prooemien (S.107-113: 1.Kor 1,4-10; S.233-258: 2.Kor 1,3ff). Pau-lus gibt in ihnen die Themen der Briefe an, womit er der zeitgenössi-schen "epistolary convention" (S.263) folgt, ohne sie aber sklavisch zu imitieren (S.264). O'Brien kommt zu dem Schluß (S.263): "Paul's introductory thanksgivings have a varied function: epistolary, di-dactic and paraenetic, and they provide evidence of his pastoral and/ or apostolic concern for the addressees."

45 H.Conzelmann, S.40.

46 Ein gutes Beispiel ist der Brief des Apion (BGU 433; A.Deissmann, Licht, S.145ff): Ἀπίων Ἐπιμάχῳ τῶι πατρὶ καὶ κυρίῳ πλεῖστα χαίρειν. Πρὸ μὲν πάν [των] εὔχομαι σε ὑγιαίνειν καὶ διὰ πάντος ἐρωμένον εὐτυχεῖν μετὰ τῆς ἀδελφῆς μου ... Εὐχαριστῶ τῷ κυρίῳ Σεράπιδι, ὅτι κτλ.
Dazu: H.Koskenniemi, S.130-136 (dort weitere Belege).

47 Genauer muß wohl gesagt werden, Paulus spricht darüber, ὅτι ἐν πάντι ἐπλουτίσθητε ἐν αὐτῷ (= Χριστῷ).

48 Obwohl es mir doch zu eng gesehen erscheint, wenn H.Conzelmann, S.40 in ἐπλουτίσθητε und ἐν αὐτῷ "Ton und Inhalt des ganzen Briefes" aufgeschlossen finden möchte.

49 Gerade diese Mischung aus formelhafter Stilisierung und persönlicher Färbung macht ja das Wesen des kultivierten philophronetischen Brie-fes aus.
So stellt H.Conzelmann, S.41 zu Recht fest: "Die an sich formelhaft wirkende Wendung wird von Paulus zur lebendigen Verbindung von Apostel und Gemeinde gemacht."

50 R.Bultmann, S.55 faßt diese drei Verse zu einer Einheit zusammen und hat dafür die (mißverständliche) Überschrift gewählt: "Die Sehn-sucht des Paulus nach der Gemeinde". Besser: nach Kunde aus der Gemeinde.

51 Hier stimme ich mit R.Bultmann, S.55 überein, wenn er schreibt: "Sie (= die Gemeinde, Verf.) soll ihn so immer besser verstehen lernen: sein apostolisches Verhältnis zu ihr hat wirklich sein persönliches Empfinden und Handeln bestimmt."

52 Daß die beiden Korintherbriefe auch sonst reichlich Autobiographi-sches enthalten, liegt auf der Hand. Nur: nicht jeder "Ich-Bericht" dient der Vertiefung der Beziehung zwischen Absender und Adressat. B.Rigeaux, S.173 bringt eine Übersicht über autobiographische Stel-len bei Paulus:
- Reine Autobiographie: 1.Kor 16,5-9; 2.Kor 7,5 (Röm 1,11-14;
Phil 1,12)

Zu S. 33

- Apostolische Autobiographie: 1.Kor 1,12-16; 2,1-5; 3,1-4; 10; 7,9;
  2.Kor 1,8-6,10 (1.Thess 2,1-12; Röm 15,17-21)
- Apologetische und polemische Autobiographie: 2.Kor 10,1-12,21;
  1.Kor 5,1-27; 15,9 (Gal 1,11-2,14)
- Mystische Autobiographie: 2.Kor 12,1-10
- Typologische Autobiographie: - (Röm 7,14-25)

Diese Klassifizierung ist auf jeden Fall problematisch (z.B. die Unterscheidung von "Reiner" und "Apostolischer Autobiographie"). Angemessener wäre es wohl, autobiographische Stellen nach ihrem Platz und ihrer Funktion innerhalb einer Argumentations- bzw. Erzähleinheit zu definieren. So hat etwa H.D.Betz NTS 21 (1975) S.353-379 (m.E.einleuchtend) gezeigt, daß Gal 1,11-2,14 nicht isoliert, sondern nur als narratio innerhalb einer Apologie zu verstehen ist, noch dazu gemäß rhetorischer Lehrmeinung (Cic., de inv. 1,19,27ff; Quint. 4,1,76ff) formuliert. Ähnliches gilt auch für Stellen wie: 1.Kor 3,1-4,10; 2.Kor 10,1-12,21. Zum ganzen: G.Misch, v.a.S.369ff; A.Momigliano.

53 Sehr schön die climax: ἐπιπόθησις – ὀδυρμός – ζῆλος. "Eine Steigerung von der Stimmung bis zur Tat." (R.Bultmann, S.58).

54 An anderen Stellen verwendet es Paulus aber sehr wohl: Röm 1,11 (ἐπιποθῶ γὰρ ἰδεῖν ὑμᾶς); 15,23 (ἐπιποθίαν δὲ ἔχων τοῦ ἐλθεῖν πρὸς ὑμᾶς); 1.Thess 3,6 (ἐπιποθοῦντες ὑμᾶς ἰδεῖν). 2.Kor 5,2; 9,14: in anderer Bedeutung. Zum Sehnsucht-(πόθος)motiv und seiner literarischen Ausgestaltung: H.Koskenniemi, S.170f.

55 ὡς + Partizip: "im Gedanken, daß" (Bl.-Debr. § 425,3). Der Sinn ist nicht eindeutig: Entweder "Einige führen sich hoch auf, als würde ich nicht kommen" (so: H.Conzelmann, S.112), oder "Sie führen sich hoch auf, indem sie behaupten, ich werde nicht kommen" (H.Lietzmann, S.22).

56 Vgl.: POxy. 113,27f; PTebt. 757,9ff. Dazu: J.B.White, S.50.

57 Insofern kann man diese Besuchsandrohung ohne weiteres als Höhepunkt und Abschluß der peroratio betrachten (H.Lausberg, §§ 431-442).

58 Zur neutralen Besuchsankündigung vgl.: POxy.1666,11ff; 1757,9ff; 1763,9ff. Dazu: J.B.White, S.49.

59 Zu diesem Typ vgl.: POxy.743,41f; 939,26ff; 1216,17ff. J.B.White, S.50.

60 H.Conzelmann, S.355: "Paulus akzentuiert: Durch Mazedonien wird er nur durchreisen, in Korinth wird er bleiben."

61 Typische Briefformel: PMich.211,4; PAmh.131,5; PGieß.18,10; BGU 423,18; 27,11. Sonst: Platon, Phaed.80D; Ios., ant. 7,373. Von Min. Fel., Oct.18,11 als "vulgi naturalis sermo" bezeichnet.
   - 1.Kor 14,6 kann, sofern νῦν δέ logisch und nicht zeitlich zu verstehen ist, außer Betracht bleiben (dazu: H.Conzelmann, S.277 Anm.28).

62 Der Plan von v15f kann wohl nur vor dem Besuch ἐν λύπῃ gefaßt worden sein. Nach 2,1 wurde er von Paulus nachträglich geändert, weshalb ihm die Gemeinde Vorwürfe machte. Dazu: R.Bultmann, S.41-43.

Zu S. 33-36

63 R.Bultmann, S.235: "Die Ankündigung des dritten Besuches ist hier
nicht wie 13,1 Selbstzweck, sondern dem Thema untergeordnet."
64 So vor allem: H.Lietzmann, S.159f; R.Bultmann, S.239f.
65 Zum ganzen Vers: H.Lietzmann, S.160; R.Bultmann, S.242f.
66 Präscript + ἀσπάζομαι σε (PBrem.61,3; PGieß.81,2f; PBrem.57,3).
Dazu: H.Koskenniemi, S.149.
67 O.Roller, S.66f behauptet, Paulus beschritte dabei neue Wege. Das
ist unrichtig: Platon, ep.XIII 363D; PGrenf.I 53,8ff; POxy.1067,22ff
u.ö. Dazu: A.Deissmann, Licht, S.145ff; H.Conzelmann, S.358.
68 Parallele: BGU 37. Dazu: A.Deissmann, Licht, S.137f.
69 H.Conzelmann, S.358 Anm.16 nimmt deshalb für unsere Stelle eine
nachträgliche Redaktion an.
70 Siehe dazu die umfangreiche traditionsgeschichtliche Studie von
K.Thraede, JAC 11/12 (1968/69) S.124-180.
71 Dies ist beinahe communis opinio: R.Bultmann, S.253; H.Lietzmann,
S.162; H.Windisch, S.427. Zurückhaltung übt: H.Conzelmann, S.359.

1 Kein Grund, wohl aber ein kräftiger Hinweis auf die bereits sehr früh
empfundene Verwandtschaft zwischen Paulus und Seneca ist der fingier-
te lateinische Briefwechsel zwischen den beiden (14 Briefe). Das Ganze
ist ein Kunstprodukt wohl erst aus dem 4.Jh.n. Deutsch bei: E.Hen-
necke/W.Schneemelcher, S.84ff (dort weitere Literatur).
2 Dem., π.ἑρμ., § 230: Ἀριστοτέλους γοῦν ὡς μάλιστα ἐπιτετευχέναι δοκεῖ τοῦ τύπου
ἐπιστολικοῦ. § 233: Ἀριστοτέλης μέντοι καὶ ἐπιδείξεσι που χρῆται ἐπιστολικαῖς.
3 Dazu: J.Sykutris, Sp.203; M.van den Hout, Mnemos 4 (1949) S.19-41.
138-153.
4 Dazu: J.Sykutris, Sp.203.
5 Diog.Laert. X 22; 35-83; 84-116; 122-135.
6 X 22 (an Idomeneus); X 35ff (an Herodot); X 84ff (an Pythokles);
X 122ff (an Menoikeus).
7 P.Rabbow, S.270 bezeichnet diese briefliche Seelsorge als typisch für
die Schule Epikurs und betont zudem, daß sie als Vorbild auch Senecas
ep.mor. beeinflußten. Dazu: I.Hadot.
8 Genaue Datierung, Quellenanalyse und Interpretation bei H.Steckel,
Sp.612-614.
9 Gerade wegen seiner ungeschickten Stuktur und seines unverbunde-
nen, rein aufzählenden Aufbaues wird die Echtheit dieses Briefes angezweifelt. Vielleicht wurde er von einem Schüler Epikurs aus echtem Material des Lehrers komponiert. Dazu: W.Schmid, S.691; H.Steckel, Sp.
614-615.
10 X 87: οὐ γὰρ κατὰ ἀξιώματα κενὰ καὶ νομοθεσίας φυσιολογητέον, ἀλλ᾽ ὡς τὰ
φαινόμενα ἐκκαλεῖται. Das Schema der Aufzählung z.B. X 94: κένωσίς τε
σελήνης καὶ πάλιν πλήρωσις ... δύναιτ᾽ ἂν γίνεσθαι; X 96: ἔκλειψις ἡλίου καὶ
σελήνης δύναται μὲν γίνεσθαι; X 98: ἐπισημασίαι δύναται γίνεσθαι; X 99: νέφη
δύναται γίνεσθαι.
11 Hier findet sich auch die klassische Formulierung X 125: τὸ φρικωδέστατον
οὖν τῶν κακῶν ὁ θάνατος οὐδὲν πρὸς ἡμᾶς, ἐπειδή περ ὅταν μὲν ἡμεῖς ὦμεν, ὁ θάνατο
οὐ πάρεστιν ὅταν δ᾽ ὁ θάνατος παρῇ, τόθ᾽ ἡμεῖς οὐκ ἐσμέν.

Zu S. 36

12   Der Zusammenhang mit dem Beginn des Briefes ergibt sich klar aus
der Aufforderung: ταῦτα μελέτα (X 123; 135). Der Schluß des Briefes
ist offensichtlich im bewußten Gegensatz zum Protreptikos des Aristoteles gestaltet (fragm.61, ed.Rose): ὥστε δοκεῖν πρὸς τὰ ἄλλα θεὸν εἴναι
τὸν ἄνθρωπον.
Dazu: W.Schmid, S.694f; H.Steckel, Sp.621.

13   So stellt J.Sykutris, Sp.203f Epikur, Seneca und Paulus nahezu auf
eine Stufe. Ähnlich auch: H.Cancik, S.60; K.Berger, Exegese, S.51. -
Keine positive Aufnahme hat die These von N.W.deWitt gefunden:
Epikur wäre als Brücke zwischen griechischer Philosophie und Christentum anzusehen. Besonders Paulus nun habe Epikur (v.a. seine
Terminologie) aufgenommen. W.Schmid, S.815 stellt dazu fest (wobei
er den Einfluß der Stoa auf Paulus aber unbedingt gewahrt wissen
will): "Mag für die philosophische Koine, in der Paulus zu Hause war,
die stoische Gemeinsprache eine nicht unbeträchtliche Wirkung gehabt
haben, so läßt sich das für die epikureische Diktion durchaus nicht
behaupten." Die Hauptbedenken gegen die Thesen deWitts liegen allerdings in der Methode: Es ist gar nicht möglich, "...ohne weiteres
epikureischen Einfluß auf das NT anzunehmen, ist doch ... grundsätzlich damit zu rechnen, daß der 'epikureische' Gedanke längst zum
Bestandteil der philosophischen Koine geworden war." (W.Schmid, S.
815). Das methodische Problem, das dabei zu Tage tritt, würde ich
in dem von deWitt nicht reflektierten Gegensatz von Synchronie und
Diachronie begründet sehen, muß doch jede Begriffsgeschichte und
jeder Vergleich hinsichtlich der Terminologie (darauf ruht ja deWitts
These) berücksichtigen, daß auch Begriffe und Termini ihre Geschichte haben und sich ihre Bedeutung nicht zuletzt aus ihrem Gebrauch
bzw. Verwendungszusammenhang ergibt, der e definitione als ge-
schichtlich, d.h. veränderlich zu sehen ist. Bedenkenswerter ist die
These von B.Farrington, S.144f, daß Paulus - was seine Missions-
technik betrifft - die epikureische Schulgemeinde von Tarsus vor
Augen gehabt und nachgeahmt hätte. Allerdings kann dieser These -
genauso wie der deWitt's - entgegengehalten werden, daß auch die
epikureische Gemeinde von der Akademie und der hellenistischen My-
sterienreligion beeinflußt worden war, daß also auch ihre Missions-
technik zur Zeit des Paulus Gemeingut geworden war (so: H.Steckel,
Sp.647).

14   Hinsichtlich ihrer Funktion werden die Briefe der beiden verglichen;
nicht etwa hinsichtlich ihres Inhaltes und Gedankengutes. Dazu die
älteren Aufsätze: J.Th.Ubbink, NTS 1 (1918) S.275-282; E.G.Sihler,
Bibl.Rev.12 (1927) S.540-560; P.Benoit, RB 53 (1946) S.7-35 sowie
die grundlegende neuere Monographie: J.N.Sevenster.

15   Eine solche Einengung auf rein "äußerliche" Merkmale und Kennzeichen mag methodisch anzweifelbar sein - zumindest was Seneca betrifft.
So hat B.L.Hijmans den Versuch unternommen, am Beispiel von Sen.,
ep.mor. 1; 26; 41; 75; 80; 100; 122 den engen Zusammenhang zwischen

Zu S. 36-37

Textstruktur und -inhalt aufzuzeigen, wobei er allerdings nicht - wie vom Titel her zu erwarten wäre - strukturalistisch vorgeht, sondern nach traditionell stilistischen Kriterien (v.a.Kola-Kommata/Klauseln). Dies stellt aber die Berechtigung eines Vergleiches zwischen Paulus und Seneca auf der Ebene der Argumentationsformen und Beweismittel nicht in Frage. Inhaltliche Vergleiche sind sachlich und methodisch ein zweiter Schritt.

16 Die narratio probabilis verfügt über doppelte Mittel: Einerseits richten sie sich an den Intellekt des Hörers (docere), andererseits an dessen Gemüt (delectare et movere). Dazu: H.Lausberg, § 257. Docere meint also den kognitiven Weg der persuasio, vor allem durch narratio und argumentatio (Quint. 12,10,59); delectare/movere zwei graduell verschiedene Arten der Affekterregung (Quint. 6, 2,8) - je nach Maßgabe der utilitas causae. Diesem, aus der Gerichtsrede stammenden Gedanken ("Parteiinteresse": Quint. 4,3,14; 5,11,16) unterliegt die gesamte Rhetorik in allen drei genera der Rede (dazu: H.Lausberg, § 63).
Diese drei genera sind (nach der aristotelischen Einteilung, Ar., rhet. 1,3): (1) γενός δικανικόν = genus iudiciale (adHer. 1,2,2: iudiciale est quod positum est in controversia et quod habet accusationem aut petitionem cum defensione). (2) γένος συμβουλευτεικόν = genus deliberativum (adHer.1,2,2: deliberativum est in consultatione quod habet in se suasionem et dissuasionem). (3) γέν. ἐπ. = genus demonstrativum (adHer.1,2,2: demonstrativum est quod tribuitur in alicuius certae personae laudem vel vituperationem). Zum ganzen: H.Lausberg, §§ 59-65.
Diese Einteilung ist allerdings nicht unumstritten geblieben (vgl. die Notizen bei Quint.3,4,1-16; Cic., de inv.1,9,12), auch die Reihenfolge der drei genera wird in den Rhetorikhandbüchern verschieden angegeben (vgl. die Übersicht bei H.Lausberg, § 62).

17 Gerade an der Frage, ob das Gebot der utilitas causae nicht die Wahrheitsfrage suspendiere, entzündete sich in der Antike ein Streit vornehmlich zwischen Platon und den Sophisten (siehe das Gespräch zwischen Sokrates und Kallikles: Platon, Gorg. 454-456)! Die Auffassung der Sophisten und damit der Primat der utilitas hat sich durchgesetzt: Cic., de or. 3,54ff; Quint. 12,2,20ff. - Unabhängig davon gilt dies auch in der Literaturwissenschaft: L.Fischer, S.141: "Jede Regel, jedes sprachliche Einzelphänomen läßt sich nur unter dem Aspekt der beabsichtigten Wirkung als 'rhetorisch' verstehen." W.R.Winterowd, S.4: "Whenever we use language, we are using persuasion."

18 H.Cancik, S.16: "An der Doppelheit der Mittel - emotiver und rationaler -, deren sich Senecas Methode bedient, ergibt sich eine Sonderung zweier Bereiche von Argumentationsformen. Wir nennen den einen 'theoretisch-doxographisch', den anderen 'paränetisch'."
Ganz ähnlich auch: K.Berger, Exegese, S.51.

Zu S. 37-38

19 Diese beiden Begriffe stellen in der rhetorischen Theorie kein festum-
rissenes Gegensatzpaar dar. Mit Vorsicht könnte man das laudare dem
genus laudativum (Quint. 3,7,28), also der epideiktischen Rede (H.
Lausberg, § 61), zurechnen, das probare als Funktion der argumentatio verstehen (Quint. 9,4,4; H.Lausberg, § 262). Lucilius macht
dann Seneca den Vorwurf, er habe im früheren Brief (= ep.74!) un-
angemessen argumentiert, indem er emotional-affektiv schrieb, wo
doch dem gestellten Problem eine deskriptiv-theoretische Redeweise
angemessen gewesen wäre.

20 Ep.76 bietet selbst ein schönes Beispiel dafür: 76,7 unterscheidet
Seneca zwischen laudare und probare; 76,8-25 handelt er das gestellte Thema streng deskriptiv ab (Höhepunkt ist der Syllogismus 76,10),
76,26 bringt eine Überleitung zum präskriptiv-paränetischen Teil des
Briefes (gekennzeichnet durch die direkte Anrede 76,27: nunquam
autem vera tibi opinio talis videbitur, nisi animum adleves et te ipse
interrogas etc.). Dazu: H.Cancik, S.22: "Seneca selbst spricht in den
Einleitungs- oder Schlußsätzen doxographisch-theoretischer Partien
von der Notwendigkeit einer anderen Weise des Argumentierens, dabei
wird meist der Wert der Theorie herabgesetzt."

21 H.Cancik, S.72: "Die Situation des Adressaten, der ja als Lernender
dargestellt ist, bestimmt in hohem Grade Gehalt und Form der brieflichen Mitteilung, d.h. den Verlauf der pädagogischen Bewegung."
Klar liegt der Akzent der Situation beim Adressaten, wodurch die
Bedingungen der Verwirklichung der Intentionen des Autors abgesteckt werden.

22 Dieser Brief gehört zu jenen, in denen Seneca sich gegen überspitzte
logische Abhandlungen wehrt. Vgl. auch: ep. 48,4ff. Zur Interpretation von ep. 85 siehe: W.Trillitzsch, S.46f.

23 Das entspricht ganz der Brieftheorie: Dem., π.ἑρμ., §§ 230.231.233.
Dem. erwähnt § 233 sogar ein ἀποδεικνύμενον ἐπιστολικόν und eine
ἀπόδειξις ἐπιστολική. Das muß wohl so verstanden werden, daß Inhalte sowohl wie sprachliche Mittel und Argumentationsformen briefge-
recht zu sein haben.

24 Z.B.: ep. 49,5: eodem loco conloco dialecticos: tristius inepti sunt.
Dazu: W.Trillitzsch, S.12: "Ihm (= Seneca, d.Verf.) geht es nicht
in erster Linie um theoretische Erörterung, sondern um praktische
Belehrung." Ähnlich begründet diesen Umstand mit dem allgemeinen
Charakter der Philosophie Senecas auch H.Cancik, S.8: "Senecas
Philosophieren ist Aneignung, immer neu zu verwirklichende Anwendung einer Überzeugung auf das eigene Leben. Aufs engste damit verbunden ist der Wille zur Erziehung, zur Übermittlung dieser
Lebensform an andere Menschen. Besonders deutlich tritt diese doppelte Intention in dem 'Lehrer-Schüler-Verhältnis' des Epistelwerkes
zu Tage."

25 Dies haben vor allem H.Cancik und G.Maurach zu zeigen verstanden.
Zur inneren Komposition der einzelnen corpora vor allem: G.Maurach,

Zu S. 38

S.178ff: neben regelrechten Musterparänesen (etwa: ep. 94,60ff; 95,67ff), ja für den ganzen Komplex epp.1-88, ist die Bezeichnung "Paränese" als Oberbegriff durchaus zutreffend, denn: "Es ist hier gar keine eigentliche Beweisführung vorhanden, sondern es werden lediglich praecepta erteilt und irgendwelche philosophische Gedanken in eine anschauliche und unterhaltsame Form gekleidet." (W.Trillitzsch, S.69).

26 Dies empfiehlt sich auch methodisch: Was ein Text ist, erweist sich ja nicht nur an sprachlichen Merkmalen (etwa Verknüpfungen), sondern auch daran, ob der Text als mittelbare Handlung aufgefaßt werden kann oder nicht. Dies ergibt sich erst aus der Textsituation, die bestimmt ist durch Autor, Adressat und Textsorte bzw. -typ. Kommunikation glückt erst dann, wenn Autor- und Adressatenrolle in adäquater Weise in einem bestimmten Texttyp vermittelt werden. Dazu: S.J. Schmidt, K.Stierle. Im Bereich der nt-Exegese versuchte dies: R.Wonneberger, Textgliederung; ders., Ansätze. Er stellt im besonderen die Frage nach Textgliederungssignalen, wobei er "Einbettungssignale" (z.B. Zitate, Substitution), "metakommunikative Signale" (z.B. Performativa) und "Ausschlüsse" (z.B. Satzrelatoren) unterscheidet. Eingang in die Methode der Exegese fand dies jetzt bei K.Berger, Exegese, S.11-90.

27 Das Problem der Teilungshypothesen ist ja für unsere Fragen insofern irrelevant, als festgestellte Texteinheiten nicht mit einzelnen Briefen identifiziert werden müssen. Daß allerdings umgekehrt die Textlinguistik auch in Fragen der literarischen Integrität weiterführen könnte, steht auf einem anderen Blatt. Zu den Teilungshypothesen jetzt: H.-M.Schenke/K.M.Fischer, S.98ff (auf S.99 bieten sie eine tabellarische Übersicht über die bisher vorliegenden Hypothesen - ohne auf eine eigene zu verzichten -, die so recht den Dschungel dieser Frage bildlich vor Auge führt).

28 So etwa der deutliche Einsatz des paränetischen Teiles Röm 12,1; Gal 5,1 (Überleitung durch οὖν, das als reine Übergangspartikel, Käsemann, S.314, nicht kausal, C.E.Cranfield, S.4, oder gar als typisch "paränetisches" οὖν zu verstehen ist, H.Conzelmann/A.Lindemann, S.192). Im Hintergrund dieser Zweiteilung steht offensichtlich das Indikativ-Imperativ-Problem (so ausdrücklich: H.Conzelmann, Theologie, S.312). Dazu: R.Bultmann, Theologie, S.332ff; E.Käsemann, Gottes Gerechtigkeit, S.181ff; E.Dinkler, ZThK 49 (1952) S.167-200; K.Niederwimmer, ThZ 24 (1968) S.81-92. - Die Überleitung Röm 12,1 mit παρακαλῶ bedeutet "schlichtes Ermahnen" - so zumindest E.Käsemann, S.314, gegen T.G.Mullins, NT 5 (1962) S.53f, der dahinter eine Petitionsformel vermutet, und gegen C.J. Bjerkelund, S.164f, der Verbindungen zu Beschwörungsformeln sieht.

29 Dies hängt natürlich (nur?) mit der offensichtlichen Uneinheitlichkeit der beiden Briefe zusammen. Dazu: W.Schenk, ZNW 60 (1969) S.219-

Zu S. 38-39

243; W.Schmithals, ZNW 64 (1973) S.263-288; H.-M.Schenke/K.M.Fischer, S.98ff; 117ff (dort weitere Literatur).

30 Vgl.: 1.Kor 2,1.3.4.13; 4,20 wo überall λόγος im abwertenden Sinne gebraucht wird.

31 Zum Aufbau könnte man - mit J.Weiß, S.22 - "eine Art (!) Anaphora" zwischen οὐ γάρ und οὐκ sehen. Aber auch das sehr dürftig und unbefriedigend. Ähnlich steht es mit der Intention des Verses: Richtet er sich gegen Apollos (J.Weiß, S.22), oder gegen juden-christliche Gnostiker (W.Lütgert, S.105-112), oder - in bewußter Entfaltung der Kreuzestheologie - gegen die Spaltungen in Korinth überhaupt (U. Wilckens, S.14f)?

32 Überflüssig ist die Frage, ob hier mit σοφία λόγου mehr die Form oder mehr der Inhalt der Verkündigung gemeint sei. Schon Paulus selbst zeigt 1.Kor 2,1 (οὐ καθ' ὑπεροχὴν λόγου ἢ σοφίας καταγγέλλων), daß für ihn beides eng zusammengehört; dies wird für die Zeit auch durch die stoische Logik belegt, in der als Lehre des rechten Sprechens Rhetorik und Dialektik aufs engste zusammengehören, so daß man zu Recht sagen kann, daß "ὀρθῶς λέγειν synonym ist mit ἀληθὲς λέγειν" (W.Trillitzsch, S.5). Die Wurzeln dieser Lehre finden sich bereits bei Platon, Tim. 47B; Soph. 218D, die wichtigste Quelle ist Diog.Laert.II 106ff; VII 180. Dazu auch: J.Weiß, S.23.

33 Paulus selbst steht in spannungsreicher Dialektik: auch er muß Weisheit treiben. Sein bewußter "Nicht-Standpunkt" (H.Conzelmann, S. 53) ist eben auch ein Standpunkt. Darauf haben besonders K.Barth, S.6f; R.Bultmann, Auferstehung, S.41f hingewiesen.

34 V1: κἀγώ - v3: κἀγώ Darüber hinaus steht die Begründung zu v1 (v2: οὐ γάρ ...) parallel zum finalen ἵνα (v5). H.Conzelmann, S.70: "Wie die Verfassung der Gemeinde dem Wort vom Kreuz entsprechen muß, so auch die Form der Predigt und das Auftreten des Predigers. So zeigen v.1 und 2 die Einheit von Form und Inhalt der Predigt, v.3-5 die Einheit von Predigt und Existenz des Predigers."

35 Wobei ἔκρινα wohl den in Überlegung mit bewußter Absicht gefaßten Beschluß bezeichnet: J.Weiß, S.46; H.Conzelmann, S.70.

36 H.Conzelmann, S.71: "V.3 ist sachlich eine Variation von V.1 mit Verlagerung des Akzentes von der Predigt auf den Prediger."

37 Diese Lesart wird zwar nur von 35*it[f],g vertreten, hat aber gute Gründe: πειθοῖς als Dativ von πειθώ = "Überredung"; λογος om p[46] G. Dazu: J.Weiß, S.49.

38 H.Lausberg, § 257.

39 H.Lausberg, §§ 357.372.433; Quint. 5,10,7: ἀπόδειξις est evidens probatio.

40 Die Wurzeln dafür liegen schon bei Platon (Phaidr. 51,267a) und Aristoteles (rhet. 2,2-17). Weiter: Quint. 5,10,15-17. Dazu: W.Eisenhut, S.13; H.Lausberg, §§ 369.1169.

Zu S. 39-40

41 Auch dafür der früheste Beleg bei Platon (Tim. 40E: ἀναγκαῖαι ἀποδείξεις). Hierin spiegelt sich der Streit zwischen Sophistik und sokratischer Tradition innerhalb der Rhetorik, dazu: G.Kennedy, S.264-272.

42 Daß σοφία hier nicht etwas inhaltlich Neues zum λόγος τοῦ σταυροῦ meint, haben bereits R.Bultmann, Auferstehung, S.53f; K.Niederwimmer, KuD 11 (1965) S.75f betont. Es bezeichnet vielmehr eine andere, "höhere" Art der Vermittlung, σοφία zwar, aber nicht "nach Art der Welt" (v7).

43 H.Conzelmann, S.78 stellt m.E. überzeugend dar, daß Paulus sich hier durch einen "mysterienhaften Stil der Esoterik" ausdrückt, wie er auch im "Milieu der Gnosis" begegnet: Philon, leg.alleg. III 195; 219; somn. II 230f; Corp.Herm. IV 1; EvPhil.40; Hipp. ref. V 24,2. Dagegen aber: J.Weiß, S.53.74, der gemeingriechisch-stoischen Sprachgebrauch annimmt.

44 So: H.Conzelmann, S.74.

45 So: J.Weiß, S.71; H.Conzelmann, S.89.

46 So: H.Conzelmann, S.89.

47 Parallel zum ganzen: Philon, agr. 9: ἐπεὶ δὲ νηπίοις μὲν ἐστι γάλα τροφή, τελείοις δὲ τὰ ἐκ πυρῶν πέμματα. Paulus bleibt nicht beim Gedanken der Erziehung, er deutet nur an. Dazu: H.Conzelmann, S.89f.

48 γάλα und βρῶμα als Gegensatzpaar im übertragenen Sinn: "Milch und feste Nahrung". Ähnliche Verwendung von γάλα : Hebr 5,11ff.

49 σάρκινοι ist gleichbedeutend mit σαρκικοί. (H.Conzelmann, S.90).

50 So versteht auch H.Conzelmann, S.90 die Argumentation; zurückhaltender: J.Weiß, S.73.

51 Die polemische Absicht des ganzen ist ja deutlich: Paulus bereitet seinen Schlag gegen die korinthische Parole πάντες γνῶσιν ἔχομεν (8,1ff) vor. So auch: H.Conzelmann, S.90.

52 Dazu: H.-M.Schenke/K.M.Fischer, S.93f; H.Conzelmann, S.139.

53 Gerade deshalb legt sich ein Vergleich mit Epikurs Brief an Pythokles nahe (Diog.Laert. X 84-116), aber auch mit Senecas ep.95,1 (petis a me, ut id, quod..., repraesentem et scribam tibi).

54 Ganz ähnlich: Sen., ep.94,60.69; 97,9; 98,7 u.ö.

55 Daß es sich hier nicht um "geistliche" Vaterschaft handelt (wie etwa: 1.Thess 2,11; Epict. III 22,81; Philon, leg.alleg. 58), sondern um eine solche, die ein reales Autoritätsverhältnis begründet (wie Phlm 10), betont H.Conzelmann, S.111 gegen J.Weiß, S.116.

56 Bei Paulus ganz geläufig: 1.Thess.1,5; 2,14; 1.Kor 11,1; Phil 3,17. Dazu: H.B.Betz, Nachfolge, S.153ff.

57 Ganz ähnlich: Philon, de virt. 176; Epict. I 3,9.

58 Paulus verwendet μιμητής ganz dem griechischen Sprachgebrauch entsprechend: Xen., mem. I 2,3; I 6,3; Plut., mor. 332AB: Ἡρακλέα μιμοῦμαι καὶ Περσέα ζηλῶ καὶ τὰ Διονύσου μετιὼν ἴχνη.   - Erst in der Stoa wird der Gedanke auf das Verhältnis des Menschen zu Gott ausgedehnt: Sen., ep. 95,50: vis deos propitiare? Bonus esto.

Zu S. 40

Satis illos coluit, quisquis imitatus est. Der Gedanke drang ins hellenistische Judentum ein: EpAr 188.210.281; Sap. 4,2; 4.Makk 9,23;
Jos., bell. IX 562; ant. I 109; Philon, de op.mun. 79.

59 H.Conzelmann, S.154, der auch betont, v24 ist eine Wiederholung
von v17, die die ganze kleine Ausführung abschließt. J.Weiß spricht
sogar von einem "refrainartigen Schluß" (S.191).

60 Auffällig ist, daß Paulus hier zwei "bürgerliche Moralbegriffe" aufnimmt, die ganz "traditionelle Werte" (H.Conzelmann, S.159) bezeichnen: τὸ εὔσχημον; τὸ εὐπάρεδρον (letzteres ist vor Paulus nicht belegt:
J.Weiß, S.204f).

61 J.Weiß, S.213f teilt das Stück nach dem Schema aba ein: v1-3: Gegenüberstellung von γνῶσις und ἀγάπη; v4-6: Inhalt der γνῶσις; v7-13:
praktische Anwendung.

62 διόπερ (= "eben deshalb, darum also") nur bei Paulus: 1.Kor 8,13;
10,14; 14,13 (ℵ pl).

63 Dazu: J.Weiß, S.231; H.Conzelmann, S.178.

64 1.Kor 12,31a liegt mit dem Imperativ ζηλοῦτε auch eine abschließende
Aufforderung vor, doch ist dieser Halbvers sehr problematisch: Der
harte Übergang mit δέ, die Aufforderung, nach höheren Charismata
zu streben, nachdem Paulus jedes Streben danach eher zurückgewie-
sen hat (v29f), die Schwierigkeit, 14,1ff als Fortsetzung zu sehen
(wenn 12,31b; 13 Einlage sind) usw. J.Weiß, S.309 vermutet einen
Gedankensprung des Paulus. Eine befriedigende Erklärung ist kaum
möglich.

65 Stil der Diatribe (vgl. v15): "Was folgt nun daraus?" H.Conzelmann,
S.287.

66 "Generalregel" (J.Weiß, S.334), vgl. v12. Wiederaufgenommen wird
diese Regel v40 (πάντα δὲ εὐσχημόνως καὶ κατὰ τάξιν γινέσθω), damit der
Abschnitt abgerundet.

67 ἕκαστος ist nicht wörtlich gemeint, wohl aber nicht auch einfach "lei-
se übertreibend" (J.Weiß, S.334), eher im Sinne von "der eine - der
andere" (H.Conzelmann, S.287). ἕκαστος soll auf jeden Fall - das zeigt
die Entsprechung zu πάντα - das Allgemeine der Anordnung ausdrücken.

68 Natürlich liegen bei der Aufzählung nicht Anaphora vor (wie H.Conzel-
mann, S.287 behauptet), sondern Epiphora (H.Lausberg, §§ 629-632).
Anaphora wären die "absatzmäßige Wiederholung des Anfangs eines
Kolon oder eines Komma" (H.Lausberg, § 629). Vgl. adHer. 4,13,19:
repetitio est, cum continenter ab uno eodemque verbo in rebus similibus et diversis principia sumuntur, hoc modo: ...'Scipio Numantiam
sustulit, Scipio Karthaginem delevit, Scipio pacem peperit, Scipio
civitatem servavit'; ... Vgl. bei Paulus 1.Kor 15,42-44.
Epiphora hingegen sind die "absatzmäßige Wiederholung des Schlusses eines Kolon oder Komma" (H.Lausberg, § 631). Vgl. adHer. 4,13,
19: conversio est, per quam ... ad postremum (= verbum, d.Verf.)
continenter revertimur, hoc modo: 'Poenos populus Romanus iustitia
vicit, armis vicit, liberalitate vicit'. Epiphora haben von daher Ähnlichkeit mit den homoioteleuta. Vgl. bei Paulus 1.Kor 14,26.

Zu S. 40-41

69 Diese Quid ergo? entspricht τί οὖν ἐστιν (1.Kor 14,25.26 Vulgata: quid ergo est?).

70 Itaque entspricht διόπερ (1.Kor 8,13; 10,14).

71 Deutlich ist die Ähnlichkeit mit Epikur (Diog.Laert. X 125).

72 Auch die Kohortation hat im Lehrer-Schüler-Verhältnis die Funktion einer Aufforderung (nämlich dem Vorbild des Lehrers nachzueifern), dazu: H.Cancik, S.24.

73 So stellt H.Cancik, S.39 fest: "Nach der Situation richtet sich die Verwendung mehr rationaler oder emotiver Mittel; ihre Bewältigung ist die Aufgabe aller präskriptiven (moralischen, wertsetzenden) Argumentationsformen."

74 K.Berger, ZNW 65 (1974) S.230 will diese Zweiteilung bei Paulus beeinflußt sehen von jüdischen Vorbildern: "Auf der Suche nach dem für die ntl Briefe maßgeblichen Ursprung dieser Zweiteilung stößt man wiederum auf Testamente, den Brief des Mara bar Serapion und Apostelreden der Clem Hom." Als Beleg nennt er: TestTob. 4; Test Iss. 4,1; 5,1-8; Clem Hom 3,30f; 7,6f; 8,9ff; 9,1ff. Offensichtlich hat aber Berger in dieser Frage seine Ansicht geändert, schreibt er doch (K.Berger, Exegese, S.51) hinsichtlich der Paulusbriefe: "Besondere Affinität besteht zum philosophischen Lehrbrief." Und hinsichtlich unserer Zweiteilung: "Für die Briefe Senecas lassen sich - ganz ähnlich wie für die ntl Briefe - zwei Argumentationsformen ermitteln: die theoretisch-lehrhafte und die paränetische."

75 Dazu ist nach wie vor zu verweisen auf: R.Bultmann, Stil, pass. (Der vornehmliche Vergleichspartner war hier Epictet). In dieser Hinsicht hat zwischen Seneca und Paulus P.Benoit, RB 53 (1946) S. 11f Ähnlichkeit gesehen, v.a. durch den "dialogue avec un interlocouteur imaginaire".
W.Trillitzsch versucht, für Seneca den Einfluß der Diatribe hoch zu veranschlagen (S.22), was in bezug auf den Stil sicher richtig, hinsichtlich der Beweismittel aber völlig unergiebig ist, denn: "Dieser popular-philosophische Predigtstil kennt keine eigentliche Beweisführung." (W.Trillitzsch, S.20). Die Diatribe ist eben - wie ja W.Trillitzsch, S.19 selbst feststellt - ein "rhetorisierender Stil"; was die Herkunft und Verwendung von Beweismitteln anlangt, ist die allgemeine antike Rhetorik die zu berücksichtigende Quelle.

76 Ein Syllogismus ex consequentibus, Quint. 5,14,25. Dazu: H.Cancik, S.20; W.Trillitzsch, S.60.

77 So etwa: ep. 49,8f; 82,8ff; 83,8ff; 85; 87 u.ö.

78 Ep. 49,5: eodem loco conloco dialecticos: tristius inepti sunt; 83,9; 103,20ff. ep. 48 ist ganz von dieser Ablehnung durchzogen. § 5 beginnt ironisch: Scilicet nisi interrogationes vaferrimas struxero et conclusione falsa a vero nascens mendacium adstrinxero, non potero a fugiendis petenda scernere. Pudet me; in re tam seria senes ludimus.

Zu S. 41-42

79 Zu dieser Stelle siehe: S.38f.

80 Ein gravierender Unterschied besteht natürlich zwischen beiden: Seneca kennt und gebraucht Syllogismen, während Paulus diese Form des Beweises nicht verwendet. .

81 W.Trillitzsch, S.135: "Den abstrakten Syllogismus lehnt Seneca als wirksamen Beweis weitgehend ab." Das hängt sicher mit dem Charakter der Philosophie Senecas zusammen.
 - Der Syllogismus galt der Rhetorik schlicht als pedantisch. Deshalb forciert sie als Beweis schlechthin das Enthymem (auch Epichirem, Quint. 5,10,1), erfüllt dieses doch im Gegensatz zu jenem die Tugenden der brevitas und des publikumswirksamen credibile (H.Lausberg,. §§ 322.371.1244). Quint. 5,14,14: epichirema autem nullo differt a syllogismis, nisi quod illi et plures habent species et vera colligunt veris, epichirematis frequentior circa credibilia est usus. Dazu: J.Martin, S.102-106.

82 Enthymem (ἐν + θυμός) ist ein verkürzter Syllogismus, seine logisch unvollkommene Form. Quint. 5,14,24: enthymema ab aliis oratorius syllogismus, ab aliis pars dicitur syllogismi, propterea quod syllogismus utique conclusionem et propositionem habet et per omnes partes efficit, quod proposuit, enthymema tantum intellegi contentum sit.
 Dazu: W.Eisenhut, S.33, der die von Aristoteles geforderten Beweise bespricht und dann feststellt: "Als rhetorisches Überzeugungsmittel gilt vornehmlich das Enthymem."

83 Dem., π.ἑρμ., § 231: Ἀριστοτέλης μέντοι καὶ ἐπιδείξεσί του χρῆται ἐπιστολικαῖς ... καὶ γὰρ τὸ ἀποδεικνύμενον αὐτὸ ἐπιστολικὸν καὶ ἡ ἀπόδειξις τοιαύτη.

84 Eigentlich zwei verbundene unvollkommene Syllogismen, der zweite ist ein Enthymem ex consequentibus (zwischen den Gliedern herrscht ein positives Beziehungsverhältnis). Quint. 4,15,25.

85 Die Frageform sieht auch die Schulrhetorik vor: Quint. 5,14,25. Als Figur (ohne eigentliche dialogische Funktion) dient sie als Mittel des Pathos oder als Verschärfung der Gedankenabfolge (Quint. 9,2,7). An unserer Stelle liegt deutlich Verschärfung vor (unum - perpetua - tota!).

86 Insofern erhält der ganze Passus den Charakter einer rhetorischen Frage ("Sollte es etwa möglich sein, daß..."), die durch die Ausschließlichkeit der Gegenüberstellung und die Erhöhung des Widerspruchsverhältnisses auf die erwartete Antwort hinzielt: "Nein". Und ganz in diesem Stil fährt Seneca auch fort (sogar die Verallgemeinerung behält er bei): omnes (= Stoici) moderata, honesta, tua suadebunt.

87 Vor allem hinsichtlich der Reihenfolge: Die propositio ergibt sich nur aus dem Kontext (etwa § 10: non enim statim bonum est, si quid necessarium est), die conclusio fehlt (die etwa lauten müßte: non ergo ne-

Zu S. 42-43

cessarium utique bonum est). Die Bezeichnung Enthymem ist für diese Stelle also berechtigt. Iul.Vict. 10: enthymema est imperfectus syllogismus: non est enim in eo necesse primum proponere, deinde argumentari et postremo concludere, sed vel primam propositionem praeterire licebit, propterea quod ipsa tantum praesumptione iudicis vel auditoris contenta esse poterit, et sola ratiocinatione exequi et conclusionem superaddere, vel certe conclusionem praetermittere et sensibus iudicis id quod ratiocinatus est colligendum relinquere.

88 Seneca wird ja von Lucilius angegriffen und benützt den Beweis § 11 als schlagkräftiges Gegenargument. Aufschlußreich § 10: quid me detines in eo, quem tu ipse pseudomenon appellas ... ecce tota mihi vita mentitur; hanc coargue, hanc ad verum, si acutus es, redige.

89 Auch: ep. 85,3f: dazu: W.Trillitzsch, S.6; 46f; H.Lausberg, § 136. Die Entfernung vom Syllogismus ist radikal: Sowohl propositio wie conclusio fehlen überhaupt, aber auch die Argumentation ist nicht schlüssig, wenn man die einzelnen Glieder nach ihren Voraussetzungen befragt. V.a. die erste Behauptung wird kritisiert, ep. 85,24: "Quid ergo?" inquit, "fortis imminentia mala non timebit?"

90 ὑμῶν: ℵ A D[b],[c] G K P 88 104 181 326 436 ByzLect it vg syr[p],[h] cop sa,bo arm // ἡμῶν: D[gr] B 0243 33 81 330 1241 it[ar] goth. LA 2 ist entweder durch Itazismus oder mechanische Wiederaufnahme des vorigen ἡμῶν entstanden, deshalb LA 1 zu bevorzugen (mit B.M.Metzger, S. 567f gegen J.Weiß, S.353).

91 Daß Kap.15 eine Einheit ist, steht fest (J.Weiß, S.343; H.Conzelmann, S.293: "Das Kap.15 ist eine in sich geschlossene Abhandlung über die Auferstehung der Toten."). Allerdings hat die Stellung von Kap.15 im Briefganzen Anlaß zu literarkritischen Überlegungen gegeben: dazu: H.-M.Schenke/K.M.Fischer, S.93.99.

92 So ganz richtig H.Conzelmann, S.293 Anm.11: "Bis dahin (= 15,11) ist man eher auf eine Darlegung über die Tradition und den Apostolat gefaßt."

93 Die offensichtlich Bestandteil der paulinischen Missionspredigt war. So schon: G.Heinrici, S.456.

94 Es ist zwar richtig, wenn J.Weiß, S.353 schreibt, daß "v13-19 ein Spiel mit dem logischen Gesetz" ist, "daß ein allgemeiner negativer Satz nicht aufrecht erhalten werden kann, wenn eine positive Ausnahme nachgewiesen ist, und daß es nicht eine einzige Ausnahme geben darf, wenn die allgemeine Negation aufrecht erhalten werden soll.", denn nur von dieser Position her werden v13-19 als narratio der zur Überzeugung brauchbaren Dinge verständlich, aber Paulus beschränkt sich durchaus nicht auf dieses Spiel mit dem logischen Gesetz, vielmehr argumentiert er mit den Konsequenzen dieser negativen Behauptung für die Existenz der Korinther.
Das ist auch von Seneca bekannt: ep. 82,19: Ego non redigo ista (= die Frage der Todesfurcht) ad legem dialecticam et ad illos artificii veternosissimi nodos ... Haec ipsa, quae volvuntur ab illis, solvere malim et expendere, ut persuadeam, non ut inponam.

Zu S. 43

95 εἰ + realem Indikativ = "logische Beweisführung des Paulus" Bl.
Debr. 372.

96 Vgl. dazu: Sen., ep. 22,11f.

97 Die geschorene Frau galt - den Griechen - als die Sittenlose schlechthin: Luk., fug. 27; dial.mer. 5,3; Apul., met. 7,32. Paulus will also
sagen: "Wenn eine nicht ihr Haupt verhüllt, dann kann sie ja gleich...".

98 So: H.Windisch, S.145.

99 Dazu: H.Lausberg, §§ 623f.

100 Dazu: H.Lausberg, §§ 616-618.

101 Weitere Beispiele für die collectio bei Paulus: Röm 8,2-7; 12,9-13.
Weitere Beispiele für Enthymeme in den Korintherbriefen: 1.Kor 7,9;
9,2; 15,29; 15,32; 16,22 u.ö.

102 AdHer. 2,13,19: iudicatum est id, de quo sententia lata est aut decre-
tum interpositum; Cic., de inv. 2,22,68; H.Lausberg, § 353. Denselben
Hintergrund spiegelt die Definition bei Quint. 8,5,3: sententiae vocantur, quas Graeci γνώμας appellant; utrumque autem nomen ex eo acce-
perunt, quod similes sunt consiliis et decretis. J.Martin, S.122-125.

103 Bereits Ar., rhet. 2,21,2: προστεθείσης δὲ τῆς αἰτίας καὶ διὰ τί, ἐνθυμημά
ἐστι τὸ ἅπαν. adHer. 4,17,24; Quint. 8,5,4: aliquando ratione subiecta.

104 AdHer. 4,17,24: sententia est oratio sumpta de vita, quae aut quid sit
aut quid esse oporteat in vita breviter ostendit.

105 Siehe dazu: G.Maurach, S.177; W.Trillitzsch, S.20.135.

106 Anklang an: necesse est multos timeat quem multi timent (Sen., de ira
2,11,4).

107 Die Sentenz bildet zusammen mit der Aufforderung einen Beweis. Das
zeigt die Fortsetzung (§ 11): ad philosophiam ergo confugiendum est.
ep. 14,10 ist - wegen der Stellung der Sentenz am Abschnittsende -
ein Epiphonem. Quint. 8,5,11: est enim epiphonema rei narratae vel
probatae summa acclamatio: Rufin. 29: ἐπιφώνημα: hac sententia in fine
expositae rei cum affectu enuntiatur.

108 Wieder begegnet die Sentenz als Abschluß eines Argumentationsab-
schnittes über den Stil der Rede.

109 Weitere Beispiele: ep. 48,3; 49,11; 50,8; 56,8; 65,22; 76,17; 85,32 u.ö.

110 Sprichwörtliche Wendung, vgl. Gal 5,9. Hier in die Form der rhetorischen Frage gekleidet. Die Einleitung mit οὐκ οἴδατε verwendet Paulus
meist, um an Bekanntes zu erinnern: Röm 6,16; 1.Kor 3,16; 6,2f.9.
15.19; 9,13.24.

111 Zitat aus Menander, Thais (fragm. 218, ed. Kock). Dabei erhebt sich
die Frage, wie Paulus zu diesem Zitat kam. Drei Antworten sind möglich:
1. Paulus hat dieses Zitat aus eigener Lektüre (so: A.Marth, ZKTh 37
(1913) S.893).
2. Paulus hat diesen Spruch in der Schule gelernt (J.Weiß, S.367).
3. Paulus bringt kein Zitat, sondern ein gemeinhellenistisches Sprich-
wort (G.Heinrici, S.483; H.Conzelmann, S.331).
Gegen die Ansicht Conzelmanns spricht entschieden, daß er nicht belegen kann, es handle sich bei unserem Zitat um ein "geflügeltes Wort"

Zu S. 43-44

(S.331 Anm.140). So bringt Diod.Sic. XVI 54,4 nur Anklänge (πονηραῖς ὁμιλίαις διέφθειρε τὰ ἤθη τῶν ἀνθρώπων), Philon, det.pot.ins. 38 nur die Wendung ἤθος χρηστόν. Eurip., Fr. 1013 (Nauck) scheidet als Beleg aus, da Menander den Spruch ja aus Euripides hat! Von einer weiten Verbreitung dieses Spruches als geflügeltem Wort kann also nicht die Rede sein! Ob Paulus nun diesen Spruch aus eigener Lektüre hat oder als Sentenz in der Schule lernte, läßt sich nicht so leicht entscheiden: J.Weiß kann nicht belegen, daß Menander Schulschriftsteller war, der "wegen seiner sentenzenreichen Lebensweisheit gelesen wurde" (S.367 Anm.1), genausowenig wie A.Marth, ZKTh 37 (1913) zeigen kan daß Paulus entfernte Kenntnisse griechischer Literatur hatte (er versucht es mit Act. 17,28; Tit. 1,12!). So muß diese Frage wohl offen bleiben.

112 Der ganze Abschnitt v14-16 ist geprägt durch Gegensatzpaare, die einander ausschließen, jeweils als rhetorische Frage formuliert: τίς γὰρ μετοχή ... ἤ τίς κοινωνία ... τίς δὲ συμφώνησις ... ἤ τίς μερίς ... τίς δὲ συγκατάθεσις .. Daß es sich bei unserem Halbvers um eine Sentenz handelt, ergibt sich daraus, daß Paulus φῶς und σκότος sonst nicht in diesem starren Gegensatz gebraucht (Röm 2,19; 13,12 im übertragenen Sinn; 1.Kor 4,5 bezogen auf den Kyrios; 2.Kor 4,6 als Anspielung auf Gen 1,2). Und gerade die dadurch angestrebte Allgemeingültigkeit der Bedeutung ist ja charakteristisch für die Sentenz, die in unserem Fall noch dazu einen sehr hohen Vertretbarkeitsgrad aufweist (sententia vera, dazu: H.Lausberg, §§ 64.872). Unnötig scheint mir deshalb, an unserer Stelle die urchristliche Zwei-Wege-Paränese angesprochen zu finden (so: H.Windisch, S.214).

113 Weitere Beispiele für Sentenzen bzw. sprichwörtliche Wendungen bei Paulus: 1.Kor 3,15; 5,7; 13,2; 14,9; 15,32 u.ö.

114 Quint. 5,11,36: si quid ita visum gentibus, populis, sapientibus viris, claris civibus, illustribus poetis referri potest. H.Lausberg, § 426.

115 Das zeigt der griechische Terminus κρίσις (Quint. 5,11,36). Herm., prog. 3: ἔστι δὲ καὶ ἐκ κρίσεως ἐπιχειρῆσαι οἷον · Ἡσίοδος μὲν γὰρ ἔφη · τῆς δ'ἀρετῆς ἱδρῶτα θεοὶ προπάροιθεν ἔθηκαν.

116 Quint. 5,11,37: testimonia sunt enim quodem modo vel potentiora etiam, quod non causis accomodata sunt, sed liberis odio et gratia mentibus ideo tantum dicta factaque, quia aut honestissima aut verissima videbentur.

117 Es ist sicher richtig, dabei von "Vereinbarung" bzw. "einklagbaren Kommunikationsregeln" zu sprechen (so: J.Hennig/L.Huth, S.112-126). Paulus "vereinbarte" mit den Korinthern ganz bestimmte Autoritäten - eine wichtige Frucht seiner Missionspredigt.

118 Auf den Zusammenhang von paränetischen Texten und der Verwendung von Autoritäten bei Seneca macht H.Cancik, S.23-25 aufmerksam.

119 Dies hängt offensichtlich mit ihrer Lehrer/Apostel-Rolle zusammen. Dazu: J.Martin, S.98; 124.

Zu S. 44

120 Dazu: W.Trillitzsch, S.83.

121 W.Trillitzsch, S.77f stellt zu Senecas Gebrauch der philosophischen
Tradition fest: "Er trennt aus der fremden Lehre die ihm zusagen-
den Sätze heraus und nähert sie durch isolierte Interpretation so
weit seiner eigenen Meinung, daß sie entweder mit ihr übereinstimmen oder gleichsam zur Wahrheit die Vorstufe bilden und nur einer
kleinen Korrektur zu bedürfen scheinen." In der Tat scheint Senecas Prinzip gewesen zu sein: quod verum est, meum est (ep.12,11).

122 W.Trillitzsch, S.110: "Eine besondere Vorliebe hat Seneca für die
Autorität par excellence, für den Weisen."

123 Im Umgang mit der LXX zeigt Paulus mehrere Methoden: Vom wörtli-
chen Zitat (z.B.: 1.Kor 1,19) über Anspielungen (z.B.: 1.Kor 14,
34) bis zu Zitatkombinationen (z.B.: 1.Kor 15,45f) reicht die Bandbreite. Zum ganzen: O.Michel, S.129-158; J.Bonsirven.

124 Paulus kennt eine (begrenzte) Anzahl von Herrenworten. Ob diese
ihm schriftlich vorgelegen haben, ist ungewiß. 1.Kor 7,25 spricht allerdings stark dafür (so: J.Weiß, S.192), der Stil von 1.Kor 7,10
wiederum stark dagegen (so: H.Lietzmann, S.31; W.Schrage, S.241).
Fest steht aber: Der Kyrios ist die erste Rechtsquelle der Gemeinde-
ordnung, sein Mandat hat höchste Autorität (H.v.Campenhausen,
S.21f; K.Niederwimmer, Askese, S.83.98f), er ist in der Tat "letzte und höchste Instanz" (J.Weiß, S.239). Liegt hier vielleicht eine
Verwandtschaft mit der Quint. 5,11,42 erwähnten auctoritas deorum
(divina testimonia) vor? Dazu: J.Martin, S.122.

125 W.Trillitzsch, S.26: "Der Redner (Autor) konnte außerdem auch aus
eigener erfahrener Einsicht sprechen und somit seine persönliche
auctoritas in die Waagschale werfen." Dazu auch: Sen., de ben.
5.19,8.

126 Wenn H.Cancik, S.32 zu dieser Stelle bemerkt: "...; das Selbst-
zeugnis hat die Funktion eines exemplum.", so ist dem unter der
Voraussetzung zuzustimmen, daß exemplum hier nicht im engen Sinne des rhetorischen terminus technicus (H.Lausberg, §§ 410-426)
gebraucht ist, sondern allgemein.

127 So wie Senecas Selbstverständnis in ep.12,11 zum Ausdruck kommt,
so das des Paulus etwa in 1.Kor 11,1: μιμηταί μου γίνεσθε, καθὼς κἀγὼ
Χριστοῦ. Also: Höchste Autorität bleibt der Kyrios, die des Apostels
ist aber davon abgeleitet (1.Kor 15,9-11). Dazu: H.Conzelmann,
S.20.

128 Daß auch dem Apostelamt (zu γνώμη: J.Weiß, S.192) Verbindlichkeit
zukommt, steht außer Frage. Allerdings kann die Legitimität des Apostels bestritten werden, was ihn unter Legitimierungszwang setzt.
Die Auseinandersetzung um den Apostolat des Paulus in den Korr.
ist davon bestimmt.

129 Daß auch die Autorität des Seneca gegenüber Lucilius von diesem
nicht unbestritten geblieben ist und Seneca seine Lehrerrolle legi-
timieren mußte, zeigt z.B. ep.45,10f.

Zu S. 44-46

130 Dies betont auch K.Berger, Exegese, S.51, wo er angesichts der
Ähnlichkeit zwischen philosophischem Lehrbrief und "Apostelbrief"
zu dem Schluß kommt: "Diese Ähnlichkeit besteht nicht unabhängig
von gewissen soziologischen Analogien zwischen frühchristlichen Jün-
gerkreisen und Philosophenschulen." Von daher liegt bereits eine
literatursoziologische Betrachtung dieser Briefe nahe, denn zwischen
der Literatur einer Gruppe und ihrem Sozialgefüge besteht eine enge
Beziehung, die am besten mit dem Begriff "Strukturhomologie" wiedergegeben wird. Zu diesem Begriff: L.Goldmann, Untersuchung, S.
122f; ders., Soziologie, S.17-30.

131 Quint. 5,11,6: (exemplum est) rei gestae aut ut gestae utilis ad persuadendum id quod intenderis commemoratio. Das exemplum ist also
von Inhalt (resgesta), Form (commemoratio) und Funktion (utilitas)
her definiert. Dazu: H.Lausberg, §§ 410-418.

132 So etwa: ep. 71,17. Dazu stellt H.Cancik, S.25 fest: "Die Exempla
sind berühmt und allgemein anerkannt, also unbestrittene Autoritäten."

133 Weitere Beispiele: ep. 6,5; 11,8; 25,5; 52,7; 94,55; 95,69; 104,21;
115,15 u.ö.

134 So übereinstimmend die Kommentare: G.Heinrici, S.292; J.Weiß,
S.249; H.Conzelmann, S.194, die die Perikope als "Warnungsbei-
spiel" bzw. "warnendes Beispiel" bezeichnen.

135 Dafür eignete sich in der frühchristlichen Literatur vornehmlich
das AT: "Warnende, belehrende, ermunternde Beispiele aus dem
AT anzuführen wird später ein mit Liebe gepflegter Stil, vgl.
Hebr 11 und den ganzen 1.Clemensbrief" (J.Weiß, S.249).

136 Zur Frage, ob der biblische Stoff den (allen?) Korinthern bekannt
war: H.Conzelmann, S.194 Anm. 11.

137 Häufig bei Paulus zur Einführung wichtiger Belehrungen und Mit-
teilungen (Röm 1,13; 11,25; 1.Kor 12,1; 2.Kor 1,8; 1.Thess 4,13),
vgl.: Epict. IV 8,27.

138 Siehe oben S.40f.

139 Quint. 5,11,5-6. Dazu: H.Lausberg, §§ 422-425.

140 Aps., tech. 8: παραβολὴ παραδείγματος τούτῳ διαφέρει, ὅτι ἡ μὲν παραβολὴ ἀπ᾽
ἀψύχων ἢ ζῴων ἀλόγων λαμβάνεται ..., τὰ δὲ παραδείγματα ἐκ γεγονότων
ἤδη λαμβάνεται προσώπων.

141 Dazu: J.Weiß, S.246; H.Conzelmann, S.191.

142 Z.B. Philon, leg.alleg. II 108. Zum ganzen: V.C.Pfitzner, S.82ff.

143 Typische Anrede im Stil der Diatribe (vgl. 9,13 u.ö.). Von daher
ist nicht von vornherein gesagt, daß Paulus hier auf die isthmischen
Spiele (Paus. 2,2,2) hinaus will (wie J.Weiß, S.247 behauptet), obwohl es nicht unwahrscheinlich ist und die Beweiskraft der similitudo
erhöhen würde.

144 Die Beziehung zwischen causa und similitudo ist hier die einer un-
gleichrangigen Ähnlichkeit: similitudo impar, und zwar ex minore
ad maius ducta (Quint. 5,11,9. H.Lausberg, § 423). Deshalb ist es

Zu S. 46-47

mißverständlich, wenn J.Weiß, S.247 von einem "verkürzten Schluß a minore ad maius" spricht, Paulus überläßt es den Lesern, den Schluß zu ziehen.

145 Typ der similitudo impar, a minore ad maius ducta. Der Aufruf zur exercitatio entspricht dem ἐγκρατεύεται bei Paulus. Allein das Ziel ist verschieden, dort virtus, hier συγκὸινωνία τοῦ εὐαγγελἰου.

146 Darauf zielte ja die Frage der Korinther v35. Paulus versucht zu beweisen, daß ein Auferstehungsleib möglich ist. R.Bultmann, Theologie, S.139.

147 Das Verhältnis beider similitudines zur causa ist totum simile (Cic., de inv. 1,30,47: in iis rebus, quae sub eandem rationem cadunt). Dies wird durch die Fortführung v42 οὕτως καὶ ἡ ἀνάστασις τῶν νεκρῶν bestätigt.

148 So H.Windisch, S.298, der auch vermutet, Paulus denke dabei an den messianischen Krieg.

149 Diog.Laert. IV 1,13; Aristoph., Nub. 1020 u.ö.

150 Weitere Beispiele bei Paulus: 1.Kor 9,7; 2.Kor 2,14; 3,2f u.ö.

151 Da es weder wahr noch wahrscheinlich ist. adHer. 1,8,13: fabula est quae neque veras neque verisimiles continent res. Die Wirkung richtet sich vornehmlich nach dem Bildungsgrad der Hörer/Leser. Quint. 5,11,17: eadem ratio est eorum quae ex poeticis fabulis ducuntur, nisi quod iis minus affirmationis adhibetur.

152 Quint. 5,11,17f. Beispiel: Cic., pro Mil. 3,8 (Anspielung auf die Orestie).

153 Quint. 5,11,19; Fortun. 2,23.

154 Quint. 5,11,19: illlae quoque fabellae, ..., ducere animos solent praecipue rusticorum et imperitorum, qui et simplicius quae ficta sunt audiunt, et capti voluptate facile iis quibus delectantur consentiunt, ...

155 Livius 2,32; Dion.Hal. 6,86. Beziehung auf die Politik (Staatswesen): Cic., de off. 3,5,22; Curt.Ruf. 10,6,1ff; Jos., bell. 4,406; Sen., de ira 2,31,7.

156 Hier vor allem bezogen auf die Einheit von Menschen und Göttern: Epict.II 5,24f; 10,3f; 10,23f; Mark Aur. 2,1; 7,13. Daß Paulus im ganzen Abschnitt stoisches Gedankengut rezipiert, zeigt auch v26 (Sympathie): Epict. I 14,2; Mark Aur. 5,26; Sext.Emp., adv.Math. 9,78f; adv.Astrol. 44; Max.Tyr. 21,4f; Philon, migr.Abr. 178; 180.

157 Daß Paulus die Fabel hier weder zur bloßen Illustration noch zur strengen Beweisführung bringt (womit der Funktion der Fabel als ornatus bzw. Pathosmittel entsprochen ist), läßt sich dadurch erklären, daß er das Bild nicht streng deutet. So stehen eigentlich zwei Beweisziele dahinter:
1. Die Kirche ist Leib Christi (dazu: E.Käsemann, Leib, S.159), was v.a. durch v13.27 belegt wird.
2. Die Starken in der Gemeinde sollen sich nicht über die Schwachen erheben (dazu: J.Weiß, S.304), was v.a. durch v15f gestützt wird.

Zu S. 47-48

Offensichtlich verbindet Paulus die beiden traditionellen Deutungs-
möglichkeiten der Fabel: sowohl die auf das Gemeinwesen (siehe Anm.
156), als auch die auf die Verbindung von Mensch und Gott bezogene
(siehe Anm.157). Sachlich ermöglicht wird dies bei ihm durch den
Gedanken, daß die sakramentale Eingliederung in den Leib Christi
(v13: Taufe) alle menschlichen Unterschiede aufhebt. Dieser Gedanke ist typisch für Paulus (Gal 3,28; 1.Kor 7,1).

158 Hier ist aber ein großer Unterschied zwischen beiden festzuhalten:
Seneca erhielt seine rhetorische Ausbildung bereits im Elternhaus
(C.Preisendanz, Philol.67 (1908) S.68-112), war also sicher ungleich
gebildeter als Paulus, dem wir höchstens ein geringes Maß rhetorischer Schulbildung zusprechen können.

159 Aus dem Bedenken der Briefsituation sollte es möglich sein, die literatursoziologische Betrachtung auf die Frage nach dem impliziten
Leser zuzuspitzen. Dies entspricht auch der methodischen Forderung K.Bergers, Exegese, S.36: "Die soziale Funktion eines Textes kann nicht zugleich mit der Form erfaßt werden, sondern nur
auf dem Umweg über eine Untersuchung des literarischen und historischen Kontextes und des Textvergleiches."

160 Dieses Urteil begründet sich nicht nur auf der nachgewiesenen rhetorischen Prägung derselben, sondern auch - gemäß synchronisti-
scher Betrachtung - aus dem Literaturbegriff der Antike selbst (dazu: W.Schadewaldt, S.100f). Insofern ist die Engführung des Be-
griffes Literatur auf das sprachliche Kunstwerk unangebracht.

1 I.Kant, S.430.

2 I.Kant, S.431: "Beredsamkeit und Wohlredenheit (zusammen Rhetorik) gehören zur schönen Kunst; aber Redekunst (ars oratoria)
ist, als Kunst, sich der Schwächen der Menschen zu seinen Absich-
ten zu bedienen ..., gar keiner Achtung würdig."

3 Dieser Hinweis bei: U.v.d.Steinen, EvTh 39 (1979) S.106f. Zur Sache selbst (Barockrhetorik): W.Barner, S.178f.

4 So fährt Kant nach seiner Ächtung der Rhetorik fort (S.431): "Wer,
bei klarer Einsicht in Sachen, die Sprache nach deren Reichtum und
Reinigkeit in seiner Gewalt hat, und, bei einer fruchtbaren zur Darstellung seiner Ideen tüchtigen Einbildungskraft, lebhaften Herzens-
anteil am wahren Guten nimmt, ist der vir bonus dicendi peritus..."

5 Diese Alternative findet sich so bei J.Weiß, Beiträge, S.168.

6 So hält. W.Bujard, S.130 fest: "Wir sprechen absichtlich nicht von
'Rhetorik', sondern statt dessen von dem 'rhetorischen Engagement',
um der Assoziation an die antike Schulrhetorik nicht allzusehr Vor-
schub zu leisten."

7 H.-G.Gadamer, Rhetorik, S.117.

8 So: H.-G.Gadamer, Wahrheit, S.450. Zum Problem: E.Heintel,
Sprachphilosophie, S.162f u.ö.; K.-O.Apel, S.22-39. Begründet
wurde dieser Zusammenhang von Rhetorik und Hermeneutik - soweit ich sehe - bereits von Schleiermacher in seiner kompendien-

artigen Darstellung der Hermeneutik von 1819 (S.80): "Die Zusammengehörigkeit besteht darin, daß jeder Akt des Verstehens ist die Umkeh-
rung eines Aktes des Redens, ...", denn: "Das Reden ist die Vermitte-
lung für die Gemeinschaftlichkeit des Denkens, und hieraus erklärt
sich die Zusammengehörigkeit von Rhetorik und Hermeneutik..." (a.a.
O.). Für uns von Interesse ist die Folgerung Schleiermachers: "Der
Parallelismus besteht darin, daß wo das Reden ohne Kunst ist, bedarf
es zum Verstehen auch keiner." (a.a.O.).

9 J.Habermas, S.123.

10 H.-G.Gadamer, Rhetorik, S.121.

11 So Quint. 2,17,37. Verschiedene andere Definitionen werden diskutiert
bei Quint. 2,15,1-38.

12 So die Trias bei adHer. 4,48,61: omnes res ... artificie, casu, natura
comparatas.

13 Quint. 2,14,5.

14 Dazu: H.Lausberg, §§ 2-5.37.

15 So wird seit Cato der Redner als vir bonus dicendi peritus definiert
(Quint. 12,1,1). Quint. 2,15,34: nam et orationis omnes virtutes semel
complectitur et protinus etiam mores oratoris, cum bene dicere non
possit nisi bonus.

16 Deshalb fordert Quint. 1, pr.9: oratorem autem instituimus illum per-
fectum, qui esse nisi vir bonus non potest, ideoque non dicendi modo
eximiam in eo facultatem, sed omnes animi virtutes exigimus. Dazu:
G.Ueding, S.5.

17 Dazu zwei Klassiker: M.Luther, S.607, 12ff: "Wenn man rhetorisiert
und viel Wort machet ohn Fundament..., so ists nur ein geschmückt
Ding, und geschnitzter und gemaleter Götze."
F.Nietzsche, S.306: "Der wahre Redner redet aus dem $\eta\theta o\varsigma$ der von
ihm vertretenen Person oder Sache heraus."

1 Diese Lesart ist vorzuziehen, obwohl nur von 35 it[f], [g] bezeugt.
$\lambda\acute{o}\gamma o\iota\varsigma$ om p[46]G. Dazu: B.M.Metzger, S.546.

2 $\pi\nu\epsilon\tilde{u}\mu\alpha$ $\kappa\alpha\grave{\iota}$ $\delta\acute{u}\nu\alpha\mu\iota\varsigma$ ist eine dem NT geläufige Zusammenstellung (Lk 1,17;
Act. 10,38; 1.Thess 1,5, u.ö.), die beinahe wie ein $\grave{\epsilon}\nu$ $\delta\iota\grave{\alpha}$ $\delta\upsilon o\tilde{\iota}\nu$ wirkt
(so: J.Weiß, S.50). Schwierig ist die Konstruktion an unserer Stelle:
Eher unwahrscheinlich ist die Auffassung von $\pi\nu\epsilon\tilde{u}\mu\alpha$ und $\delta\acute{u}\nu\alpha\mu\iota\varsigma$ als
gen.obj., der diejenige als gen.subj. gegenübersteht (so: J.Weiß,
S.50): Der Geist und die Kraft (Gottes) sind es dann, die eigentlich
durch die Predigt des Apostels die Zuhörer (zwingend!: $\grave{\alpha}\pi\acute{o}\delta\epsilon\iota\xi\iota\varsigma$)
überzeugen. Eine dritte Möglichkeit gibt H.Conzelmann, S.72:
$\grave{\alpha}\pi\acute{o}\delta\epsilon\iota\xi\iota\varsigma$ $\pi\nu\epsilon\acute{u}\mu\alpha\tau o\varsigma$ $\kappa\alpha\acute{\iota}$ $\delta\upsilon\nu\acute{\alpha}\mu\epsilon\omega\varsigma$ ist gen.poss., gemeint wäre dann
"der Beweis, der im Besitz des Geistes und der Betätigung der Wun-
derkraft liegt" (W.Bauer, Sp.177). Die Fortführung v5 mit $\acute{\iota}\nu\alpha$ legt
allerdings die Auflösung der Konstruktion im Sinne des gen.subj. nahe.

3 So kann $\pi\epsilon\acute{\iota}\theta\omega$ mit persuadere direkt identifiziert werden (Anon., techn.
96,I p.369,13). Damit ist die Gewinnung des Publikums für eine Ent-
scheidung ganz im Sinne des Redners gemeint (H.Lausberg, § 257).

Zu S. 49-50

4 ἀπόδειξις meint die evidens probatio (Quint. 5,10,7). Sie wird als Beweisresultat aufgefaßt ("Überzeugtsein"): H.Lausberg, § 357: "Das
durch argumenta und exampla mit Erfolg erreichte Beweisresultat
heißt ἀπόδειξις ". Dazu: Quint. 5,10,1.

5 So: W.Trillitzsch, S.5. Zur Sache: G.Kennedy, S.264-272.

6 Wobei festgehalten werden muß, daß die Gerichtsrede die gesamte
rhetorische Theorie der Antike bestimmte (W.Kroll, Sp.1042).

7 Diese Unterscheidung hängt mit dem in der Rhetorik grundsätzlichen Unterschied von natura und ars zusammen. Eine genaue Grenz-
ziehung ist nur durch eine Definition von natura möglich. Hier gibt
es allerdings keine Einheitlichkeit (dazu: H.Lausberg, § 1).

8 Dazu: Chr.Neumeister, S.71.

9 Diese Abfolge wird - natürlich mit Unterschieden im einzelnen - von
den meisten Handbüchern geteilt: Ar.rhet. 3,13 (προοίμιον – πρόθεσις –
πίστις – ἐπίλογος), adHer. 1,3,4; Cic., de inv. 1,14,19. Klassisch aus-
formuliert bei Quint. 3,9,1, der zudem die argumentatio in probatio
und refutatio zerlegt. Fortun. 3,1 bemüht sich um eine genaue Fest-
legung des ordo naturalis und bestimmt zu diesem Zweck acht modi:
quot modi sunt naturalis ordinis? octo; qui? totius orationis per
tempora, per incrementa, per status, per scriptorum partes atque
verba, per confirmationis ac reprehensionis discrimen, per genera-
les et speciales quaestiones, per principales et incidentes. Dazu:
H.Lausberg, § 448.

10 Diese Unterscheidung von ordo naturalis und ordo artificialis hat der
Autor der adHer. so nicht geteilt. Er bezeichnet die Abfolge exordium -
narratio - argumentatio - peroratio als ordo artificiosus (3,9,16) und
definiert die Abweichungen davon sehr genau: est autem alia dispositio, quae, cum ab ordine artificioso secedendum est, orationis iudicio
ad tempus accommodatur; ut si ab narratione dicere incipiamus aut
ab aliqua firmissima argumentatione aut si secundum principium con-
firmatione utamur, deinde narratione, aut, si quam eiusmodi permu-
tationem ordinis faciamus; quorum nihil, nisi causa postulat, fieri
oportebit.
Demgemäß hat also der Redner hinsichtlich der dispositio freie Hand,
allerdings unter dem Vorbehalt: nisi causa postulat. Allgemein gilt:
Der gute Redner ist nicht regelhaft, sondern originell und spontan
(dazu: Chr.Neumeister, S.8f).

11 Fortun. 3,1: quid, si aliquid occurrerit necessitate utilitas? ordinem
immutabimus naturalem; et quid sequemur? artificialem.

12 Der Maßstab der Wahrheit tritt also zurück hinter den der Zweckmäßigkeit. Dies war bereits Gegenstand des Streites zwischen Platon
und den Sophisten (siehe dazu das Gespräch zwischen Sokrates und
Kallikles, Plat.Gorg. 454-456). Der Standpunkt der Sophisten und damit der Primat der Zweckmäßigkeit hat sich schließlich durchgesetzt:
Cic., de or. 3,54ff; Quint. 12,2,23. Allerdings: "Wenn der Anwalt seine Kunst zur Täuschung der Richter verwendet, so liegt für ihn selbst

Zu S. 50-51

darin nichts Unmoralisches. Er erfüllt nur sein officium gegenüber den Klienten." (Chr.Neumeister, S.131). Dazu: Quint. 2,17,21; 5,2,5; 4,1,56: videtur ars omnis dicentis contra iudicem adhiberi. Chr.Neumeister, S.25: "Der forensische Redner hat allein die Überredung der Hörer zum Ziel."

13 Schon Isokr. 12,1 bezeichnet die Gerichtsreden als λόγοι ἁπλῶς εἰρῆσθαι δοκοῦντες καὶ μηδεμίας κομψότητος μετέχοντες. Dazu: Chr.Neumeister, S.141: "Die Gerichtsreden scheinen nur einfach zu sein; in Wirklichkeit sind auch sie mit höchster Kunst abgefaßt; nur ist diese hier verborgen."

14 Dazu treffend Cic., de or. 2,310: et quoniam, quod saepe iam dixi, tribus rebus homines ad nostram sententiam perducimus, aut docendo aut conciliando aut permovendo, una ex tribus his rebus res prae nobis est ferenda, ut nihil aliud nisi docere velle videamur; reliquae duae, sicuti sanguis in corporibus, sic illae in perpetuis orationibus fusae esse debebunt.

15 Quint. 4,5,5: quia pleraque gratiora sunt, si inventa subito nec domo allata, sed inter dicendum ex re ipsa nata videntur.

16 Cic., de or. 2,177; Quint. 4,5,6.

17 Quint. 4,5,4; 9,2,59.

18 Quint. 10,1,21: saepe enim praeparat, dissimulat, insidiatur orator, eaque in prima parte actionis dicit, quae sunt in summa profutura. Dazu: Chr.Neumeister, S.133.

19 Quint. 4,5,5: re non ante proposita securum ac nulla denuntiatione in se conversum intrat oratio.

20 Dazu: H.Lausberg, §§ 284-287 (exordium); 337 (narratio); 429 (argumentatio); 441-442 (peroratio).

21 Z.B. durch die Erzählweise more Homerico (Quint. 7,10,11: ubi ab initiis incipiendum, ubi more Homerico e mediis vel ultimis ... exponendum; H.Lausberg, § 317).

22 Quint. 4,2,126: effugiendo igitur in hac praecipue parte omnis calliditatis suspicio, neque enim se usquam custodit magis iudex: nihil videatur fictum, nihil sollicitum: omnia potius a causa quam ab oratore profecta credantur.
Die Sprache der narratio sei gewöhnlich und kunstlos (Quint. 4,2,58: verba vulgaria et cotidiana).

23 Also: Latinitas (adHer. 4,12,17; Quint. 1,5,1: oratio emendata; 5,14,33: sermo purus; dazu: H.Lausberg, §§ 463-527), perspicuitas (Quint. 8,2,22; dazu: H.Lausberg, §§ 528-537), ornatus (dazu: H.Lausberg, §§ 538-1054), aptum (Cic., de or. 21,70f; dazu: H.Lausberg, §§ 1055 -1062). Dazu: W.Eisenhut, S.82: "Zu den ἀρεταί virtutes, gehört alles, was die Rede schön, anziehend und geeignet macht ad persuadendum, zum Überzeugen oder Überreden; das reicht von der Verständlichkeit (σαφήνεια, perspicuitas) über die passende Stilart bis zum äußeren Schmuck (κόσμος, ornatus)."

24 Quint. 8,3,5: sed ne causae quidem parum conferat idem hic orationis ornatus. nam qui libenter audiunt, et magis attendunt et facilius cre-

Zu S. 51

dunt, plerumque ipsa delectatione capiuntur, nonnumquam admiratione
auferuntur. Der ornatus dient also der utilitas causae. Insofern ist
sein Verständnis als rein äußerlicher Aufputz der Rede verfehlt. Dazu: W.Eisenhut, S.82.

25 Diese drei genera sind: 1. genus iudiciale (adHer. 1,2,2: iudiciale est,
quod positum est in controversia et quod habet accusationem aut petitionem cum defensione); 2. genus deliberativum (adHer. 1,2,2: deliberativum est in consultatione quod habet in se suasionem et dissuasionem); 3. genus demonstrativum (adHer. 1,2,2: demonstrativum
est quod tribuitur in alicuius certae personae laudem vel vituperationem). Zum Ganzen: H.Lausberg, §§ 59-65.
Diese Einteilung ist allerdings nicht unumstritten geblieben (vgl. die
Notizen bei Quint. 3,4,1-16; Cic., de inv. 1,9,12).

26 W.Eisenhut, S.83 gibt dafür folgende Gründe an: "Die Prunkrede hat
aus zwei Gründen die meisten Schmuckstücke: Der Redner läßt seine
Kunst glänzen und die Rede benötigt mangels spannenden Inhalts zu-
sätzlichen Aufputz."

27 Dazu: Ch.Neumeister, S.133f; W.Eisenhut, S.83.

28 Cicero bietet dafür gute Beispiele: In den Reden pro Cn.Pomp. und
pro Archia braucht er seine Kunst nicht zu verbergen - die Fälle sind
zu offensichtlich. Ganz anders aber in pro Mil., deren komplizierte
causa ein hohes Maß an dissimulatio artis erfordern. So stellt Chr.
Neumeister, S.150 Anm.16 resumierend zu den Gerichtsreden fest:
"Die Kunst besteht hier nicht in der Demonstration, sondern in der
Dissimulation."
Die erste ausdrückliche Erwähnung dafür findet sich: Ar., rhet. 3,2:
δεῖ λανθάνειν ποιοῦντας καὶ μὴ δοκεῖν λέγειν πεπλασμένως ἀλλὰ πεφυκότως
(τοῦτο γὰρ πιθανόν, ἐκεῖνο δὲ τουναντίον· ὡς γὰρ πρὸς ἐπιβουλεύοντα διαβάλλονται,
καθάπερ πρὸς τοὺς οἴνους τοὺς μεμιγμένους).

29 Quint. 4,2,57: callidissima simplicitas imitatio. Dazu: Chr.Neumeister,
S.135: "Die Einfachheit des Stils ist in Wirklichkeit das höchste Raffi-
nement."

30 Deshalb hat eine rhetorische Analyse in der Tat "potentiell aufkläreri-
sche Funktion" (L.Fischer, S.145). Die ersten Untersuchungen am
Beispiel Ciceros stammen von W.Stroh, M.v.Albrecht, Gym. 76 (1969)
S.419-429, und C.J.Classen, RMP 108 (1965) S.104-142. Dahinter
steht die Forderung Chr.Neumeisters, S.83: "Der Interpret muß
hier nämlich gerade das als seine Hauptaufgabe ansehen: die verborgene Ordnung, den taktischen Plan, der hinter den scheinbar lose
und assoziativ aufeinanderfolgenden Gedanken steht, ans Tageslicht
zu bringen. Dabei genügt keineswegs, die ja doch nur ganz äußerliche Gliederung der Rede ... zu registrieren. Was vielmehr interpre-
tatorisch herausgebracht werden muß, ist der Charakter der Rede
als planvoller Überredungsprozeß."

1 Dies gilt - wie bereits festgestellt - in besonderer Weise für die einleitenden Passagen der Rede, vor allem aber für die narratio (Quint.

Zu S. 51-52

4,2,126: effugiendo igitur in hac praecipue parte omnis calliditatis suspicio, neque enim se usquam custodit magis iudex: nihil videatur fictum, nihil sollicitum: omnia potius a causa quam ab oratore profecta credantur). Dazu: Chr.Neumeister, S.135-150.

2   Wenn H.D.Betz, NTS 21 (1975) S.353-379 zeigen konnte, daß Gal gemäß dem rhetorischen Schema exordium - narratio - argumentatio - peroratio aufgebaut ist, kann dies als argumentum e contrario für meine oben geäußerte These gelten: Die Galater waren ungebildet (Gal 3,1), ihnen gegenüber bestand für Paulus keine Notwendigkeit, die Disposition seiner Rede zu verbergen. Hier mag der (allerdings nicht allgemein gültige) Grundsatz gelten: "Rhetoric works only as long as one does not know how it works." (H.D.Betz, S.378). Das hieße dann: Die Galater merkten es eben nicht, die Korinther hätten es gemerkt, wenn Paulus nicht geschickt disponiert hätte.

3   Die Methode ist die eines analytischen Rückschlußverfahrens. Dazu: G.Theissen, Kairos 17 (1975) S.291 (siehe oben S.18 Anm. 41). Die eigentlichen Adressaten sind also von der Gesamtgemeinde und ihrem Durchschnitt zu unterscheiden; der explizite Leser ist mit dem impliziten nicht identisch. Dazu: W.Iser, Akt, S.60: "Folglich ist der implizite Leser nicht in einem empirischen Substrat verankert, sondern in der Struktur der Texte selbst fundiert."

4   Vieles spricht gegen eine solche Intention des Paulus. Gerade seine Argumentation in 1.Kor 1,10-3,20, also die Verknüpfung der Parteienfrage mit der Kreuzespredigt, macht deutlich, was Paulus intendiert. Nicht zufällig setzt er deshalb 1.Kor 4,9-13 seine eigene soziale Stellung der der Adressaten seiner Rede gegenüber.
- Allgemein zu den verschiedenen Lesertypen: W.Iser, Akt, S.60; zum "intendierten Leser": E.Wolff, Poetica 4 (1971) S.141ff.

5   Diese Vermutung läßt sich auch aus der allgemeinen Kommunikationstheorie bestätigen: Gelungene Kommunikation setzt voraus, daß beide Partner in ihrer sozialen Situationsdefinition übereinstimmen. J.Hennig/L.Huth, S.68: "Tatsächlich kommunizieren Partner im Verhältnis zu einem bestimmten Wahrnehmungsraum, in einem Geflecht sozialer Normen und Beziehungen, deren sie sich als Erfahrung bewußt sind und deren Bewußtheit sie als Alltagswissen beim Partner voraussetzen können." Dazu auch: H.Holzer, S.60-64.

6   Über die soziale Zusammensetzung der korinthischen Gemeinde hat G.Theissen, ZNW 65 (1974) S.232-272, grundlegend gearbeitet. Interessant ist in diesem Zusammenhang auch der Versuch von W.J. Hollenweger, S.9-48, den ich allerdings wegen seiner starren Gegenübersetzung von sozial Höher- und Niedriggestellten für zu schematisierend halte. Die wichtigsten Konflikte in der Gemeinde sind nicht nur schichtspezifisch zu verstehen.

7   So stellt z.B. H.Conzelmann, S.44 in bezug auf 1.Kor 1,10-4,21 zwar einerseits fest: "Dieser Briefteil ist weder stilistisch noch inhaltlich eine Einheit.", setzt aber andererseits im gleichen Atemzug

Zu S. 52-53

fort: "Wohl aber ist im Hintergrund der vielfachen Einzelthemen eine theologische Geschlossenheit zu erkennen." Dennoch behandelt H.Conzelmann das Stück als Einheit (Thema: "Die Spaltung in der Gemeinde" S.44). So auch J.Weiß, S.12 ("Über die Parteien in der Gemeinde").

8   An der Integrität von 1.Kor halten - mit je verschiedenen Begründungen - u.a. fest: J.Hurd, S.114f; W.G.Kümmel, S.203ff; W.Marxsen, S.67f; H.Conzelmann, S.15.

9   Diese Hypothese vertreten (allerdings mit kleineren und auch größeren Unterschieden): W.Schmithals, S.81ff; E.Dinkler, Sp.17f; A.Suhl, S.208. J.Weiß, S.XLI-XLIII teilt 1.Kor auf drei Briefe auf; W.Schenk ZNW 60 (1969) S.219-243 gar auf vier, wobei ihm 1.Kor 1,10-4,21 als eigener Brief (D) erscheint. Zur Kritik an Schenk siehe: A.Suhl, S. 204 Anm.13.
Der Inhalt von Brief B ist nach E.Dinkler: 1,1-6,11; 7,1-9,23; 10,23-11,1; 15; 16; nach W.Schmithals: 1,1-6,11; 7,1-9,23; 10,23-11,2; 12,1-14,40; 16,1-12; nach A.Suhl: 1,1-4,21; 5,9-9,23; 10,23-11,1; 12-14; 16,1-12.
H.-M.Schenke/K.M.Fischer, S.99f; Ph.Vielhauer, S.140f.

10 Diese unendliche Schwierigkeit wird schon von J.Weiß, S.XXX bedauert. Siehe zur ganzen Frage auch die allerdings knappen forschungsgeschichtlichen Übersichten bei: W.Schmithals, S.110-117; R.Baumann S.7-19; W.G.Kümmel, S.235-237.

11 H.Conzelmann, S.44.

12 J.Weiß, S.XXX.12.

13 So zuletzt: G.Theissen, NTS 21 (1975) S.218f.

14 G.Heinrici, S.16.

15 J.Munck, S.127 ("Die Gemeinde ohne Parteien"); N.A.Dahl, S.320-32

16 W.Lütgert, S.41f.

17 H.Schlier, Erkenntnis, S.515.

18 W.Schmithals, S.188-194.

19 G.Theissen, NTS 21 (1975) S.220.

20 Dazu: J.Hurd, S.48-93, der versucht, drei Informationsquellen des Paulus herauszuschälen: die Leute der Chloe (1.Kor 1,11), den Gemeindebrief (1.Kor 7,1) sowie Stephanas, Fortunatus und Achaicus (1.Kor 16,17). Aus den beiden mündlichen Informationsquellen erhielt Paulus vor allem Nachrichten über die Streitigkeiten (1.Kor 1,11ff), den Fall von Porneia (1.Kor 5,1ff), die Anrufung heidnischer Gerichte (1.Kor 6,1ff), also durchaus negative Nachrichten, wohingegen der Gemeindebrief die Situation und Stimmung innerhalb der Gemeinde offensichtlich in gutem Licht darzustellen bemüht war (so: J.Hurd, S.62).

21 Siehe dazu: R.Knopf, ZThK 10 (1900) S.329; G.Theissen, ZNW 65 (1974) S.255.
Ganz unwahrscheinlich ist hingegen die These von F.R.M.Hitchcock, S.163-167, der behauptet, die Leute der Chloe wären Mysten der Demeter gewesen (siehe vor allem: S.166).

22 G.Theissen, NTS 21 (1975) S.218-220. Überhaupt hat G.Theissen zu zeigen verstanden, daß viele Konflikte, gegen die Paulus sich wendet,

Zu S. 53

von den wenigen sozial Höhergestellten in der Gemeinde ausgegangen sind. So etwa in der Frage des Götzenopferfleisches (G.Theissen, EvTh 35 (1975) S.155-172) oder des Herrenmahles (G.Theissen, NT 17 (1974) S.179-206.

23 So: G.Theissen, NTS 21 (1975) S.218.

24 Das ergibt sich auch, ohne daß man annehmen muß, die jeweiligen Protagonisten wären der Vorstellung einer mysterienhaften Verbindung von Täufer und Täufling verpflichtet (so: U.Wilckens, S.12). Anders bliebe ja die Argumentation des Paulus unverständlich.

25 1.Kor 1,14.16. Krispus war (nach Apg 18,8) Archisynagogus. Dieses Amt erforderte Geldmittel und war mit einem gehobenen Sozialstatus verbunden (der klassische Beleg ist die Inschrift des Theodotos bei: A.Deissmann, Licht, S.378-380).Dazu auch: W.Schrage, Art.συναγωγή, S.843-845; G.Theissen, ZNW 65 (1974) S.236). Gaius war Gastgeber der ganzen Gemeinde (Röm 16,23), was - wegen der Größe der Gemeinde (Apg 18,10) - auf einigen Besitz und wohl auch gehobenen Sozialstatus schließen läßt (G.Theissen, ZNW 65 (1974) S.251f; H.Lietzmann, Geschichte, S.135). Schließlich gehört auch Stephanas dazu, der Hausbesitzer, der mit seinen Sklaven (?) Fortunatus und Achaicus Paulus besucht (1.Kor 16,17). (E.v.Dobschütz, S.33; J.Weiß, S.XII; G.Theissen, ZNW 65 (1974) S.254).

26 So G.Theissen, NTS 21 (1975) S.218: "Die Protagonisten der jeweiligen Parteien dürften zu den Christen aus den oberen Schichten gehört haben." So auch: S.Arai, NTS 19 (1973) S.431.

27 Sie blähen sich übereinander auf (1.Kor 4,6). G.Theissen, NTS 21 (1975) S.218: "Der Streit zwischen den verschiedenen Parteien könnte ... ein Gerangel um die innergemeindliche Prestigeskala gewesen sein."

28 Ob Kephas überhaupt in Korinth war, ist unsicher. Bejaht wird diese Frage von: C.K.Barrett, S.5; W.Schmithals, S.354f. Dazu: Ph.Vielhauer, NTS 21 (1975) S.341f. Zur Frage der Christuspartei: Eine solche wird 1.Kor 3,4f.22; 1.Clem 47,3 nicht erwähnt. Ist nun das Syntagma ἐγὼ δὲ Χριστοῦ Glosse (so: J.Weiß, S.XXXVIII; G.Heinrici, S.60; U.Wilckens, S.17 Anm.2) oder Zentralstelle (so: W.Schmithals, S.170)? M.E. weder noch, sondern einfach rhetorische Überspitzung des Paulus. Die Losung wird hier "unter rhetorischem Zwang als viertes Glied zugefügt,..." (R.Reitzenstein, S.334). So auch: E.Käsemann, Einführung, S.X: "Eine Christuspartei hat es überhaupt nicht gegeben. Die sie vermeintlich kennzeichnende Losung 'ich bin des Christus' wird als ironisierende Überbietung der anderen umlaufenden Parolen, also aus spezifisch paulinischer Rhetorik zu begreifen sein." Daß es in Korinth gar keine Christuspartei gegeben habe, vertreten neuerdings auch: Ph.Vielhauer, S.136f; H.-M.Schenke/K.M.Fischer, S.102.

Zu S. 53

29 παρακαλῶ als "request formula" (J.B.White, JBL 90 (1971) S.93) wie
Röm 12,1; Phlm. 8. J.Weiß, S.13 vermutet: "es liegt eine Art Beschwö-
rung vor". Eher steht aber der allgemeine Sprachgebrauch der Zeit
dahinter: παρακαλῶ - ursprünglich als terminus technicus der priva-
ten Petition verwendet (T.G.Mullins, NTS (1962) S.46-54) - wurde in
(amtlichen) Schreiben als Euphemismus für "befehlen" eingesetzt
(Ditt., Or. I 223). Dazu: C.J.Bjerkelund, S.59ff.

30 H.Conzelmann, S.45: "Der Aufruf wird durch den Hinweis auf den
Namen des Herrn verstärkt." (So auch: J.Weiß, S.12). Einen Schritt
weiter geht R.Baumann, S.47: "Wie beim Verfahren gegen den Blut-
schänder (5,4), ..., nimmt der Apostel jetzt die gegenwärtige Macht
und Autorität des Kyrios für seine Paränese in Anspruch, so daß
letztlich der Kyrios selber seine Stimme erhebt, wenn der Apostel
statt seiner mahnt." Aber: Paulus wollte umgekehrt genau den Eindruck erwecken, daß er "mehr bittet als fordert" (H.Schlier, Ermahnung, S.78).

31 Dies ist ja eine Hauptaufgabe des Exordiums (attentum parare, H.Laus-
berg, §§ 269-271). In unserem Fall versucht das Paulus durch affektische Mittel, die - gemäß der Forderung der Rhetorik - aber äußerst
sparsam eingesetzt werden. Die Aufmerksamkeit wird erregt durch
den Hinweis: tua res agitur (adHer. 1,4,7; Quint. 4,1,33), das Publikum durch Affekterregung beeinflußt (Quint. 4,1,33: cuius animus
spe, metu, admonitione, precibus, vanitate denique, si id profuturum
credimus, agitandus est).

32 Dazu: J.Weiß, S.12; ders., Beiträge, S.201: "Der Inhalt der Ermahnung ist mit einem Parallelismus ausgedrückt (10b+c), dessen feiner
Bau in die Augen fällt; die erste Zeile birgt eine Antithese, die zweite ist ein synonymer vollerer positiver Ausdruck für dasselbe."

33 Auch dies eine Hauptaufgabe des Exordiums (benevolum facere, dazu:
H.Lausberg, §§ 273-279). Von den vier Möglichkeiten (adHer. 1,4,8:
benevolos auditores facere quattuor modis possumus: ab nostra, ab
adversariorum nostrorum, ab auditorum persona, et ab rebus ipsis)
wählt Paulus die letzte (ab rebus ipsis, a causa): Er hebt den eigenen Standpunkt lobend hervor (Cic., de inv. 1,16,22: ab rebus: si
nostram causam laudando extollemus) und tadelt den der Gegner
(Cic., de inv. 1,16,22: adversariorum causam per contemptionem
deprimemus). Dabei erwähnt er einige Punkte, die für die Vertre-
tung seines Standpunktes günstig sind (τὸ αὐτὸ λέγητε πάντες ...
κατηρτισμένοι ἐν τῷ αὐτῷ νοΐ καὶ ἐν τῇ αὐτῇ γνώμῃ ; Quint. 4,1,23: si
causa conciliandi nobis iudicis materiam dabit, ex hac potissimum
aliqua in usum principii, quae maxime favorabilia videbuntur decerpi
oportebit).

34 Cic., de inv. 1,15,20: insinuatio est oratio quadam dissimulatione et
circumitione obscure subiens auditoris animum. Sie besteht darin,
daß "durch listige Verwendung psychologischer Mittel (...) das Un-
terbewußtsein des Publikums in einem für uns günstigen Sinn beein-

Zu S. 53-54

flußt wird und so langsam der Boden für eine Sympathiegewinnung vorbereitet wird." (H.Lausberg, § 281). Dies spürte wohl auch J. Weiß, S.12, wenn er v10 "gewissermaßen als Thema und Überschrift" bezeichnet.

35 Die Überleitung mit γάρ (v11) läßt das Folgende als Begründung zu v10 erscheinen. So: J.Weiß, S.14: "P. begründet die wie ein Thema vorangestellte Mahnung, indem er sagt, wie er dazu gekommen ist."

36 ἐδηλώθη-δηλοῦν bezeichnet die "rational verständliche Mitteilung" (H.Conzelmann, S.46 Anm.17). Vgl.: Jos., ant.IV 105; c.Ap.I 286. Dazu auch: R.Bultmann, Art. δηλόω, S.60-61.

37 Die Mitteilung des Sachverhaltes heißt πρόθεσις (Ar.rhet.3,13) oder propositio (Quint.3,9,5; 4,2,7; 4,2,30). Ihre Funktion ist: proponere ... quae sis probaturus (Quint.3,9,2).

38 Das geht aus der Überleitung v12 hervor: λέγω δὲ τοῦτο, ὅτι ἕκαστος ὑμῶν λέγει· Dazu: Cic., part.or.9,31; Quint.3,9,5.

39 Cic., de inv.1,19,27; Herm., inv.2,1,81: διήγησίς ἐστι πάντος ... προβλήματος αὐτὸ τὸ πρᾶγμα ἐξ οὗ συνέστηκεν ἡ ὑπόθεσις. Folgerichtig überschreibt R.Cornely, S.25 v10-12 mit: "expositio facti"; A.Robertson/A.Plummer, S.9: "the facts of the case."

40 AdHer.4,33,44: superlatio est oratio superans veritatem alicuius augendi minuendive causa; Quint.8,6,67: decens veri superiectio.

41 Die amplificatio (Quint.8,4,3) "ist eine im Parteiinteresse vorgenommene gradmäßige Steigerung des von Natur aus Gegebenen" (H.Lausberg, § 259). In unserem Fall dienen ihr res, also Mittel der inventio (dazu: H.Lausberg, §§ 260-442).

42 In Analogie zu den folgenden Fragen auch als Frage verstanden (so auch: H.Conzelmann, S.49). Vor μεμέρισται setzen p[46] 326 1962 1 599 syr sa arm ein μή ("thus relieving the ambiguity and conforming the clause to the following questions", B.M.Metzger, S.544). Das Fehlen des μή ist hier aber durchaus sinnvoll. J.Weiß, S.16: "Das eine verneinende Antwort vorbereitende μή fehlt, weil hier nicht wie in den folgenden Sätzen eine - auf der Hand liegende - Torheit hypothetisch gesetzt ist, sondern etwas ganz Entsetzliches dem Leser vor Augen gestellt wird - die Frage wirkt so viel wuchtiger." Die affektische amplificatio (ἐγὼ δὲ Χριστοῦ) findet also ihre Weiterführung in einer ebenso affektischen interrogatio, die als Mittel des Pathos eingesetzt wird - eine Antwort wird gar nicht erwartet. Ziel des ganzen ist es, den Standpunkt der Gegenpartei unmöglich zu machen (H.Lausberg, § 767: "Die ungeduldig-pathetische Einkleidung der Aussage als Frage geschieht mit dem Ziel der Demütigung der Gegenpartei."). Quint.9,2,6: incipiamus enim ab iis, quibus acrior ac vehementior fit probatio.

43 Die indignatio ist eine Hauptfunktion der interrogatio (Quint.9,2,8). Ihre Wirkung setzt hier allerdings voraus, daß den Hörern die Anschauung von der Gemeinde als Leib Christi bekannt war (so: J.Weiß, S.16; H.Conzelmann, S.49).

Zu S. 54

44 So verstehe ich ἐγὼ δὲ Χριστοῦ. μεμέρισται ὁ Χριστός; als affektische
    exkursartige Amplifikation. Quint. 4,3,5: si expositio circa finem
    atrox fuerit, prosequamur eam velut erumpente protinus indigna-
    tione. "Der affektische Exkurs schafft die parteigünstige Atmo-
    sphäre für die durchschlagende Wirkung der argumentatio."
    (H.Lausberg, § 345).

45 ἐγὼ δὲ Χριστοῦ. μεμέρισται ὁ Χριστός; bilden also in ihrer Verknüpfung
    ein transitorisches Element im Exordium. Diese exkursartige Anspie-
    lung auf die Gemeinde als Leib Christi verbindet die Andeutung bzw.
    Erwähnung der causa mit Hinweisen auf die argumentatio. H.Laus-
    berg, § 345:

46 J.Weiß, S.17: "Diese Fragen sind gar nicht so wie 13a als Folgerun-
    gen des P. zu verstehen, an die man in Korinth natürlich gar nicht
    so gedacht hat."

47 Während H.Conzelmann, S.49 einfach feststellt: "Die Gedankenfüh-
    rung erscheint sprunghaft", sieht J.Weiß, Beiträge, S.201 die Kon-
    struktion der drei Fragen so: "Zwischen ihnen (= v13bc, d.Verf.)
    und der ersten (= v13a, d.Verf.) liegt der stark empfundene Zwi-
    schengedanke, daß durch die Verehrung der Lehrer dem gekreuzig-
    ten Christus Abbruch geschieht." Diese Verknüpfung wird aber
    erst ab 1.Kor 3,21ff deutlich - ein Hinweis auf das verbergende
    Andeuten von später ausgeführten Gedanken in den einleitenden
    Versen.

48 Paulus argumentiert (noch) nicht sachlich. Zu erwarten wäre ja nach
    v13a eine Ausführung ähnlich 1.Kor 12,12-31 (wenn die Vorstellung
    von der Gemeinde als Leib Christi wirklich vorausgesetzt werden kann)
    Besteht zwischen den drei Fragen überhaupt eine Verknüpfung?
    J.Weiß, S.16 äußert sich sehr vage: "Alle drei Fragen handeln di-
    rekt oder indirekt von Christus."; H.Conzelmann, S.49 nimmt als
    roten Faden den Taufgedanken an, offensichtlich in Anschluß an
    U.Wilckens, der ja die spezifisch paulinische Tauflehre (erschlos-
    sen aus Röm 6,1ff!) als Hintergrund nicht nur der Verse 1,10-17,
    sondern des ganzen Abschnittes über Weisheit und Torheit (1,18-
    2,16) sehen will (siehe v.a. S.15). M.E. ist die Verbindung der
    drei Fragen nur von ihrer Funktion her gegeben: Einerseits affekt-
    erregend, andererseits bereiten sie 1,18ff vor.

49 R.Reitzenstein, S.334 sieht darin das pädagogische Geschick des
    Paulus: er schilt zunächst die eigene Partei. J.Weiß, Beiträge, S.201
    nennt dieses Verfahren "urban" und erkennt damit die rhetorische
    Geprägtheit des Abschnittes. Paulus versucht ja, durch Affekte das
    Publikum zu gewinnen (conciliare, Quint. 12,10,59). Die Affekte mil-
    dert er, indem er nicht polemisiert, sondern über sich selbst spricht.
    Diese sanfte Affektstufe wird durch urbanitas verwirklicht (Quint.
    6,3,3; 8,6,74). Daneben ist der Effekt des benevolum parare ange-
    strebt (Cic., de inv. 1,16,22: ab nostra (perona): si de nostris fac-

Zu S. 54

tis et officiis sine arrogantia dicemus, ..., si prece et obsecratione
humili ac supplici utemur; adHer. 1,5,8).

50 So. J.Weiß, S.20. Chr.Burchard, ZNW 52 (1961) S.82 versucht durch
philologische Beobachtungen nachzuweisen, daß 1,16 nicht "Ungewiß-
heitsaussage", sondern "Beteuerung" ist.

51 H.Conzelmann, S.50: "Paulus hat, um das Treiben in Korinth als absurd zu beleuchten, seine mögliche (d.h. unmögliche) Rolle als σωτήρ
angedeutet. Entsprechend macht er jetzt klar, daß er nicht als Myst-
agoge auftrat."

52 J.Weiß, S.20 meint, "dieses merkwürdig eifrige kleine Intermezzo"
(v14-16) findet in v17 seine Begründung: "Wir bekommen hier einen
eigentümlichen Beitrag zu seiner (des Paulus, d.Verf.) Charakteri-
stik: ein Erweckungsprediger von Gottes Gnaden, aber kein Liturg."
Diese (mißverständliche) Deutung kommt m.E. daher, daß J.Weiß meint,
die v14-16 (im Gegensatz etwa zu v13) als "nicht rhetorische sachliche
Zwischenbemerkung" (Beiträge, S.201) auffassen zu können. Es zeigt
sich, daß J.Weiß "rhetorisch" und "sachlich" als Gegensätze versteht.
Im Gegensatz dazu sehe ich gerade in den v14-16 besonders starke
rhetorische Prägung, und zwar geschickte dispositio des Paulus: Wenn
v13bc die Funktion des benevolum parare ab nostra persona hatte,
dann entspricht die Fortführung v14-16 ganz den Forderung der rhetorischen Theorie: Der Redner muß den Verdacht der Arroganz meiden,
um die Sympathie des Publikums zu gewinnen (Quint.4,1,10: circa
occultandam eloquentiam simulatio). Dies geschieht dadurch, daß er
Bescheidenheit vortäuscht (v14a) und im ganzen (v14-16) den Eindruck
einer extemporalis oratio erweckt. Quint.4,1,54: multum gratiae exordio
est quod ab actione diversae partis materiam trahit... adeo ut, etiamsi
reliqua scripta atque elaborata sint, tamen plerumque videatur tota
extemporalis oratio cuius initium nihil praeparati habuisse manifestum
est.

53 Auch sonst bei Paulus: J.Weiß, S.23: "Diese Art, 'unhörbar', aber doch
ziemlich ruckweise das Thema des Folgenden einzuführen, ist auch sonst
ein stilistisches Mittel des P., vgl. Röm 1,16; Phl 1,20 u.21." V17 ist
der empörte Schluß von v14-17 (Quint.4,3,5: si expositio circa finem
atrox fuerit, prosequamur eam velut erumpente protinus indignatione);
v17b (der spürbare Einschnitt vor dem betonten γάρ weckt Aufmerksamkeit für Späteres, J.Weiß, S.23) ist als propositio zugleich exordiale Einleitung des argumentativen Abschnitts (Quint.4,4,1). Allgemein
zum Transitus: Quint.4,1,76: it debebit in principio postremum esse
cui commodissime iungi initium sequentium poterit; 4,1,79: ut non abrupte cadere in narrationem, ita non obscure transcendere est optimum.

55 J.Weiß, S.23 hält an der Einheit des Abschnittes fest, obwohl "... einzelne Stücke sich von dem Thema zu entfernen scheinen." Die Einheitlichkeit wird auch vertreten von H.Conzelmann, S.53. K.E.Bailey, NT
17 (1975) S.265-296 unternimmt den Versuch, das ganze Stück von
seiner Struktur her als Poesie zu fassen. Die starke stilistische (stel-

Zu S. 54-55

lenweise auch metrische) Gefeiltheit des Abschnittes tritt dabei deutlich zu Tage.
Bedenkenswert ist auch die Vermutung von E.Peterson, Bib 32
(1951) S.97-193, 1.Kor 1,16-31 sei eine Homilie, die Paulus in einer
Synagoge (in Korinth oder Ephesus) gehalten und hier in die Argumentation des Briefes eingebaut habe (S.102). Auch den Tag, an
dem Paulus diese Homilie gehalten habe, versucht Peterson zu eru-
ieren: Aus 1.Kor 1,31, wo Jer 9,22 zitiert wird (eigentlich ist das
Zitat eine Kurzform von Jer 9,22f), schließt er, daß es der 9.Ab
(= Tag der Zerstörung des Tempels) gewesen sein müßte, denn
Jer 9 war der vorgeschriebene synagogale Lesungstext für diesen
Tag (S.100). Allerdings steht diese Vermutung auf schwachen Bei-
nen, vor allem, was die von Peterson angeführten Belege betrifft:
Das (jüdische) Gebet in Const.Apost.7,33,3 und bJoma 87b bilden
eine doch zu unsichere Basis.
Als ausgesprochenen Paralleltext zu 1.Kor 1,16-31 führt Peterson
die "Homilie auf die Weisheit" (S.103) Bar.3,9-4,4 an. Hier vermag
ich aber keinerlei Parallelität zu erkennen.

56 Die ringförmige Komposition wird herausgearbeitet von: H.Conzel-
mann, S.53; U.Wilckens, S.7 Anm. 1.

57 Viele inhaltliche Gründe sprechen gegen eine solche Klassifizierung
von 1,18-2,16. Daß die Vermutung allerdings ihre gute Berechtigung
hat, ergibt sich erst aus der Gesamtschau. Deshalb verweise ich auf
S.59.

58 So stellt U.Wilckens, S.6 ganz richtig fest: "Der Übergang scheint -
zumindest für uns, die wir die Situation im damaligen Korinth eben
nur durch diese Andeutungen des Paulus kennen - abrupt und zunächst nicht recht verständlich, zumal seine Ausführungen über die
Weisheit einen sehr breiten Raum einnehmen (1,18-2,16)."

59 Dies zeigt die Fortsetzung in 4,1ff ganz deutlich. Wie überhaupt:
Der ganze Abschnitt 1,10-4,21 ist von einer ständigen Steigerung
hin zur Apologie durchzogen. Man muß als Ursache dafür noch gar
nicht annehmen, daß die Korinther dem Paulus mit einem Gerichts-
verfahren besonderer Art (so: J.Weiß, S.92; dagegen: H.Conzel-
mann, S.102 Anm.12) gedroht hätten, allein daß sie Lehrer beur-
teilen wollten und sich als kompetente Richter aufspielten, ist für
Paulus Grund genug, sich angegriffen zu fühlen.

60 Grundsätzlich zur These und zum Gesamtthema "Evangelium und Weisheit": H.Schlier, Kerygma, S.206-231; E.E.Ellis, S.109-128 (eine kritische Auseinandersetzung mit W.Schmithals und U.Wilckens); K.Prümm
ZKTh 87 (1965) S.399-442; 88 (1966) S.1-50 (Auseinandersetzung mit
U.Wilckens); K.Niederwimmer, KuD 11 (1965) S.78-89.
- Trotz des vorgeblich deliberativen Charakters schimmert bereits in
der Formulierung der These ein Moment der gefühlsmäßigen Beeinflu-
ßung durch: τοῖς δὲ σωζομένοις ἡμῖν ... Überhaupt: Das Deliberative
erscheint im ganzen Abschnitt als planvolle Dissimulation. Dies ist

Zu S. 55

aus der forensischen Beredsamkeit bekannt. Dazu: M.v.Albrecht,
Sp.1247; Chr.Neumeister, S.132: "In den Kategorien der drei officia oratoris gedacht, gilt zunächst einmal ganz allgemein, daß der
Redner so sprechen muß, als ob er seine Hörer nur sachlich infor-
mieren wolle; die unsachlichen Mittel des conciliare und commovere
darf er nur unmerklich und ganz beiläufig einfließen lassen."

61 Paulus beginnt also mit einer Ausführung, deren zustimmende Aufnahme durch die Hörer am ehesten gewährleistet ist. Dazu: Quint.
7,1,11; Ch.Neumeister, S.89. A.J.M.Wedderburn, ZNW 64 (1973)
S.132-134 hat alle Interpretationsmöglichkeiten durchbesprochen
und kommt S.134 zu dem (allerdings wenig überraschenden) Schluß:
"According to this interpretation Paul has deliberately qualified the
one 'wisdom' with τοῦ θεοῦ, to contrast it with the other which is the
σοφία τοῦ κόσμου of the preceeding verse."

62 Diese Verse sind insofern wichtig, als sie die soziale Schichtung der
Gemeinde beleuchten und zudem - wenn die Protagonisten der Partei-
en unter den hier Angesprochenen zu suchen sind - zeigen, wie geschickt Paulus in deliberativ erscheinenden Passagen Polemik einfließen läßt. Unterstützt wird diese Auffassung durch den v29-31 aus-
geschlossenen Selbstruhm, der 3,21 (imperativisch) wiederaufgenommen wird.
W.Wuellner, S.163-184 hat v26 als triadische Formel auszuweisen versucht, die nicht historisch (als soziales Datum), sondern rein litera-
risch verstanden werden muß. Paulus verwendet sie als "Sub-Struk-
tur der haggadischen Homilie" 1,18-3,20 (S.184). Dazu: W.Wuellner,
JBL 89 (1970) S.199-204. Damit wird allerdings das historische Problem, das hinter dem ganzen Abschnitt steht, in ein literarisches
(der Gattungsgeschichte) aufgelöst. Das geht an der konkreten Situation vorbei.
- Die Beurteilung der Periode v26-31 nach stilistischen Kriterien erlaubt Lob (J.Weiß, Beiträge, S.203: "vortreffliche Periode") und
Spott (E.Norden, S.356: "Monstrum").

63 Alle drei Unterabschnitte sind als argumenta aufzufassen. Der erste
allerdings als argumentum a re (dazu: H.Lausberg, §§ 377-399), die
beiden anderen hingegen als argumenta a persona (dazu: H.Lausberg,
§ 376). Grundsätzlich zur Unterscheidung: Cic., de inv. 1,24,34:
omnes res argumentando confirmantur aut ex eo quod personis, aut
ex eo quod negotiis est attributum; Quint. 5,10,23: in primis igitur
argumenta a persona ducenda sunt, cum sit, ut dixi, divisio, ut omnia in haec duo partiamur, res atque personas, ut causa, tempus,
locus, occasio, instrumentum, modus et cetera, rerum sint accidentia.

64 V19 ist Zitat aus Ps 32,10; Jes 29,14 (statt κρύψω steht bei Paulus al-
lerdings ἀθετήσω); v31 ist Zitat aus Jer 9,22f (auch 2.Kor 10,17).
Zu den Schriftzitaten als auctoritates (Beweishilfen) siehe oben:
S.44.
Ob v28 τὰ μὴ ὄντα Zitat eines philosophischen Terminus ist (so: J.

Zu S. 55

Weiß, S.37), bezweifle ich. Belege dafür wären: Eurip., Troad. 612f;
Ps.-Arist. ed. Diels-Kranz, S.41f; Philon, spec.leg. 4,187; de op.mun-
di 81. Eher schlägt der hellenistisch-jüdische Sprachgebrauch für die
creatio ex nihilo durch (2.Makk 7,28; syrBar. 21,4f; Herm., vis.1,1,6;
mand.1,1; Röm 4,17).

65 Ziel der urbanen Sprache ist die perspicuitas (Quint. 8,2,22) als virtus der Rede (das entsprechende vitium ist die obscuritas, Quint.
8,2,12), also intellektuelle Verständlichkeit, die trotzdem reizvoll
ist. Dabei gilt es, zwischen ornatus und aptum den rechten Weg zu
finden (dazu: H.Lausberg, §§ 528-537). Im Regelfall geschieht dies
durch Anspielungen, Metaphern, ironische Wendungen, Fragen, indirekte Wendungen, kurz: in intellektueller Sprache, die zwar verständlich sein muß, aber nicht platt wirken darf.
Chr.Neumeister, S.156, betont die Verwandtschaft zwischen urbaner
Sprache und suggestivem Stil. Dieser ist als Form der Beeinflussung
von besonderer Wirkung (suggestiv), und somit auch die urbane Sprache ein Mittel der Beeinflussung der Hörer im Sinne der utilitas causae.

66 Als Zeichen der elocutio sind etwa zu nennen: der antithetische Parallelismus v18, die drei Anaphora v20, das Oxymoron v21. Diese Wort- und
Gedankenfiguren, die sich neben anderen auch sonst bei Paulus finden (dazu: Chr.Wilke, S.399-434), gehören zum ornatus der Rede,
der der utilitas causae dient (Quint. 8,3,5: sed ne causae quidem parum conferat idem hic orationis ornatus. nam qui libenter audiunt, et
magis attentunt et facilius credunt, plerumque ipsa delectatione capiuntur, nonnumquam admiratione auferuntur.)! Dazu allgemein: W.Ei-
senhut, S.82f.
Daß Paulus besonders die Gorgischen Figuren verwendet und als Asia-
nist erscheint, haben neuerdings J.Niemirska-Pliszczynska, RoczHum
20 (1972) S.31-54; E.A.Judge, JAC 15 (1972) S.21f zu zeigen versucht.
Zu diesen Figuren gehören vor allem Isokola, Homoioteleuta, Oxymora,
Parallelismen u.a.
- Zur Frage der Einordnung der Sprache des Paulus siehe (abgesehen
von den Grammatiken zum NT): U.v.Wilamowitz-Moellendorf, Geschich-
te, S.32-34; W.Michaelis, ZNW 22 (1923) S.91-121; A.Thumb, S.180-
185; W.C.v.Unnik, NedThT 25 (1971) S.28-43; N.Hugede, S.172f.
Abseits vom Gegensatz zwischen Asianismus und Attizismus (dazu:
U.v.Wilamowitz-Moellendorf, Asianismus, S.1-52) hat L.Rydbeck die
Sprache des Paulus als "Zwischenschichtprosa" (S.177) definiert, die
gehobenen Papyrusbriefen (dazu: W.Döllstädt), popularphilosophischen
Schriften (etwa Epictet) und der Fachprosa (etwa Polybios) nahesteht.
L.Rydbeck, S.191: "Wer im Beginn der Kaiserzeit Anlaß hatte, sich
ohne allzu hohe literarische Ambitionen schriftlich auszudrücken, konn-
te also auf diese Standardsprache, diese Normalprosa zurückgreifen."
Diese Sprache war Unterrichtssprache (Belege: E.Ziebarth, Nr.21 und
22, dazu: H.I.Marrou, S.252-256). L.Rydbeck, S.193f: "Die Schule
hat durch den Elementarunterricht in hohem Grade dazu beigetragen,

Zu S. 55

dieser sprachlich-grammatischen Grundlage in der frühen Kaiserzeit Festigkeit zu geben."

67 Zu 2,4 siehe oben S.38f; zu 2,3: Chr.Burchard, ZNW 61 (1970) S.169.

68 J.Weiß, Beiträge, S.204: "Die Digression 2,6-16 ist ein fein organisiertes, rhythmisch-musikalisch höchst bewegtes Ganzes." Zur Digression allgemein: H.Lausberg, §§ 340-342. Ihre Funktion ist permovere. Cic., de or. 2,77,311: digredi ... permovendorum animorum causa saepe utile est. Dazu auch: M.v.Albrecht, Sp.1249.

69 Der Abschnitt wird von J.Weiß, S.52 als "Einlage" bezeichnet. H.Conzelmann, S.74: 2,6-16 verhält sich zu 2,1-5 als "Einschränkung". Vor allem der Wechsel in die Terminologie der Mysterienkulte legt auch eine inhaltliche Verschiebung nahe (so: R.Bultmann, Auferstehung, S.43f). M.E. hat die Digression eine überleitende und vorbereitende Funktion. Der in ihr breit ausgeführte Gegensatz zwischen Pneumatikern und Sarkikern wird ja ab 3,1-4 polemisch gegen die Protagonisten der Parteien gewandt.

70 Es ist offensichtlich, daß Paulus mit σοφία 2,5 etwas anderes meint als 2,6. Deshalb klassifiziert er 2,5 die σοφία als τῶν ἀνθρώπων. Zum Religionsgeschichtlichen: U.Wilckens, S.52ff; D.Lührmann, S.133ff.

71 "Weisheit" ist ein korinthisches Thema (1.Kor 8,1ff).Dazu: R.Bultmann, Auferstehung, S.44; G.Miller, JBL 91 (1972) S.522-528 (zu 2,6-8); R.Scroggs, NTS 14 (1967/1968) S.33-55; B.E.Gärtner, NTS 14 (1967/1968) S.209-231.
– Zu 2,9: E.v.Nordheim, ZNW 65 (1974) S.112-120 hat die These aufgestellt, Paulus zitiere hier aus dem ursprünglich jüdischen, christlich redigierten koptischen Testament Jakobs (S.118f). Dieser These hat O.Hofius, ZNW 66 (1975) S.140-142 überzeugend widersprochen: nicht Paulus zitiert, sondern der christliche Verfasser des TestJak, der neben anderen altchristlichen Stellen (1.Clem 11,7; MartPol 2,3; ConstApost 7,32; ActThom 36; Hipp., ref. V.24,1; 26,16; 27,1) eben auch 1.Kor 2,9 zitiert. O.Hofius, S.142: "Die Frage, woher Paulus selbst den von ihm zitierten Ausspruch genommen hat, bleibt nach wie vor unbeantwortet." Einen anderen Weg geht H.F.D.Sparks, ZNW 67 (1976) S.269-276: Aus Hier., ep.57,9; comm.in Jes. 64,4-6 schließt er (S.276), daß Paulus lückenhaft Jes 64,4 zitiert.

72 Dazu: K.Niederwimmer, KuD 11 (1965) S.75f.

73 Grundsätzlich zur Gegenüberstellung von πνευματικός und ψυχικός: E.Schweizer, ThZ 9 (1953) S.76-77, der gerade 1.Kor 2,14 als der hellenistischen Tradition verhaftet nachzuweisen versucht. So schreibt etwa Xenokrates (zit. bei Plut., De Isid. et Os. 360E): τὸ δὲ Θεῖον οὐκ ἀμιγὲς οὐδ᾽ ἄκρατον ἔχοντας, ἀλλὰ καὶ ψυχῆς φύσει καὶ σώματος αἰσθήσει συνειληχός. Also: σῶμα und ψυχή bezeichnen allgemein (als Synekdoche) "das Menschliche", πνεῦμα hingegen "das Göttliche". Einen gründlichen Forschungsbericht zum Thema "Pneumatiker und Psychiker in Korinth" bringt M.Winter, S.3-55. Nach einem ausführlichen Vergleich mit Texten aus der Gnosis, Qumran, Apokalyptik, von Philon (S.56-206) kommt

Zu S. 55-56

Winter, S.230 zu dem bestreitbaren Schluß, Paulus habe hier die Terminologie von seinen gnostischen (!) Gegnern in Korinth übernommen. Einen Schritt weiter geht M.Widmann, ZNW 70 (1979), S.46: 2,6-16 ist nicht von Paulus, sondern von einem seiner korinthischen Gegner verfaßt. "Die ungezwungenste Lösung der Frage, wie sich denn dieses befremdliche Stück zum paulinischen Kontext verhalte, ist, hier eine längere Glosse anzunehmen, welche die enthusiastische Gruppe in der korinthischen Gemeinde als Entgegnung zum Brieforiginal dazuschrieb und die dann beim späteren Abschreiben in den Paulustext eingeführt wurde." Zum ganzen noch: W.Baird, Interp. 13 (1959) S.425-432; E.Käsemann, 1.Kor 2,6-16, S.267-276.

74 So: R.Bultmann, Auferstehung, S.43-45.

75 So schreibt H.Conzelmann richtig: "Die Modifikation liegt weniger im Inneren des vorliegenden Abschnittes als im Kontext." (S.77). "Direkt polemisch gegen die Korinther wird das 'Wir' erst durch seine Stellung zwischen 2,1-5 und 3,1ff. Offenbar trägt Paulus hier eigene Weisheit vor, der er dann polemische Lichter aufsetzt." (S.76).

76 Die Kommentare geben dem Abschnitt folgende Themen: "Erneute Bekämpfung des Parteitreibens" (J.Weiß, S.80); "Abschließende Besprechung des Parteiwesens; Prediger und Gemeinde" (H.Conzelmann, S.88).

77 J.Weiß, Beiträge, S.206: "Mit κἀγώ wird, für den Hörer verständlich, der Faden von 2,1 wieder aufgenommen." Aber 2,1 hatte das κἀγώ die beweisende Funktion zum Thema Weisheit und Evangelium, 3,1 handelt es sich um etwas anderes: Die ganze Ausführung von 1,18-2,16 wird nun auf das Parteitreiben angewandt.

78 So: J.Weiß, S.71; H.Conzelmann, S.89; U.Wilckens, S.7 faßt die Funktion von v1-4 richtig zusammen: "Im folgenden nimmt Paulus 3,1ff das Thema der Spaltungen in Korinth wieder auf, das er durch die Wendung in 1,17 abgebrochen hatte. Dabei wird eine erste Verknüpfung zwischen beiden Themen sichtbar: Da unter den Korinthern 'Hader und Streit' herrscht, sind sie - entsprechend den Ausführungen in 2,10ff - nicht 'Pneumatiker' (wie sie offenbar vorgeben), sondern durchaus noch 'Sarkiker' (3,1f)."

79 Der Wechsel ins Sprachmilieu der Pädagogik ist sehr auffällig; dazu: J.Weiß, S.71-75; H.Conzelmann, S.89-91. Siehe auch oben S.39f.

80 Die Bezeichnung schwankt: So wird dieser Teil der Rede als πίστις (Ar., rhet. 3,13,4), argumentatio (Fortun. 2,23), probatio (Quint. 5, 1,1) oder confirmatio bezeichnet. Cic., de inv. 1,24,34: confirmatio est, per quam argumentando nostrae causae fidem et auctoritatem et firmamentum adiungit oratio.

81 Dies ist in der probatio als dem sachlich beweisenden Teil der Rede nicht ungewöhnlich: Zwar ist ihr oberstes officium docere, um aber das vitium des taedium zu vermeiden (Quint. 5,14,30: si ex copia satietatem et ex similitudine fastidium attulerit), ist delectare und affektische amplifikatio durchaus angebracht: Quint. 5,14,29: nisi (iudices) et delectatione allicimus ac viribus trahimus et nonnumquam

Zu S. 56-57

turbamus affectibus, ipsa quae iusta ac vera sunt tenere non possumus. Dazu: H.Lausberg, § 427.

82 Dazu: J.Weiß, S.75; H.Conzelmann, S.91f; U.Wilckens, S.7.

83 J.Weiß, S.75: "Der friedlichen und kollegialen Stimmung entspricht
die fast elegant zu nennende Form, ein Rhythmus, der ganz aus der
Sache herausgewachsen ist." J.Weiß, Beiträge, S.207: "Man wird
wohl zugeben, daß nur ein sehr feiner Redner dem Apostel das nach-
machen könnte. Er muß ein ungemeines Gefühl für den symmetrischen
Rhythmus gehabt haben, sei es von Natur, sei es durch Schule oder
wohl durch beides."

84 An die Stelle des Bildes von der Pflanzung tritt das vom Bauwerk.

85 Mag auch die Verbindung der Bilder von der Pflanzung und vom Bauwerk ganz traditionell sein, wie H.Conzelmann, S.93f unter Hinweis
auf Dtn.20,5f; Jer. 1,10; Philon, cher. 100f; rer.div.her. 116; execr.
139; Plut., an virt.doc.pot. 439A behauptet, der auffallende Wechsel
im Ton macht doch glaubhaft, daß Paulus hier einen anderen als Apollos im Auge hat (darauf hat besonders J.Weiß, S.79 hingewiesen).
Aber wen? Am nächsten liegt die Annahme, es handelt sich dabei um
Kephas bzw. die Führer seiner Partei in Korinth (so: J.Weiß, Beiträge, S.207 Anm.1).
- Zu 3,8 siehe: W.Pesch, S.199-206.

86 Es liegt eine amplifikatio vor (H.Lausberg, §§ 400-409). Von den verschiedenen Arten der amplifikatio kommt am ehesten der Typ der com-
paratio in Frage. Quint. 8,4,9: amplificatio ..., quae fit per compara-
tionem, incrementum ex minoribus petit.

87 Typische Wendung des Diatribenstils (Ep., diss. 1,4,16 u.ö.). Ob
Paulus zudem auf Bekanntes anspielt, läßt sich zumindest vermuten
(so: J.Weiß, S.84).

88 Die jüdisch-apokalyptische Erwartung eines Tempels der Endzeit (Jes.
28,16; Jub. 1,17; Mk 14,58) wird von Paulus zum Symbol der Gemeinde der Endzeit spiritualisiert (so: H.Conzelmann, S.96f).

89 Dies ist in der Antanaklasis φθείρει, φθερεῖ v17 vollendet ausgedrückt
(dazu: J.Weiß, S.85).

90 So stellt U.Wilckens, S.7 zu v16f fest: "Dabei behaftet Paulus mit besonders herausgehobener persönlicher Anrede zugleich die Gesamtheit
die gespaltenen Gemeinde bei ihrer Einheit; er spricht ihr gleichsam
auf den Kopf zu: 'Der Tempel Gottes ist heilig: Und das seid ihr!'
(3,17)!" H.Conzelmann, S.97: "Die Heiligkeit der Gemeinde ist vorausgesetzt. Sie ist mit dem Geist gegeben."

91 J.Weiß, S.84: "..., in der Form der Anrede an die Gemeinde wird in
Wahrheit der (Führer der) Gegner mit einer ernsten Drohung bedacht."
J.Weiß, Beiträge, S.208: "Die letzten Worte ... leiten daher trefflich
über ... zu der letzten und furchtbarsten Drohung: der Gegner wird
der Tempelschändung bezichtigt."

92 Das argumentum ad hominem, das im genus deliberativum eine große
Rolle spielt, ist der Sache nach ein argumentum a persona, wobei die

Zu S. 57

persona der Redegegner selbst ist (so: H.Lausberg, § 1244). Zum argumentum a persona: Quint. 5,10,23; H.Lausberg, § 376.

93 Ganz mißverständlich ist es, wenn H.Conzelmann, S.98 den Abschnitt überschreibt mit: "Kritik der καύχησις".

94 Quint. 6,1,1: aut in rebus aut in affectibus.

95 U.Wilckens, S.7: "Die folgenden Sätze 3,18ff nehmen sichtbar eine Sonderstellung ein. Das wird zunächst an ihrem Inhalt deutlich: 3, 18-20 ist noch einmal eine Zusammenfassung des Abschnitts über das Thema 'Weisheit', aus dem Paulus in 3,21-23 ausdrücklich die Lösung des Problems der Spaltung folgert (ὥστε v.21)." Zur stilistischen Analyse: J.Weiß, Beiträge, S.209.

96 Die genauen Zusammenhänge zwischen beiden Themen hat U.Wilckens, S.5-11 analysiert. S.7 (zu 3,18-23): "Man sieht also sofort, daß hier diese beiden bisher fast gesondert jeweils nacheinander behandelten Themen ineinandergefügt, aufeinanderbezogen und gleichsam miteinander verknotet werden, wobei sich das Thema der Weisheit als das primäre, grundlegende für die Beantwortung des Problems der Spaltungen erweist." M.E. spielt Paulus das Thema der Parteien gegenüber dem der Weisheit (das ja eigentlich eine Apologie seiner Missionspredigt ist) herunter. Für ihn steht nicht die isolierte Frage nach den Zuständen in der Gemeinde im Vordergrund, sondern seine Beziehung zur Gemeinde, wobei klar sein muß, daß seine autoritative Stellung nicht angegriffen wird.

97 J.Weiß, Beiträge, S.209.

98 H.Conzelmann, S.101.

99 U.Wilckens, S.10.

100 Ganz richtig J.Weiß, S.101: "Da es sich nicht um ein wirkliches Umgestalten, Umformen eines Gegenstandes oder um die Verwandlung, Verkleidung einer Person (II Kor 11,13ff; Phl 3,21) handelt, so muß der Ausdruck stilistisch-literarisch gemeint sein." In der Tat: σχήματα oder modi heißen die verschiedenen Behandlungsarten des gleichen Gegenstandes (Her., prog. 2; Quint.10,5,11: illud virtutis indicium est: fundere quae natura contracta sunt, augere parva, varietatem similibus, voluptatem expositis dare et bene dicere multa de paucis). Dazu: H.Lausberg, §§ 1105-1139.
- Zu v6b: P.Wallis, ThlZ 75 (1950) S.506-508; M.D.Hooker, NTS 10 (1963/64) S.127-132; A.Legault, NTS 18 (1971/72) S.227-230 (S.227: v6b ist "a notorious crux interpretum").

101 Nochmals J.Weiß, S.101: "Darin liegt jedenfalls, daß P. das, was er gesagt hat (ταῦτα), auch anders hätte sagen können - nämlich direkt. Also, wenn P. direkt geredet hätte, hätte er von der Gemeinde oder von den Hauptparteien in ihr reden müssen." Dazu auch: H.Conzelmann, S.105.

102 Quint. 3,9,1; Cic., de inv. 1,14,19 erklären die refutatio und die probatio als gleichwertige Teile der Gesamtrede. Sie bedienen sich derselben Mittel, obwohl die refutatio schwieriger durchzuführen ist

Zu S. 57-58

(Quint. 5,13,3: tanto est accusare quam defendere, quanto facere quam sanare vulnera, facilius). Die refutatio bedient sich besonders gern der amplificatio und anderer affektsteigernder Mittel (Quint. 5,13,26: pro sordido parcum, pro maledico liberum dicere licebit). Die Übung in probatio und refutatio gehörte zu den Progymnasmata (Herm., prog. 5).

103 Dies hat besonders J.Weiß, Beiträge, S.209f unterstrichen. Von hinten gesehen wird auch deutlich, warum Paulus 1,10-17 bereits auf sich zu sprechen kommt. Was dort noch urban geklungen hat, entlarvt sich jetzt als Vorbereitung der Apologie.

104 So: H.Conzelmann, S.102 Anm.12.

105 J.Weiß, S.92: "Ja, es scheint, daß gegen ihn sogar Vorwürfe erhoben worden seien, so daß man ihn auf einer Art Gerichtstag (V.3) zur Verantwortung ziehen wollte." Dies ist aber nur eine Vermutung.

106 Obwohl die Konstruktion nicht ganz klar ist (entweder heißt es: "Einige führen sich hoch auf, als würde ich nicht kommen", oder: "Sie führen sich hoch auf, indem sie behaupten, ich werde nicht kommen"), wird doch deutlich, daß damit die Autorität des Apostels in Frage gestellt war und er zur Besuchsandrohung genötigt wird. Dazu: H.Conzelmann, S.112.

107 Die inhaltlichen Konsequenzen von 4,1-14 für das Verständnis von 1,10-4,21 sind knapp und klar bei U.Wilckens, S.10f zusammengefaßt.

108 Das sind zwei termini technici der Verwaltungssprache. Dazu: J.Reumann, JBL 77 (1958) S.339f.

109 Dabei taucht zum erstenmal das Wort λογίζεσθαι auf, das im 2.Kor Stichwort der Gegner ist (2.Kor 10,7.11 u.ö.). Paulus gebraucht es sonst (außer Phil 3,13 als Selbstbeurteilung) im Sinne von "anrechnen" (Röm 2,26; 4; Gal 3,6; 1.Kor 13,5) oder als Werturteil des Glaubens (Röm 2,3; 3,28; 6,11; 8,18; 14,14; 1.Kor 13,11; Phil 4,8). Die Annahme ist also berechtigt, daß er hier (1.Kor 4,1) ein Stichwort der Gegner aufnimmt (so: J.Weiß, S.92 Anm.1).

110 Zu ἔπαινος (v5) siehe oben S.32 Anm.41; H.Conzelmann, S.103 Anm.27.

111 J.Weiß, Beiträge, S.209: "Die folgende Anleitung zur rechten Schätzung der Lehrer, die aber schon mit v.3 in eine Selbstverteidigung des Apostels überzugehen beginnt, ist noch durchaus ruhig gehalten."

112 J.Weiß, Beiträge, S.209: "Von nun an wird die Rede sehr lebhaft und steigert sich bis zur Bitterkeit." Auch: J.Weiß, S.101.

113 Die rhetorische Frage ist als Fragefigur ihrer eigentlich dialogischen Aufgabe entkleidet und dient als Mittel der Pathossteigerung bzw. zur Schärfung der Gedankenabfolge. Dazu: Quint. 9,2,7f; 10,1,12; H.Lausberg, § 767.

114 Die Ironie hat ihren zentralen Platz in der refutatio (Quint. 5,13,28; H.Lausberg, § 902).

115 Die ersten beiden sind durch Anaphora (ἤδη), der dritte durch Epiphora (βασιλεύειν) mit v8b verbunden.

Zu S. 58-59

116 Indem Paulus den eschatologischen Vorbehalt einführt, was durch
den Wechsel von ἐβασιλεύσατε zu συμβασιλεύσωμεν signalisiert wird.
Dazu: J.Weiß, S.109; H.Conzelmann, S.107.

117 Der σαρκασμός ist eine Unterart der Ironie (H.Lausberg, § 1244).
Paulus übernimmt und steigert die Meinung der Gegner, die Selbst-
ironie wird zur simulatio (Quint. 6,3,85: simulatio est certam opinio-
nem animi sui imitantis).

118 Das Bild war in der Stoa für den Kampf des Philosophen gebräuch-
lich (Sen., ep. 64,4-6; de prov. 2,9; 2,11). Dazu: G.Kittel, S.42f;
H.Braun, Randglossen, S.186-191.

119 So: H.Conzelmann, S.108.

120 J.Weiß, S.114: "So wird man sich begnügen müssen zu sagen, daß
P. in den stärksten, beschimpfendsten Worten ausdrücken will, wie
jammervoll und verächtlich er sich - vom Standpunkt der Korr. aus
betrachtet - vorkommt."

121 Vgl. 1.Kor.11,1: Siehe dazu S. 40 (oben). Das παρακαλῶ verweist
zurück auf 1,10. Soll man annehmen können, daß für Paulus eine
innere Übereinstimmung zwischen beiden Mahnungen besteht? Die
Argumentation der ganzen Rede wäre dann um vieles durchsichtiger.

122 Zur Besuchsandrohung als epistolographische Phrase: oben S. 33f.

123 J.Weiß, Beiträge, S.210 schließt seine Analyse von 1,10-4,21: "Man
kann wohl nicht bestreiten, daß der so analysierte Abschnitt ein
Stück feinster Schriftstellerei oder Beredsamkeit ist. Daß Paulus
so etwas nicht 'von selbst' gekonnt hat sondern nur aufgrund von
Talent und Schulung, daran scheint mir kein Zweifel möglich zu
sein."

124 Cic., part.or. 9,31: narratio est rerum explicatio et quaedam quasi
sedes et fundamentum constituendae fidei.

125 Quint. 4,2,35: narratio ... quae prima iudicem docet.

126 Quint. 4,2,46.

127 Quint. 4,2,111.

128 Die Digression ist besonders für die narratio geeignet (H.Lausberg,
§§ 340-342). Quint. 4,3,14: παρέκβασις est, ut mea quidem fert opinio,
alicuius rei, sed ad utilitatem causae pertinentis extra ordinem excurrens tractatio. Auch: Quint. 9,2,39.

129 Quint. 4,2,1.

130 Quint. 4,2,4-5.

131 Cic., de inv. 1,21,30; Quint. 4,2,66-84; 4,2,6-30.

132 Quint. 3,8,10-11: narrationem vero nunquam exigit privata deliberatio,
eius dumtaxat rei, de qua dicenda sententia est, quia nemo ignorat id,
de quo consulit. extrinsecus possunt pertinentia ad deliberationem
multa narrari. in contionibus saepe est etiam illa, quae ordinem rei
docet, necessaria. Da bei Paulus Rede- und Briefsituation (deren je-
weiliger Schwerpunkt beim Hörer bzw. Leser liegt) zusammenfallen,
unterstreicht dies den Öffentlichkeitscharakter seiner Briefe.

Zu S. 59-60

133 Cic., de inv. 1,19,27: narratio est rerum gestarum aut ut gestarum
expositio; Quint. 4,2,31: narratio est rei factae aut ut factae utilis
ad persuadendum expositio; Herm., inv. 2,1,81.

134 So vor allem: 1,23-25.27-30; 2,1-5.

135 Quint. 3,9,1: exordium - narratio - probatio - refutatio - peroratio;
Cic., de inv. 1,14,19: exordium - narratio - confirmatio - reprehen-
sio - conclusio. Zum ganzen: H.Lausberg, § 262.

1 Dieser Umstand hat zu einer wahren Flut an Literatur geführt. Vgl.
den sehr instruktiven Forschungsbericht bei J.H.Wilson, ZNW 59
(1968) S.90-107; ferner die Bibliographien bei B.Spörlein, S.199-
209; E.Dhanis, S.651-745 (erstellt von G.Ghiberti).

2 E.Bammel, ThZ 11 (1955) S.401-409 will zwar 15,1-11 als Abschluß
der Kapitel 13;14 verstehen, dies ist aber ganz verfehlt und läßt sich
weder durch sprachliche noch durch inhaltliche Überlegungen rechtfertigen. Zur Kritik an Bammel im einzelnen: B.Spörlein, S.20-21.

3 So etwa: H.Lietzmann, S.76; B.Spörlein, S.21.

4 Dies wird ja auch durch die Fortführung 16,1ff, wo Paulus zu einem
ganz anderen Thema übergeht, bestätigt. Dazu übereinstimmend:
H.Lietzmann, S.89; J.Weiß, S.380; H.Conzelmann, S.351; K.G.San-
delin, S.13.

5 Dazu: H.Lietzmann, S.2; 83; J.Weiß, S.367; B.Spörlein, S.95;
K.G.Sandelin, S.11.

6 J.Weiß, S.345.353.367 nimmt drei Teile an: A: v1-11; B: v12-34;
C: v35-58; H.Conzelmann, S.291.311.332.344 vier: A: v1-11; B:
v12-34; C: v35-49; D: v50-58; J.Becker, S.76.79-96 fünf: A: v1-
19(!); B: v20-28; C: v29-34; D: v35-49; E: v50-58; K.G.Sandelin,
S.13 sechs: A: v1-11; B: v12-21; C: v22-28; D: v29-34; E: v35-44a;
F: v44b-49; G: v50-58; B.Spörlein, S.63.68.95 folgt der Untertei-
lung von J.Weiß.

7 So kommt z.B. J.Becker, S.96 darauf, 1.Kor 15,50-58 als "Reinter-
pretation" von 1.Thess 4,13-18 zu verstehen.

8 So: G.F.Heinrici, S.439; H.Conzelmann, S.293.

9 So: H.Lietzmann, S.76.

10 So: J.Weiß, S.343.

11 Einen Ausweg versucht K.G.Sandelin, S.11, indem er es unternimmt,
"nach formalen Kriterien zu suchen, um zu erschliessen, inwiefern
Paulus dem Kapitel bewußt eine feste Gliederung gegeben hat". Angeregt durch die Bemerkung H.Conzelmanns, S.351, die Worte οὐκ
ἔστιν κενός v58 sind "eine letzte Bestätigung der mit v.12 begonne-
nen Argumentation (v.14)", kommt Sandelin zu der Auffassung, in
1.Kor 15 liege eine Ringkomposition (inversio) vor.Dies mag für das
Kapitel als Ganzes sicher zutreffen. Fragwürdig ist aber der Versuch
Sandelins, S.12f auch die Unterabschnitte des Kapitels als Ringkom-
positionen zu verstehen, zwingt es ihn doch, die Zäsur zwischen v19
und 20 zu ignorieren und statt dessen v 21 von v 22ff abzuheben. Das
νυνὶ δέ (v20) markiert aber mehr als deutlich einen Neueinsatz (so auch:
J.Weiß, S.356).

Zu S. 60-61

12 Einige Andeutungen in diese Richtung macht K.Berger, Exegese, S.58, die von W.Stenger, LingBibl 45 (1979) S.71-128 aufgenommen und weitergeführt wurden.

13 Die Ansicht, daß es Paulus 1.Kor 15 mit Leugnern jeglicher Weiterexistenz nach dem Tode zu tun habe, wurde zuerst von J.J.Wettstein, S.168 vertreten und von A.Schweitzer, S.94 bzw. A.Schlatter, S.62-66 wieder aufgenommen. Einen - allerdings problematischen - Mittelweg versuchte D.Daube, S.308: Paulus wende sich v1-34 gegen Leugner der Auferstehung überhaupt; v35-58 gegen Leugner der leiblichen Auferstehung. Diese Auffassung wird auch vertreten von J.C.K.Freeborn, TU 87 (1964) S.557 und J.M.Ford, TU 102 (1968) S.403. Abgesehen davon, daß diese These kaum Anhaltspunkte im Text selbst findet, werden damit weniger Probleme gelöst als neue geschaffen: Sowohl die innere Geschlossenheit des Kapitels als auch die einheitliche Front der Gegner wird aufgebrochen.

14 So vor allem W.Bousset, S.155; A.Robertson/A.Plummer, S.346f. Daß die Gegner die "griechische Lehre von der Unsterblichkeit nur der Seele" (H.Lietzmann, S.79) der leiblichen Totenauferstehung vorzogen, vertreten weiters: G.F.C.Heinrici, S.470; O.Kuss, S. 187; C.-B.Allo, S.399 u.a.

15 So als erster: C.Holsten, S.410. Dazu: J.C.K.Freeborn, TU 87 (1964) S.557. Eine ähnliche Auffassung bringt J.Weiß, S.345.

16 W.Lütgert, der als erster die Auffassung der Gegner des Paulus unter den korinthischen Christen systematisch zu erfassen suchte, kommt S.134 zu dem Schluß: "Ich fasse das Ergebnis zusammen: Wir haben mit der korinthischen Gemeinde zum erstenmal Gnostizismus in dem Sinne, daß eine den Glauben überbietende Gnosis, die auf Offenbarung beruht und deren Besitz die christliche Vollkommenheit ausmacht, als das Wesen des Christentums gilt." Ähnlich: E.Schweizer, Zeugnis, S.303; H.Conzelmann, EvTh 25 (1965) S.10.

17 So vor allem P.Hoffmann, S.243, der hinter der Meinung der Korinther eine Position sieht, wie sie bei Justin, dial.80 erhalten ist: οἳ λέγουσι μὴ εἶναι νεκρῶν ἀνάστασιν ἀλλ' ἅμα τῷ ἀποθνήσκειν τὰς ψυχὰς αὐτῶν ἀναλαμβάνεσθαι εἰς τόν οὐρανόν.

18 Vgl. dazu 2.Tim 2,18. Zur (vor allem gnostischen!) Wirkungsgeschichte dieses Verses: H.-M.Schenke, ZNW 59 (1968) S.123-126.

19 Daß für die Gegner des Paulus die Taufe der Ort der Auferstehung war, hat als erster H.v.Soden, S.259 behauptet. Im wesentlichen vertreten diese Position auch: J.Schniewind, S.144; W.G.Kümmel, (bei H.Lietzmann, S.192f); E.Käsemann, Anliegen, S.23; ders., Thema, S.120-122; P.Stuhlmacher, S.39.

20 M.E. liegt in der Tat das Besondere der v23-28 darin, daß Paulus hier das Realitätsprinzip stark zur Geltung bringt ("Noch ist der Tod nicht tot!") und gerade so die Hoffnung als Hoffnung in Kraft setzt. Dies betont mit Nachdruck auch E.Käsemann, Thema, S.120.

Zu S. 61-62

Neuerdings auch: P.v.d.Osten-Sacken, EvTh 39 (1979) S.479-485.

21 So etwa: P.Hoffmann, S.245f.

22 Dies ist die Auffassung von R.Bultmann, Theologie, S.172. Er spricht bei der Charakterisierung der Position der Gegner von "spiritualisierter Auferstehungshoffnung" (ebd.), die er in der Nähe der 2.Tim 2,18 ausgegebenen Parole ansiedeln will. Vorsichtiger urteilt H.Conzelmann, S.310: "Ohne die Annahme eines gewissen Mißverständnisses seitens des Paulus kommt man kaum aus."

23 Erwähnenswert ist noch die Ansicht W.Schmithals', S.146-150, der einerseits mit einem Mißverständnis des Paulus rechnet, andererseits aber behauptet, die Gegner hätten auch die Auferstehung Jesu geleugnet. Dies ist vom Argumentationsaufbau des Kapitels her unmöglich. Aber dazu unten mehr.

24 In gewisser Weise ist ja auch die Position R.Bultmanns hierher zu zählen (siehe Anm.22). Dazu auch: J.H.Wilson, ZNW 59 (1968) S.90-107; B.Spörlein, S.4-19 (bietet einen ausführlichen Forschungsbericht mit viel aufgearbeitetem Material).

25 Zu streng urteilt hier m.E. H.Lietzmann, S.76, wenn er behauptet, die Überleitung geschehe ohne "inneren oder äußeren Zusammenhang". Gerade K.Barth, S.56-60 hat viele gute Gründe für einen zumindest inneren Zusammenhang zwischen Kapitel 15 und dem übrigen Brief vorgebracht. Zur Auseinandersetzung mit Barth: R.Bultmann, Auferstehung, S.38-40.

26 Meist übersetzt mit "kundtun" (H.Lietzmann, S.76; H.Conzelmann, S. 291). J.Weiß, S.345 schlägt statt dessen "erinnern" vor (unter Verweis auf Gal 1,11). Gewöhnlich bezeichnet γνωρίζειν aber die Kundgabe neuer Informationen. Das kann 1.Kor 15,1 nicht gemeint sein. W.Bauer, Sp. 324 schlägt als Lösung vor: "1.Kor 15,1, wo es sich um schon Bekanntes zu handeln scheint, ist γ. am Platze wegen der, offenbar als etwas Neues sich einführenden, theoretischen Belehrung." Besondere Feierlichkeit (H.Conzelmann, S.295) wird aber damit nicht ausgedrückt.

27 Siehe oben Anm.2.

28 So: H.Conzelmann, S.295.

29 Das Verständnis von τίνι λόγῳ εὐηγγελισάμην ὑμῖν als direktem Fragesatz (H.Lietzmann, S.76) führt zu einer krampfhaften Konstruktion. Besser ist die Deutung des Syntagmas als indirekter Fragesatz (J.Weiß, S.346; W.G.Kümmel bei H.Lietzmann, S.191). Die Übersetzung müßte dann lauten: "Mit welchem Wortlaut ich Euch das Evangelium verkündigt habe, wenn Ihr es behalten habt...".

30 Dazu: H.Lausberg, § 263.

31 AdHer. 1,3,4: exordium est principium orationis per quod animis auditoris constituitur ad audiendum; Cic., de inv. 1,15,20; Quint. 4,1,5.

32 Dazu: H.Lausberg, § 64.

33 So etwa: adHer. 1,3,5: genera causarum sunt quattuor: honestum, dubium, turpe, humile.

Zu S. 62-63

34 So etwa: Quint. 4,1,40: genera porro causarum plurimi quinque fecerunt: honestum, humile, dubium vel anceps, admirabile, obscurum.

35 AdHer. 1,3,5: dubium genus est, cum habet in se causa et honestatis et turpitudinis partem.

36 Isid., orig. 2,8,1: obscurum, in quo aut tardi auditores sunt aut difficilioribus ad cognescendum negotiis causa cernitur implicata. Im wesentlichen sind damit von der antiken Rhetorik alle wissenschaftlichen Themen ihrer Zeit angesprochen. Jede Spezialwissenschaft galt ihr nämlich als causa obscura; ihr Vertretungsgrad demgemäß sehr gering, die Anforderungen an den Redner sehr hoch.

37 Cic., de inv. 1,15,20: Exordium est oratio animum auditoris idonee comparans ad reliquam dictionem, quod eveniet si eum benivolum, attentum docilem confecerit. AdHer. 1,4,6: principium est cum statim auditoris animum nobis idoneum reddimus ad audiendum: id ita sumitur, ut attentos, ut dociles, ut benivolos auditores habere possimus.

38 Cic., de inv 1,15,20: insinuatio est oratio quadam dissimulatione et circumitione obscure subiens auditores animum. Dazu: H.Lausberg, § 265.

39 Dazu: H.Lausberg, §§ 269-271.

40 Im Hintergrund steht die Parole: tua res agitur! als Gestaltungsprinzip des Exordiums. Dazu: adHer. 1,4,7: si pollicebimur nos verba facturos ... de iis quae pertineant ad eos ipsos qui audient; Quint. 4,1,33. Paulus versucht dies vor allem durch die stilistisch ausgefeilte Aufzählung, die eine gradatio darstellt, zu erreichen: παρελάβετε – ἐστήκατε – σώζεσθε

41 Zum Affektgebrauch im Exordium: Quint. 4,1,33: cuius animus spe, metu, admonitione, precibus, vanitate denique, si id profuturum credimus, agitandus est.

42 ἐκτὸς εἰ μή ist eine - vielfach bezeugte - Verbindung von ἐκτός εἰ und εἰ μή (vgl. 1.Kor 14,5). Dazu: J.Weiß, S.323 Anm.1. εἰκῆ heißt hier nicht (wie Gal 4,11) "vergeblich", sondern "ziellos", "unüberlegt", "ins Blaue hinein" (vgl.: Heraklit, fragm. 47 Diels/Kranz; Epict. 1,28,28; Ep.Arist. 51,126; Jos., c.Ap. 2,134) oder auch "ohne Überlegung" (vgl.: 1.Clem 40,2). Dazu: W.Bauer, Sp.439; J.Weiß, S.346.

43 Dazu allgemein: H.Lausberg, § 272.

44 AdHer. 1,4,7: dociles auditores habere poterimus, si summam causae breviter exponemus et si attentos eos faciemus: nam docilis est qui attente vult audire; attentos habebimus ... si numero exponemus res quibus de rebus dicturi sumus. Quint. 4,1,34: docilem sine dubio et haec ipsa praestat attentio; sed et illud, si breviter et dilucide summam rei de qua cognoscere debeat, indicaverimus.

45 τὸ εὐαγγέλιον ὃ εὐηγγελισάμην vgl. 2.Kor 11,7; Gal 1,11. Hier in formaltechnischem Sinne für: Predigt, Botschaft (so: H.Conzelmann, S.295 Anm. 18).

46 Diesen Eindruck versucht Paulus bis v11 aufrechtzuerhalten. Dies entspricht ganz dem insinuatorischen Charakter des Exordiums. Im

Zu S. 63-64

weiteren Verlauf wird aber deutlich, daß Paulus den eigentlichen Gegenstand und vor allem sein Überredungsziel geschickt verbirgt.

47 Dazu grundsätzlich: Chr.Neumeister, S.132-135. Vgl. auch Quint. 10,1,21: saepe enim praeparat, dissimulat, insidiatur orator, eaque in prima parte actionis dicit, quae sunt in summa profutura.

48 Dazu: H.Lausberg, §§ 273-279.

49 AdHer. 1,4,8: benivolos auditores facere quattuor modis possumus: ab nostra, ab adversariorum nostrorum, ab auditorum persona, et ab rebus ipsis. Cic., de inv. 1,16,22: benivolentia quattuor ex locis comparatur: ab nostra, ab adversariorum, ab iudicum persona, a causa.

50 Dies hat H.Conzelmann, S.295 ganz richtig erkannt, wenn er v1.2 zusammenfaßt: "Damit ist eine gemeinsame Basis der Argumentation vorhanden."

51 H.Conzelmann, S.295 bezeichnet das ἐστήκατε ausdrücklich als "Lob". Ob diese Konnotation auch für die Adressaten vernehmbar war, läßt sich wohl nicht mit Sicherheit sagen. Wahrscheinlichkeit gewinnt dies aber doch durch einen Vergleich mit 1.Kor 11,2, wo Paulus den Korinthern zwar nicht ἐστήκατε, aber doch das sachlich sicher ähnliche μέμνησθε ausdrücklich zum Lob anrechnet (ἐπαινῶ). Zu diesem Vergleich auch: H.Conzelmann, S.214f.295.

52 Quint. 4,1,23: si causa conciliandi nobis iudicis materiam dabit, ex hac potissimum aliqua in usum principii, quae maxime favorabilia videbuntur, decerpi oportebit.

53 AdHer. 1,7,11: exordienda causa servandum est, et lenis sit sermo et usitata verborum consuetudo, ut non apparata videatur oratio esse. Daß - dessen ungeachtet - die Einleitungssätze v1-3a "plerophor" erscheinen (so: W.Schenk, NTS 23 (1977) S.470), läßt sich ohne Problem von ihrem exordialen Charakter her verstehen.

54 Fortun. 2,14: ut ab extremo principio ad narrationem descensus subtiliter fiat; Quint. 4,1,76: id debebit in principio postremum esse cui commodissime iungi initium sequentium poterit.

55 Quint. 4,1,79: ut non abrupte cadere in narrationem, ita non obscure transcendere est optimum. Die Doppelfunktion des Transitus wird hier präzise bestimmt.

56 Darauf verweist H.Conzelmann, S.296.

57 ἐν πρώτοις = "unter den ersten Stücken", "an erster Stelle". Vgl. Eur., bacch. 274; Epict., ench. 20; 1.Makk 6,6; Luk., paras. 49. Dazu: J.Weiß, S.347 Anm.2.

58 Die Worte ὃ καὶ παρέλαβον werden von Mcion Ir[lat] Hil Amb Ambst ausgelassen. Dahinter steht - so vermuten H.Lietzmann, S.77; H.Conzelmann, S.296 - eine Tendenzkorrektur Marcions, um die Abhängigkeit des Paulus von den Uraposteln zu verschleiern.

59 H.Lietzmann, S.76 will παρελάβετε v1 als aktives Annehmen verstehen. Dagegen: W.G.Kümmel (bei: H.Lietzmann, S.191); H.Conzelmann, S.295.

Zu S. 64

60 Auch dies ist eine Form des auditores benevolos parare, und zwar genauer ab nostra (= oratoris) persona. Dazu: Quint. 4,1,8-10: ita quaedam in his quoque commendatio tacita, si nos infirmos, imparatos, im-
pares agentium contra ingeniis dixerimus...; est enim naturalis favor
pro laborantibus, et iudex religosus libentissime patronum audit, quem
iustitiae suae minime timet; inde illa veterum circa occultandem eloquentiam simulatio, multum ab hac nostrorum temporum iactatione diversa;
vitandum etiam, ne contumeliosi, maligni, superbi, maledici in quemquam hominem ordinemve videamur praecipueque eorum qui laedi nisi
adversa iudicem voluntate non possunt. Allgemein: H.Lausberg, § 275.

61 Zur literarkritischen Abgrenzung siehe oben Anm. 2.

62 Ausgangspunkt aller diesbezüglichen Überlegungen ist der auffällige
Wechsel von v5 zu v6: an die Stelle der v3b-5 vorherrschenden ὅτι-
Sätze treten ab v6 Hauptsätze. Dieser Umstand führte dazu, daß die
meisten Exegeten nur v3-5 zur Tradition rechnen (so: H.Grass, S.94;
J.Jeremias, Abendmahlsworte, S.96; H.Conzelmann, EvTh 25 (1965)
S.1-11; B.Klappert, NTS 13 (1966/67) S.168; F.Mußner, Struktur,
S.407; ders., Schichten, S.179. Einen Forschungsüberblick und wei-
tere Belege bringt R.H.Fuller, S.9-42).
Einen anderen Weg beschritt A.v.Harnack, S.67: Das Traditionsstück
reicht bis v7. Der stilistische Bruch zwischen v5 und v6 läßt sich so
verstehen, daß Paulus zwei verschiedene, miteinander konkurrierende
Zeugenreihen harmonisiert: Auf der einen Seite stehen Petrus und die
Zwölf, auf der anderen Jakobus und die Apostel. Fraglich ist dann al-
lein die Erscheinung vor den 500 Brüdern, sie wird wohl der ersten
Zeugenreihe zuzurechnen sein (so auch: E.Bammel, ThZ 11 (1955) S.
405). Dieser Auffassung folgen (allerdings mit Unterschieden): H.W.
Bartsch, ZNW 55 (1964) S.264f; P.Stuhlmacher, S.41; P.v.d.Osten-
Sacken, ZNW 64 (1973) S.254 u.a.

63 E.Bammel, ThZ 11 (1955) S.402 nennt die viergliedrige Formel:
Χριστὸς ἀπέθανεν ὑπὲρ τῶν ἁμαρτιῶν ἡμῶν κατὰ τὰς γραφάς | καὶ
ἐτάφη | καὶ ἐγήγερται τῇ ἡμέρα τῇ τρίτῃ κατὰ τὰς γραφὰς | καὶ ὤφθη
als ursprünglich, an die sich dann durch das Stichwort ὤφθη die
Reihen der Auferstehungszeugen anhängen ließen. Dazu auch:
H.Conzelmann, S.296-300.

64 In der älteren Forschung neigte man eher einem hellenistischen Ursprung der Formel zu (so etwa: W.Heitmüller, ZNW 13 (1912) S.331).
Diese Auffassung ist von H.Conzelmann, EvTh 25 (1965) S.1-11 wieder vertreten worden. J.Jeremias, Abendmahlsworte, S.96f hat hingegen den semitischen Ursprung der Formel nachzuweisen versucht.
Ihm hat sich B.Klappert, NTS 13 (1966/67) S.173 angeschlossen. In
diesen Zusammenhang gehört auch die Kontroverse um das artikello-
se Χριστός: J.Jeremias, ZNW 57 (1966) S.211-215; E.Güttgemanns,
EvTh 28 (1968) S.533-554; I.Plein, EvTh 29 (1969) S.222-223; J.Je-
remias, ZNW 60 (1969), S.214-219.

65 Zur Traditionsgeschichte des ganzen Stückes v3-11 siehe: U.Wilckens,
Ursprung, S.56-95 (v.a. S.62ff).

Zu S. 65

66 Darauf hat P.v.d.Osten-Sacken, ZNW 64 (1973) S.247 zu Recht hin-
    gewiesen.

67 Vgl. dazu den Aufsatz mit dem gleichen Titel von P.v.d.Osten-Sacken,
    ZNW 64 (1973) S.245-262. Eine ähnliche Ansicht hat H.Conzelmann,
    EvTh 25 (1965) S.10 vertreten: "Es ist klar, daß die Aufzählung hi-
    storisch-chronologisch gemeint ist. Andererseits braucht Paulus den
    Korinthern die Auferstehung nicht zu beweisen, da sie nicht an der-
    selben zweifeln. Die Emphase der Aufzählung liegt - im Sinn des Pau-
    lus - bei der Hinführung zur 'letzten' Erscheinung."

68 Diese Auffassung hat vor allem H.W.Bartsch, ZNW 55 (1964) S.270f
    vertreten. Bartsch zeichnet die Position der Gegner so: "Die Position
    der Korinther ist in Parallele zu jener Position innerhalb der Urchri-
    stenheit dadurch gekennzeichnet, daß sie mit den Erscheinungen des
    Auferstandenen das neue Dasein konkret leiblich verwirklicht glaub-
    ten." (S.270). Demgegenüber war es für Paulus notwendig, "...daß
    die Überlieferung in ihrer Gesamtheit zitiert wird gegen die Überbe-
    wertung eines Teils unter Abwertung und Vernachlässigung eines an-
    deren" (S.271). Dabei kommt es dem Apostel darauf an, "...daß die
    Erscheinungen des Auferstandenen als Erscheinungen des von den To-
    ten Erstandenen geglaubt werden, weil allein von daher dieser Glaube
    Grund der Hoffnung ist, nicht aber bereits der Eintritt in ein neues
    Dasein" (S.271).

69 So etwa H.Conzelmann, S.303: "Der Wechsel erklärt sich am einfach-
    sten durch die Annahme, daß die Formel zu Ende ist und Paulus nun
    ihre Daten ergänzt."

70 Ob diese Erscheinung mit dem Pfingstereignis zu identifizieren sei,
    scheint sehr fragwürdig. Dazu: H.Conzelmann, S.304; S.M.Gilmour,
    JBL 80 (1961) S.248; ders., JBL 81 (1962) S.62; C.F.Sleeper, JBL
    84 (1965) S.389.

71 Ganz unwahrscheinlich erscheint dazu die Deutung von O.Glombitza,
    NT 2 (1958) S.286: Paulus stellt hier gegenüber: οἱ μένουσιν = "die,
    die (bis jetzt Christen) blieben", οἱ ἐκοιμήθησαν = "die (schon) Abge-
    fallenen".

72 So etwa: H.Grass, S.96 Anm.1: "Man kann sich also notfalls bei ih-
    nen noch erkundigen." Damit wird aber die Intention des Abschnitts
    nicht erfaßt. Dazu: H.Conzelmann, S.304.

73 So vor allem H.W.Bartsch, ZNW 55 (1964) S.272: "Der Satz will nicht
    etwa unterstreichen, daß noch Zeugen der Auferstehung am Leben
    sind, sondern er will im Gegenteil unterstreichen, daß von den Zeu-
    gen der Auferstehung bereits einige entschlafen sind." Dies hatte be-
    reits K.Barth, S.84 erkannt: "Der Nachdruck liegt auf der zweiten
    Hälfte des Satzes. Sie verweist voraus auf den Gedanken, der erst in
    v.12ff zur Entfaltung kommen wird."

74 R.Bultmann, Auferstehung, S.53f; ders., Theologie, S.300; H.Braun,
    Randglossen, S.200f sehen hier in der Argumentation des Paulus ein
    Dilemma, insofern der Apostel die Auferstehung Jesu als nichtobjekti-
    vierbaren Grund des Glaubens hier doch als beweisbares historisches

Zu S. 65-66

Datum, also als Objekt, einführt. Dieses Dilemma ist m.E. nicht gegeben, denn Paulus will v3b-11 überhaupt nichts beweisen (so auch: H.W.Bartsch, ZNW 55 (1964) S.271:"Die Zitierung der Überlieferung hat also... keinerlei Wert als historischer Beweis.").

75   Dies wirft natürlich auch ein Licht auf die Position der Korinther! Dazu: H.W.Bartsch, ZNW 55 (1964) S.270f; H.Conzelmann, EvTh 25 (1965) S.9-11.

76   So: O.Glombitza, NT 2 (1958) S.286 u.a.

77   Es ist das Verdienst von P.v.d.Osten-Sacken, ZNW 64 (1973) S.256-262, darauf hingewiesen zu haben. Seine Position ist allerdings zu eng, wenn er S.260 schreibt: "So dient der Abschnitt (= v6-11, d.Verf.) dazu, die Basis zu legen, die als einzige für die folgende Auseinandersetzung in v.12ff Aussicht auf Erfolg verspricht." Die v6-11 bieten ja - das wird ab v12 deutlich - keineswegs ausschließlich, sondern höchstens neben v1-5 die Basis für eine erfolgversprechende weitere Argumentation.

78   Cic., part.or. 9,31: narratio est rerum explicatio et quaedam quasi sedes et fundamentum constituendae fidei.

79   Quint. 4,2,31: narratio est rei factae aut ut factae utilis ad persuadendum expositio.

80   Quint. 4,2,1: ut, praeparato per haec quae supra dicta sunt iudice, res de qua pronuntiaturus est, indicetur.

81   Dazu allgemein: H.Lausberg, §§ 290-292.

82   AdHer. 1,8,13: eius narrationis duo genera sunt, unum quod in negotiis, alterum quod in personis positum est. Id, quod in negotiorum expositione positium est, tres habet partes: fabulam, historiam, argumentum. fabula est, quae neque veras neque verisimiles continet res, ut ea sunt, quae tragoedis traditae sunt. historia est gesta res, sed ab aetatis nostrae memoria remota. argumentum est ficta res, quae tamen fieri potuit, velut argumentum comoediarum.

83   Dazu: Cic., de inv. 1,19,27.

84   Gegen: R.Bultmann, Auferstehung, S.53; H.Braun, Randglossen, S.200. Dazu auch oben Anm.74.

85   Quint. 4,2,31: narratio quae prima iudicem docet.

86   Quint. 4,2,43: brevitatem in hoc ponimus, ...ne plus dicatur quam oporteat.

87   Quint. 4,2,45: Die Überschreitung der angegebenen Grenzen hat ein vitium zur Folge. Einmal das deesse, zum anderen das superesse, also m.a.W. adiectio und detractio (dazu: Quint. 4,2,44).

88   Dazu: H.Lausberg, § 300.

89   Cic., de inv. 1,20,28: brevis erit, si unde necesse est inde initium sumetur, et non ab ultimo repetetur; adHer. 1,9,14: rem breviter narrare poterimus, si inde incipiemus narrare unde necesse erit, et si non ab ultimo initio repetere volemus. Ähnlich: Quint. 4,2,40.

90   Insofern erhält das theologisch begründete Urteil von H.W.Bartsch, ZNW 55 (1964) S.270f (siehe dazu oben Anm.68) seine Bestätigung durch die rhetorische Analyse.

Zu S. 66-67

91 Dazu oben Anm.82.

92 Allerdings nimmt bereits v8 eine gewisse Übergangsstellung ein, insbesondere deshalb, weil der Sinn dieses Verses (ἔκτρωμα) erst von v9.10 aus zu sehen ist. Dazu: H.Conzelmann, S.306; P.v.d.Osten-Sacken, ZNW 64 (1973) S.250-254.

93 AdHer. 1,8,13: illud genus narrationis quod in personis positum est, debet habere ... animorum dissimilitudinem..., rerum varietates, fortunae commutationem, insperatum incommodum, subitam laetitiam, iucindum exitum rerum.

94 Quint. 4,3,14: παρέκβασις est, ..., alicuius rei, sed ad utilitatem causae pertinentis extra ordinem excurrens tractatio.

95 Quint. 4,2,104: ut sit expositio perspicua et brevis, nihil quidem tam raro poterit habere rationem quam excursio; nec unquam debebit esse nisi brevis et talis, ut vi, quadam videamur affectus velut recto itinere depulsi. Dazu: H.Lausberg, §§ 340-342.

96 In diesem Sinne ist auch die Forderung Quint. 4,2,112 zu verstehen: cur, quod in summa parte (= peroratione) sum actionis petiturus, non in primo statim rerum ingressu (= narratione), si fieri potest, consequar? cum praesertim etiam in probationibus faciliorem sim animum eius habiturus occupatum vel ira, vel miseratione, ...

97 Quint. 4,2,126: effugiendo igitur in hac praecipue parte omnis calliditatis suspicio, neque enim se usquam custodit magis iudex: nihil videatur fictum, nihil sollicitum: omnia potius a causa quam ab oratore profecta credantur.

98 Dies ergibt sich daraus, daß der affektische Schlußexkurs der Narratio eigentlich ein (zweites) Exordium vor Beginn der Argumentatio darstellt; wenn er fehlt, wird auch in der Tat ein neues Exordium empfohlen: Fortun. 2,20: si nihil exaggerari poterit, ante quaestiones quid faciendum est? ananeosi utemur... Dazu: H.Lausberg, § 345.

99 Vor allem bei wichtigen Stoffen (maior res). Quint. 4,2,120: ubi vero maior res erit, et atrocia invidiose et tristia miserabiliter dicere licebit, non ut consumantur affectus, sed ut tamen velut primis lineis designentur, ut plane, qualis futura sit imago rei, statim appereat.

100 Obwohl dies im einzelnen schwer zu bestimmen ist, tragen diese beiden Verse doch deutlich polemischen Charakter. Zu ἔκτρωμα als Schimpfwort der Gegner: J.Weiß, S.352; H.Conzelmann, S.306 Anm. 95 (dort weitere Literatur). J.Weiß, S.353 hat die Funktion von v9-10 richtig erkannt: "Der Inhalt von v.9.10 ist eine Digression;...", allein in seiner Folgerung unterschätzt er die bewußte Planung und das Dispositionsgeschick des Paulus an dieser Stelle: "..., es ist daraus zu ersehen, wie gespannt das Verhältnis des P. zu seinen Gegnern schon damals war, daß er sich so von seiner verletzten Stimmung aus dem Gleis werfen läßt."

101 Wie dies etwa ganz deutlich bei H.Lietzmann, S.78 anklingt: "Pakkend ist der Übergang aus diesem Ausdruck der tiefsten Demut zu dem stolzen καυχᾶσθαι ἐν Χριστῷ ".

Zu S. 67

102 Wie dies z.B. H.Conzelmann, S.307 versucht, wenn er behauptet,
es ginge bei dem festgestellten Gegensatz nicht um das "... Schwan-
ken von persönlichen Stimmungen, ..., sondern um einen rational
erfaßbaren Sachverhalt: Seine Autorität ist die 'seinige' im dialek-
tischen Sinn".

103 Quint. 4,1,10: vitandum etiam, ne contumeliosi, maligni, superbi,
maledici in quemquam hominem ordinemve videamur praecipueque
eorum qui laedi nisi adversa iudicem voluntate non possunt;
4,1,33: fiducia ipsa solet opinione arrogantiae laborare. Dazu:
H.Lausberg, § 275.

104 Paulus "verstreut" also Ansatzpunkte der späteren probatio über
die narratio. Fortun. 2,20: narratio omnis qualis esse debet?
προκατάσκευος, id est, ut habeat in se quaestionum semina et sit
praestructiva; Quint. 4,2,54: ne illud quidem fuerit inutile, semina
quaedam probationum spargere, verum sic ut narrationem esse me-
minerimus.

105 Dazu ganz richtig J.Weiß, S.348: "..., indem P. diesen Ton an-
schlägt, löst er bei dem Hörer eine Reihe von bekannten Gedanken
aus, die er hier nicht weiter verfolgt."

106 Quint. 10,1,21: saepe enim praeparat, dissimulat, insidiatur orator,
eaque in prima parte actionis dicit, quae sunt in summa profutura.
Dazu: Chr.Neumeister, S.133.

107 Quint. 4,5,5: re non ante proposita securum ac nulla denuntiatione
in se conversum intrat oratio. Es entspricht ganz dem Argumentations-
plan des Paulus, was H.Conzelmann, S.293 feststellt: "Das Thema wird
dem Leser allerdings erst von V.12 ab sichtbar." S.293 Anm.11:
"Bis dahin ist man eher auf eine Darlegung über die Tradition und
den Apostolat gefaßt." So gilt - wie sollte es anders sein? - nicht
nur für die Korinther, sondern auch für die Exegeten Quint. 4,5,5!

108 AdHer. 1,9,14: si non ad extremum, sed usque eo quo opus erit per-
sequemur; Cic., de inv. 1,20,28: si non longius quam quo opus est
in narrando procedetur. Dazu: H.Lausberg, § 307.

109 So: H.Conzelmann, S.308 unter Verweis auf 1.Thess 5,10; Phil 1,20;
2.Kor 5,9.

110 Sollte v11 nur die Digression abschließen, wäre eine Rückkehrformel
(dazu: H.Lausberg, § 340) zum Thema der narratio zu erwarten. Diese Rückkehrformel heißt ἄφοδος. Vgl. das Beispiel bei Quint. 9,3,87:
longius evectus sum, sed redeo ad propositum.

111 Während οὕτως auf v3b-10 zurückverweist (H.Conzelmann, S.308),
nimmt Paulus mit κηρύσσομεν und ἐπιστεύσατε deutlich Begriffe des
Exordiums wieder auf (v1: εὐηγγελισάμην; v2: ἐπιστεύσατε). H.Con-
zelmann, S.308: "Damit ist er zu V.1-3 zurückgekehrt."

112 J.Weiß, S.353: "Umso gewaltsamer ist die Rücklenkung zum Thema
v.11." Mehr als eine gewisse Ungeduld scheint aber an den Stellen,
wo Paulus mit εἴτε - εἴτε relativiert, nicht mitzuschwingen (so auch:
E.Käsemann, S.327f zu Röm 12,6-8).

Zu S. 67-68

113 So auch: K.G.Sandelin, S.12, der v1-11 nach der Figur der inclusio
konstruiert sieht (zu dieser Figur: H.Lausberg, § 625), wofür vor
allem die Wiederaufnahme von ἐπιστεύσατε v11 spricht (Sandelin spricht
übrigens S.158 Anm.68 von einer "Lockerung durch synonymischen
Ersatz").

114 Dazu: H.Lausberg, § 348.

115 W.Stenger, LingBibl 45 (1979) S.86: "Zugleich werden so zwei Aussagen, die vorher in der Gemeinde von Korinth ohne Beziehung zueinander im Gebrauch waren, miteinander konfrontiert und als ge-
gensätzliche, d.h. einander ausschließende Aussagen vorgestellt."

116 AdHer. 1,10,17; Quint. 4,4,1 expositio. So auch: H.Conzelmann,
S.312; dazu: H.Lausberg, § 346.

117 Zur Verhältnisbestimmung zwischen narratio und probatio Quint.
4,2,79: quid inter probationem et narrationem interest, nisi quod
narratio est probationis continua propositio, rursus probatio narrationi congruens confirmatio?

118 Quint. 4,4,1: sunt qui narrationi probationem subiungant tamquam
partem iudicialis materiae: cui opinioni respondimus. mihi autem propositio videtur omnis confirmationis initium: quod non modo in osten-
denda quaestione principali, sed nonnumquam etiam in singularis ar-
gumentis poni solet, maximeque in iis, quae ἐπιχειρήματα vocantur.

119 Dies markiert schon die Einleitung: εἰ + realer Indikativ = "logische
Beweisführung des Paulus" (Blaß-Debrunner, § 372).

120 Zum Beweis in Frageform: Quint. 5,14,25. An unserer Stelle dient
die Fragefigur eindeutig der Verschärfung der Gedanken ohne eigentlich dialogische Funktion (dazu: Quint. 9,2,7).

121 Paulus redet ja die (alle) Korinther an, nicht etwa nur die Gegner!
Dazu: W.Stenger, LingBibl 45 (1979) S.85: "Im Zitat der gegneri-
schen Meinung ... dissoziiert Paulus die Front der Adressaten."
Das wäre dann wohl als bewußte Form der Taktik zu verstehen.

122 Eine schöne Parallele bietet: Sen., ep.mor. 22,11f.

123 Dazu: Cic., de inv. 1,14,19; Quint. 2,4,18; 3,9,1. Allgemein: H.Laus-
berg, § 430.

124 Das Enthymem ist die logisch unvollständige Form des Syllogismus
(Quint. 5,14,24: enthymema ab aliis oratorius syllogismus, ab aliis
pars dicitur syllogismi, propterea quod syllogismus utique conclusionem et propositionem habet et per omnes partes efficit, quod
proposuit, enthymema tantum intellegi contentem sit). Das Enthymem wird in der Rede wie im Brief dem Syllogismus vorgezogen,
weil dieser als pedantisch gilt, jenes hingegen die Tugenden der
brevitas und des credibile verwirklicht.
V13 ist genauer ein enthymema ex consequentibus (dazu: Quint.
4,14,25), es herrscht also ein positives Beziehungsverhältnis zwischen den beiden Gliedern des Beweises (im Gegensatz zum enthymema ex pugnantibus). Dazu: H.Lausberg, § 371.

Zu S. 68

125 Dazu: B.Spörlein, S.67: "Am besten läßt sich die Argumentation
des Apostels verstehen als Anwendung des logischen Gesetzes, daß
ein allgemein gehaltener negativer Satz nicht aufrechtzuerhalten ist,
wenn eine einzige positive Ausnahme angeführt werden kann, ..."
So auch: H.Lietzmann, S.79; J.Weiß, S.353.

126 T.G.Bucher, Bibl 55 (1974) S.465-486 hat in Bezug auf v12.20 eine
"Analyse der Aussagestruktur im technischen Sinne" (S.465) vorgenommen. Er geht dabei nach rein formallogischen Kriterien vor und
gelangt so zu folgendem Ergebnis: "Die Argumentation von Paulus
ist logisch einwandfrei." (S.486). Er verkennt allerdings den grundsätzlichen Charakter von 1.Kor 15 als lebendiger Rede und als dy-
namischen Argumentationsprozeß, wenn er schreibt: "Ob ein Argument zwingend ist oder nicht, das hängt ausschließlich von der Logik ab und nicht von der Erfahrung." (S.471 Anm.1). Dies widerspricht aber ganz entschieden der antiken rhetorischen Theorie und
der Argumentation des Paulus selbst! Zur Kritik an Bucher: M.Bach-
mann, ThZ 34 (1978) S.265-276. Bachmann kommt seinerseits zu
dem Schluß: "Für das Verständnis dieses wichtigen Argumentations-
ganges (= v12-20, d.Verf.), ..., ist freilich, ..., von der klassischen Logik her kaum Hilfe zu erwarten."

127 Insofern hat W.Stenger, LingBibl 45 (1979) S.87 recht, wenn er v13
und v14 als "Kettenschluß" zusammenzieht. Von der rhetorischen
Theorie her legt sich am ehesten die Bezeichnung collectio nahe
(Quint.7,8,6: ex eo quod manifestum est colligitur quod dubium
est; maioris pugnae est ex scripto ducere quod scriptum non est.)
Dazu: H.Lausberg, § 221.

128 Die beiden Argumente v14b sind Beweishilfen. Sie gehören zum genus
artificiale probationum (dazu: H.Lausberg, § 355). Quint.5,1,1: esse
probationes ... quas ex causa traheret ipse (= orator, d.Verf.) et
quodammodo gigneret). Paulus argumentiert von sich aus (ethischer
Beweis) und von den Adressaten aus (pathetischer Beweis). Zu dieser Unterscheidung: Ar., rhet.1,2,3-5. Dem ethischen wie dem pathetischen Beweis ist das delectare bzw. movere zugeordnet, sie
dienen also der Affekterregung. Quint.6,1,51: omnes ... affectus,
etiamsi quibusdam videntur in prooemio atque epilogo sedem habere,
in quibus sane sint frequentissimi, tamen aliae quoque partes reci-
piunt, sed breviores, ut cum ex iis plurima sint reservanda.

129 So stellt J.Weiß, S.354 richtig fest: "Dies argumentum ad hominem
(= v17, d.Verf.) ist nun keineswegs logischer Natur, sondern auf
das Gemüt berechnet." Im Prinzip eignet sich allerdings jedes Argument als Mittel des amplificatio (Fortun.2,31: locis argumentorum
... non tantum probamus, verum etiam augemus). Paulus amplifiziert
hier durch Steigerung (incrementum, dazu: H.Lausberg, §§ 402-403),
die Konsequenz aus v12 wird furchtbarer bis hin zu v19! Zum incrementum auch: Quint.8,4,4-8. Besonders in der refutatio hat die amplificatio ihren Platz (Quint.5,13,26: pro sordido parcum, pro maledico liberum dicere licebit). Dazu: H.Lausberg, § 430.

Zu S. 68–69

130 Daß die argumentatio, um nicht in rationale Eintönigkeit zu verfallen (Quint. 5,14,30: si...ex copia satietatem et ex similitudine fastidium attulerit), den Einsatz affektischer Mittel, vor allem aber der gedanklichen amplificatio, fordert, ist ein Postulat der rhetorischen Theorie. Quint. 5,14,29: nisi (iudices) et delectatione allicimus ac viribus trahimus et nonnumquam turbamus affectibus, ipsa quae iusta ac vera sunt tenere non possumus. Dazu: H.Lausberg, § 427.

- Auch die Exegeten haben dies erkannt. So etwa H.Conzelmann, S.316: "Paulus argumentiert nicht zeitlos-theoretisch, unter Absehen von der wirklichen Situation, sondern behaftet die Korinther bei ihrem Glauben." Ähnlich: B.Spörlein, S.69: "Diese Gedankengänge legen nun keine Argumente logischer Natur vor, mit deren Hilfe etwa die Auferweckung des Christus oder die allgemeine Totenauferstehung - oder gar der Glaube daran - bewiesen werden könnte oder sollte. Es sind vielmehr argumenta ad hominem, Hinweise auf alle die Folgen, welche sich unweigerlich einstellen mit der Leugnung der Auferweckung Toter."

131 Richtig gesehen hat dies W.Stenger, LingBibl 45 (1979) S.89f: "Insofern Paulus diese Konsequenzen herausstellt, appelliert er rhetorisch nicht mehr nur an den Intellekt der Korinther, sondern wirbt, sich affektischer Mittel bedienend, um die affektische Zustimmung seiner Leser." In gewisser Weise wird damit das tua res agitur des exordiums wieder aufgenommen und nachträglich bestätigt.

132 Als äußeres Zeichen mag gelten, daß v20-28 jede direkte Anrede der Korinther fehlt. Trotzdem ist es sachlich richtig, gerade in diesem Abschnitt, also der probatio, den inhaltlichen Höhepunkt der ersten argumentatio zu sehen. Dazu: G.Barth, EvTh 30 (1970) S.516 u.ö.

133 J.Weiß, S.356; H.Lietzmann, S.79; H.Conzelmann, S.316 spricht dabei ganz richtig von einem "Rückgriff auf sein Credo". Am Rande kann dazu bemerkt werden, daß sich dabei wiederum - wie schon v12 - die rhetorische Zweckmäßigkeit der breit ausgeführten narratio v3b-11 bewährt.

134 ἐπειδὴ γάρ = "denn, da, weil nämlich" (W.Bauer, Sp.526). Vgl. 1.Kor 1,21. Dazu: B.Spörlein, S.72.

135 Dieser Parallelismus - oder ist es besser, nur von einer Analogie zu sprechen? - ist nur auf dem Hintergrund der Entsprechung von Urzeit und Endzeit verständlich. Dazu: H.Brandenburger, S.70-72. Wiederaufgenommen wird dieses "Prinzip" (so: H.Conzelmann, S.317) v45. Zum ganzen auch der Exkurs bei H.Conzelmann, S.338-342.

136 Eigentlich erwartet man ja die Fortführung: ... καὶ δι' ἀνθρώπου ζωή (so auch: H.Conzelmann, S.317 Anm.48). Diese "parteiische Umbenennung des Sachverhaltes" (H.Lausberg, § 402) gilt in der Rhetorik als eine Art der Katachrese und dient als incrementum der amplificatio. Dazu: Quint. 8,6,36.

Zu S. 69

137 So etwa H.Conzelmann, S.319; W.Stenger, LingBibl 45 (1979) S.92.
Anders urteilt B.Spörlein, S.73 Anm.5: "Es kommt Paulus im Zuge
seiner Argumentation sichtlich nicht auf das Futurische der Auferstehung Toter an, sondern auf deren Möglichkeit überhaupt."

138 W.Marxsen, S.228.

139 Zur traditionsgeschichtlichen Analyse der apokalyptischen Aussagen: U.Luz, S.339-358. Zum Problem der Apokalyptik bei Paulus
neuerdings: P.v.d.Osten-Sacken, EvTh 39 (1979) S.479-485.

140 Paulus ist - das wird ganz deutlich - hier fortwährend bemüht, die
Unmöglichkeit, über die Totenauferstehung isoliert zu sprechen, aufzuzeigen.
Zu v23.24b siehe auch W.Stenger, LingBibl 45 (1979) S.93: "Damit
werden die Auferweckung des Christus und die Totenauferstehung
integrale Bestandteile eines umfassenden Zusammenhangs. Sie werden eingeordnet in die 'Ordnung' des Heilsplans Gottes, der in der
Auferweckung Christi beginnend über die Totenauferstehung bei
der Parusie zum 'Ende' führen wird."

141 Als Exkurs fassen diese Verse auch H.Lietzmann, S.81 und B.Spör-
lein, S.76. W.Stenger, LingBibl 45 (1979) S.93 spricht hingegen
von einer Digression. Ein Gegensatz liegt aber sicher nicht vor.

142 Der Exkurs ist immer dann angebracht, si materia desideravit (Fortun. 2,20). Es gilt, was Cicero für die Digression formuliert: digredi...permovendorum animorum causae saepe utile est (de or. 2,311).
Dazu: H.Lausberg, §340-342; H.F.Plett, S.54.

143 Darauf weist besonders W.Stenger, LingBibl 45 (1979) S.93-95 hin,
um dann bezüglich des Argumentationszieles des Paulus zu dem
Schluß zu kommen (S.93): "Wer an die Totenauferstehung rührt,
widerspricht daher nicht nur dem Kerygma von der Auferweckung
des Christus, sondern rührt an den universaleschatologischen Rahmen des göttlichen Heilsplans."

144 Der Akzent des Exkurses liegt auf v26. Insofern ist es mißverständlich, wenn H.Conzelmann, S.324 diesen Vers eine "formal isolierte
These" nennt.

145 Von daher kann für beide Teile von einer argumentatio ex efficientibus
gesprochen werden. Quint. 5,10,80: argumentatio qua colligi solent
ex iis quae faciunt ea quae efficiuntur, aut contra; 5,10,86: quidam
haec, quae vel ex causis vel ex efficientibus diximus, id est exitus,
nam nec hic aliud tractatur quam quid ex quoque eveniat; Cic., de
inv. 1,28,42: eventus est exitus alicuius negotii, in quo quaeri solet,
quid ex quaque evenerit, eveniat, eventurum sit. Die argumentatio
ex efficientibus eignet sich wegen ihres futurischen Gehaltes besonders gut für das genus deliberativum und erleichtert das suadendum
(H.Lausberg, § 381).

146 H.Conzelmann, S.317 hat richtig erkannt, daß zwischen v6.22.26 ein
innerer Zusammenhang besteht: "Das ist ein Wink in dieselbe Richtung."

Zu S. 69-70

Gerade daß Paulus sein suadendum hier mehr andeutet als ausführt, zeigt sein rhetorisches Geschick: Noch ist ja seine Überredung nicht am Höhepunkt angelangt, noch hält sich der Redner an Quint. 4,5,5 (dazu oben Anm.107)!

147 Die peroratio kommt nicht nur am Schluß der Gesamtrede vor. Fortun. 2,31: peroratione in fine tantum orationis utemur? immo ubicumque materia permiserit, et plerumque in digressione principiorum aut narrationis, sed et quaestionum nonnumquam. Eine genaue Parallele zur Disposition des Paulus an unserer Stelle findet sich in der zweiten Rede des Eleazar bei Jos., bell. 7,350f. Dazu: H.Lausberg, § 441.

148 So spricht J.Becker, S.86 in Bezug auf v29-34 zu Recht von einer "eher zu 15,12-19 passenden Argumentationskette". W.Stenger, LingBibl 45 (1979) S.97 bezeichnet v1-11 und v29-34 als "Rahmentexte", die die inklusionsartige Konstruktion des Abschnittes ergeben.

149 In der peroratio können "alle Affektschleusen geöffnet werden" (H.Lausberg, § 436). Quint. 6,1,51: at hic, si usquam, totos eloquentiae aperire fontes licet.

150 Die Forschungsgeschichte und gegenwärtige Problemlage dazu ist dargestellt bei B.Spörlein, S.78-88.

151 Aber wen spricht er hier an? Sind es die τινες von v12 (so etwa W.Schmithals, S.244) oder ist hier von einer neuen Gruppe die Rede (so B.Spörlein, S.82)? Durchschlagend wäre die Argumentation allerdings nur, wenn die τινες von v12 gemeint sind.

152 Die rhetorische Frage dient entweder zur Verschärfung der Gedankenabfolge oder zur Pathoserregung. Vgl. Quint. 9,2,7-8. Dazu auch: H.Lausberg, §§ 766-770. H.F.Plett, S.63: Die interrogatio ist eine "Scheinfrage, die zum Zwecke der intensivierenden Wirkung an die Stelle einer Aussage oder Aufforderung tritt. Die interrogatio drückt häufig heftige rednerische Affekte (Empörung, Bitterkeit) aus. Ihre Wirkungsabsicht ist oft paränetisch oder apologetisch."

153 Diese marginale Bemerkung ist nur gerechtfertigt durch die bisher vorliegende Zahl der verschiedenen Deutungsversuche von v29. K.C.Thompson, TU 87 (1964) S.647-659 bringt es in seiner Übersicht auf immerhin über 200 verschiedene Möglichkeiten.

154 Zu den religionsgeschichtlichen Parallelen aus der Umwelt des NT: B.Spörlein, S.83-86.

155 Dieser Auffassung neigen - mit Unterschieden - die meisten Interpreten zu. Vgl. etwa H.Conzelmann, S.327.

156 Erst der Ambrosiaster spricht an unserer Stelle von einer stellvertretenden Taufe für die Toten (MPL 17, 280 = CSEL 81, 174f). Die Kommentare der griechischen Kirche kennen diese Auslegung nicht (dazu: K.Staab, AnalBibl 17/18 (1963) S.449). Eine Möglichkeit, den Vers zu verstehen, versucht K.C.Thompson, TU 87 (1965) S.658 durch Interpunktionsvarianten (z.B. parallel zu Tert., adv.Marc 5,10). Ihm hat sich J.M.Ford, TU 102 (1968) S.400-403 angeschlossen.

Zu S. 70

157 Siehe dazu oben Anm.145.

158 Dazu allgemein: H.Lausberg, §§ 380-381.

159 Zur nicht zwingenden Ursache-Wirkung-Beziehung, wie sie an unserer Stelle vorliegt: Quint. 5,10,81: alia sunt... non necessaria, vel utrimque vel ex altera parte: 'sol colorat; non utique, qui est coloratus, a sole est' ... Sie dient besonders zur Erregung der Affekte.

160 Der Sinn von v32a ist nicht geklärt. Dazu: R.E.Osborne, JBL 85 (1966) S.225-230; A.J.Malherbe, JBL 87 (1968) S.71-80.

161 Dazu W.Stenger, LingBibl 45 (1979) S.97. Besonders treffend ist hier die Wendung καθ' ἡμέραν ἀποθνήσκω (vgl. Sen., ep.mor. 24,20: cotidie morimur, cotidie enim demitur aliqua pars vitae).

162 Dazu: H.Lausberg, § 857. H.F.Plett, S.65: Die permissio ist die "Ironie des falschen Rates: scheinbare Aufforderung zu allen möglichen (auch für den Angeredeten schädlichen) Handlungen, obgleich diese dem Willen des Sprechers entschieden widersprechen. Die permissio steht folglich oft als Ausdruck von Ärger und Unwillen."

163 H.Lausberg, § 857: "Die permissio ist letztlich immer ironisch." Quint. 9,2,48: εἰρωνεία est, ...cum similes imperantibus vel permittentibus sumus. Besonders im genus deliberativum wird die Ironie häufig durch permissiones ausgedrückt, was mit den Hauptaufgaben dieses genus (suadendum/dissuadendum) zusammenhängt. Der Sinn der rhetorischen (also für den Zuhörer durchschaubaren) Ironie ist es, die Gegner in den Augen der Zuhörer bloßzustellen und ihre Meinung als Unsinn zu desavouieren (H.Lausberg, § 903).

164 Zum Menanderzitat v33, das hier die Funktion einer sententia hat, siehe oben S.43.

165 Die indignatio dient zur "Aufpeitschung der Affekte des Publikums, zur Parteinahme gegen die Partei der Gegner" (H.Lausberg, § 438). Cic., de inv. 1,53,100: indignatio est oratio per quam conficitur, ut in aliquem hominem magnum odium aut in rem gravis offensio concitetur. Dazu auch: W.Stenger, LingBibl 45 (1979) S.99.

166 ἐρεῖ τις ist eine typische Wendung der stoisch-kynischen Diatribe (R.Bultmann, Stil, S.66f). Rhetorisch gesehen liegt in v35 eine subiectio in der Form einer Apostrophe vor: Die subiectio ist ein "fiktiver, aus Frage und Antwort bestehender Dialog in der Rede des Sprechers, ... Seine Funktion ist einmal die Vorwegnahme (Prokatalepsis) möglicher Einwände, zum anderen die verlebendigende Expansion eines Themas." (H.F.Plett, S.64). Dazu: adHer.4,23,33: subiectio est, cum interrogamus adversarios aut quaerimus ipsi, quid ab illis aut quid contra nos dici possit; dein subicimus id quod oportet dici. Weitere Belege: H.Lausberg, §§ 771-775. Die Fragen der subiectio können durchaus fiktiv oder einfach ein dem Gegner zugeschriebenes Gedankenzitat sein (Beleg: Quint. 1,10,8; 9,2,14). Die Apostrophe ist v35 dadurch gegeben, daß Paulus sich – überraschend - von seinem Publikum ab- und einem (fiktiven?) Gegner zuwendet. "Ihre Wirkungsintention ist die appellative Beeinflussung des Hörers oder Lesers." (H.F.Plett, S.66). Beleg: Quint.9,2,38; 9,3,26; dazu: H.Lausberg, §§ 762-765.

- 147 -

Zu S. 70-71

167 Daß diese Frage im Mittelpunkt steht, behauptet u.a. H.Conzelmann, S.332, der die zweite Frage (ποίῳ δὲ σώματι ἔρχονται;) nur als Präzisierung der ersten (πῶς ἐγείρονται οἱ νεκροί;) versteht. Eine andere Ansicht vertritt J.Jeremias, NTS 2 (1955/56) S.156f.

168 H.Conzelmann, S.332 Anm.7 versteht das Praesens hier mit futurischer Bedeutung, während J.Weiß, S.367 Anm.5 von "Praesentia des Lehrsatzes" spricht.

169 Dies hatte schon H.Lietzmann, S.83 behauptet.

170 Quint. 7,1,11: at pro reo plerumque gravissimum quidque primum movendum est, ne illud spectans iudex reliquorum defensioni sit aversior. interim tamen et hoc mutabitur, si leviora illa palam falsa erunt, gravissimi defensio difficilior, ut detracta prius accusatoribus fide agrediamus ultimum, iam iudicibus omnia esse vana credentibus. Eine schöne Parallele für ein solches Vorgehen des Redners bietet Cic., pro Mil. 9-15. Dazu: Chr.Neumeister, S.89.

171 R.Bultmann, Theologie, S.199: Die Intention des Paulus an unserer Stelle ist eben diese, "... daß er das spezifisch menschliche Sein als ein somatisches in jenem grundsätzlichen Sinn auch über den Tod hinaus behauptet". Dazu auch: S.Heine, S.191-194.

172 Zur similitudo als Beweishilfe bei Paulus siehe oben S.45f. Zum religionsgeschichtlichen Vergleich des Bildes vom Weizenkorn: H.Riesenfeld, TU 77 (1961) S.43-55; H.Braun, Stirb, S.136-158. Beide (Riesenfeld, S.47; Braun, S.143) gelangen zu dem Ergebnis, daß Paulus dem Bild durch die Einfügung von ἐὰν μὴ ἀποθάνῃ eine spezifische Bedeutung verleiht: "Was Paulus den Irrlehrern klarmachen will, ist ja nicht die Tatsache der Auferstehung, ..., sondern die Notwendigkeit des leiblichen Todes als Bedingung der Möglichkeit einer wahrhaften Auferstehung." (H.Riesenfeld, S.46). Ähnlich H.Braun, S.143: "Jetzt heißt es: vorheriges Sterben ist unerläßlich. In der Auferstehung repariert Gott nicht, sondern setzt ein Neues." Damit nimmt Paulus Gedanken auf, die er als quasi-beiläufig in die ganze Rede eingestreut hat (v3.6.26). Es verstärkt sich der Eindruck, daß er sich veranlaßt fühlte, die Leugner der Auferstehung von der Notwendigkeit des leiblichen Todes zu überzeugen! Damit ließen sich dann die Gegner stärker mit der Parole 2.Tim 2,18 identifizieren.

173 Insofern eignet dieser similitudo eine gestraffte Beweisfunktion (dazu: H.Lausberg, § 425), als sie nicht nur etwa dem ornatus der Rede dient (Quint. 5,11,5), auch nicht ausschließlich im "Amplifizieren, Verdeutlichen und Ausschmücken" (H.F.Plett, S.55) aufgeht, sondern das doppelte Überzeugungsziel des Paulus beweisend zu erreichen hilft: einerseits die Notwendigkeit des Todes als Bedingung des Lebens; andererseits der qualitative Unterschied zwischen diesseitigem und jenseitigem Leben, obwohl auch die Kontinuität durch die Leiblichkeit der Existenz gewahrt bleibt (nach: H.Conzelmann, S.333).

Zu S. 71

174 Das Isokolon wird definiert als "koordinierende Nebeneinanderstellung zweier oder mehrerer Kola oder Kommata, wobei meist die Kola (oder Kommata) jeweils gleiche Satzteilabfolge zeigen" (H.Lausberg, § 719). Quint. 9,3,80: ut sint ... membris aequalibus.

175 AdHer. 4,13,19: repetitio est, cum continenter ab uno eodemque verbo in rebus similibus et diversis principia sumuntur... Dazu: H.Lausberg, § 629. Die Anaphora als Wiederholung stellen eine "affektische Überbietung" dar (H.Lausberg, § 612).

176 Quint. 9,3,78: quod in eosdem casus cadit; adHer. 4,20,28: similiter cadens exornatio appellatur, cum in eadem constructione verborum duo aut plura sunt verba quae similiter iisdem casibus efferantur. Dazu: H.Lausberg, §§ 729-731.

177 Dazu: H.Conzelmann, S.335: "In den Antithesen erscheint die Intention des Paulus rein."

178 Cic., de or. 3,38: numerus autem in continuatione nullus est; distinctio et aequalium aut saepe variorum intervallorum percussio numerum conficit; quem in cadentibus guttis, quod intervallis distinguntur, notare possumus, in amni praecipitante non possumus. quod si continuatio verborum haec soluta multo est aptior ac iucunduor, si est articulis membrisque distincta, quam si continuata ac producta, membra illa modificata esse debebunt; quae si in extremo breviora sunt, infringitur ille quasi verborum ambitus; sic enim hac orationes conversiones Graeci nominant. quare aut paria esse debent posteriora superioribus et extrema primis aut, quod etiamst melius et iucundius, longiora.

179 W.Stenger, LingBibl 45 (1979) S.117: "Die Sonderstellung des letzten antithetischen Parallelismus verweist auf ihn als den Textteil, auf dem der Ton liegt."

180 Quint. 9,3,81-82: contrapositum autem vel, ut quidam vocant, contentio (ἀντίθετον dicitur) non uno fit modo. nam et singula singulis opponuntur, ..., et bina binis..., et sententiae sententiis...cui accomodissime subiungitur et ea species, quam distinctionem diximus: ..., et quae sunt simili casu dissimili sententia in ultimo locata. Dazu: H.Lausberg, § 787; H.F.Plett, S.47 ("Die Antithese erzeugt eine starke Spannung").

181 LXX-Zitate dienen in der Argumentation des Paulus als Beweishilfen entsprechend den rhetorischen auctoritates. Siehe oben S.44.

182 H.Conzelmann, S.337: "Es muß beachtet werden, daß Paulus V.45b wie einen Teil des Schriftwortes hinzusetzt."

183 Vgl. dazu die Exkurse bei J.Weiß, S.374-376; H.Conzelmann, S.338-342. Paulus nimmt hier seine Argumentation von v21f wieder auf (so auch W.Stenger, LingBibl 45 (1979) S.121). Deshalb ist es unmöglich, die v44ff als Glosse eines Gegners des Paulus ausscheiden zu wollen (gegen: M.Widmann, ZNW 70 (1979) S.46).

184 In besonderer Weise drückt das der - exegetisch schwierige - v46 aus: Die polemische These (so: H.Conzelmann, S.342) nimmt mit (οὐ) πρῶτον

Zu S. 71

– ἔπειτα den Gedanken der zeitlich geordneten Abfolge von v23-36
wieder auf. Wir hätten dann hier wiederum (wie schon v3.6) im Hintergrund die Vorstellung vom Tod als Bedingung der Möglichkeit
der Auferstehung mitzuhören.

185 Die Analogie (Quint.1,6,4: eius (analogiae) haec vis est, ut id quod
dubium est, ad aliquid simile de quo non quaeritur, referat, et in-
certa certis probet) ist ein argumentum a simili.

186 Und genau hier führt Paulus – fast ist man versucht zu sagen: be-
zeichnenderweise – den eschatologischen Vorbehalt (φορέσομεν) ein.
Denn trotz besserer äußerer Bezeugung (p[46] ℵ A C D G K P Ψ
o243 33 81 104 326 330 436 451 615 629 1241 1739 1877 1962 1984
1985 2127 2492 2495 Byz it vg bo goth) ist der Kohortativ (φορέσωμεν)
als sekundär abzulehnen (so auch: B.M.Metzger, S.569).

187 Insofern kommt es ihm auf eine radikale Ernstnahme des Todes an,
wodurch das Realitätsprinzip stark zur Geltung kommt. Dazu: E.Fuchs,
ZThK 58 (1961) S.67: "Die Tiefe des Glaubens hängt also ... davon ab,
wie hoch man die durch Gott vernichtete Macht der Sünde einschätzt.
Ist sie die Macht des Todes, so besagt die Zeit der Gnade unser Leben (2.Kor 2,16). Und dies bedeutet, daß alle Glaubenden genau wie
der Apostel dort den Mund aufmachen, wo der Tod zum Überlebenden
höhnisch sagt: "Jetzt sprich du!"

188 Quint. 6,1,1: eius (= perorationis) duplex ratio est posita aut in rebus
aut in affectibus. Dazu: H.Lausberg, §§ 431-442. Die peroratio "...
enthält in der Regel eine kurze Wiederholung der bisherigen Beweisführung (recapitulatio) und einen Appell an die Affekte (z.B. Mitleid,
Entrüstung") (H.F.Plett, S.17).

189 Quint. 4,1,5; 4,1,27-28; 6,1,9: dividere igitur haec officia (perorationis) commodissimum, quae plerumque sunt, ut dixi, prooemio similia,
sed liberiora plerioraque.

190 Treffend W.Stenger, LingBibl 45 (1979) S.127f: "Die Schlußmahnung,
in der Paulus sich mit den Korinthern als mit seinen geliebten Brüdern
zusammenschließt, läßt sich schlußfolgernd auf das unmittelbar Vorhergehende, aber auch zusammenfassend auf das ganze Kapitel 15 beziehen. Noch einmal nennt Paulus nämlich in einem Imperativ das persuasive Ziel des ganzen Kapitels. Schon im ersten Vers wurde das
'Feststehen im Evangelium' herausgestellt. Diese 'Festigkeit' und
'Unverrückbarkeit' ist es, die hier als Ziel des Imperativs genannt
wird." So auch: K.G.Sandelin, S.11: "Das ganze Kapitel wird von
ἀδελφοί und ἐστήκατε | ἑδραῖοι γίνεσθε, ἀμετακίνητοι (vv.1.58) umrahmt."

191 Offensichtlich hätte sie der utilitas causae nicht gedient. Eine Parallele bei Cic., pro Mil. 92-105.

192 So: H.Conzelmann, S.345. Anders: J.Jeremias, NTS 2 (1955/56) S.
157, der v50-58 als Antwort auf die Frage v35 versteht.

193 Die peroratio kann durchaus als Exkurs gestaltet sein: ceterum res
eadem et post quaestionem perorationis vice fungitur. hanc partem
παρέκβασις vocant Graeci, Latini egressum vel egressionem (Quint.
4,3,11-12).

Zu S. 71-77

194 Die Leitaffekte des genus deliberativum sind spes und metus. Dazu: H.Lausberg, §§ 229.1224.

195 Die verschiedenen Lesarten sind analysiert bei: H.Conzelmann, S.
344 Anm.1; B.M.Metzger, S.569.

196 Aus dem apokalyptischen Sprachkatarakt fallen höchstens der "Lehr-
satz" v50 (H.Conzelmann, S.345) und die "exegetische Bemerkung"
v56 (H.Conzelmann, S.350) heraus. Dazu auch: J.Jeremias, NTS 2
(1955/56) S.157; W.Stenger, Lingbibl 56 (1979) S.125.

197 Eine schlagende Parallele für diesen Redeaufbau bietet die zweite
Eleazarrede bei Jos., bell. 7,341-388. Dazu: W.Morel, RMP 75 (1926)
S.106-114; O.Michel/O.Bauernfeind, ZNW 58 (1967) S.267-272.

198 Dazu: H.Lausberg, § 262.

199 Dies kann aber an dieser Stelle nicht mehr als eine Andeutung sein.

200 Dazu: H.Lausberg, §§ 1055-1062. Cic., de or. 21,71: ..., semperque
in omni partis orationis ut vitae, quid deceat, est considerandum;
quod et in re de qua agitur positum est, et in personis: et eorum qui
dicunt, et eorum qui audiunt.

201 Quint. 4,1,44: illud in universum praeceperim, ut ab iis, quae laedunt,
ad es, quae prosunt, refugiamus...si nihil quod nos adiuvet erit,
quaeramus quid adversarium laedat. Dazu: Chr.Neumeister, S.32.

202 Cic., de or. 2,186: amni mente in ea cogitatione curaque versor, ut
odorer quam sagacissime possim quid sentiant, quid existiment, quid
expectent, quid velint, quo deduci oratione facillume posse videantur.
Dazu: Chr.Neumeister, S.33.

203 Dazu: B.Holmberg, S.72-92.

1 H.Conzelmann, S.52

2 So: K.Barth, S.3-7.

3 R.Bultmann, Auferstehung, S.41.

4 Dazu ausführlich: W.Bujard, S.144-146.

5 So stellt H.D.Betz, Tradition, S.58 in Bezug auf 2.Kor 10,10; 11,6
fest: "So ist eher anzunehmen, daß die Gegner des Paulus diesem zusammen mit der rhetorischen Redegabe auch den Besitz der pneumatischen Redegabe abgesprochen haben." E.Käsemann, ZNW 41 (1942)
S.35 differenziert stark zwischen Brief und Rede, sodaß der Angriff
2.Kor 10,10; 11,6 im Äußerlichen bleibt: "Dem Apostel liegt vielmehr
die freie Rede nicht."

6 Die Harmonisierung zwischen 1.Kor 2,4f und 2.Kor 10,10;11,6 ist abzulehnen: Die Stellen stehen in je verschiedenen Zusammenhängen
und richten sich zudem an verschiedene Adressaten (so: H.D.Betz,
Tradition, S.57f). Neuerdings wurde diese Harmonisierung wieder
versucht von J.Zmijewski, S.121f.

7 G.Lüdemann, EvTh 40 (1980) S.437-455 versucht, die Angriffe gegen
Paulus auf einen massiven Antipaulinismus der Jerusalemer Jakobus-
gruppe zurückzuführen. Allerdings: "1.Kor 1-2 haben mit Antipaulinismus nichts zu tun, da die Träger der jeweiligen Meinung Paulus
gar nicht angegriffen haben" (S.449).

Zu S. 77-79

8 Diese Charakterisierung der Gegner jetzt auch bei H.Köster, S.555f.

9 So hatte bereits H.Windisch, S.332 geurteilt, die Gegner seien "Män-
   ner, die irgendwie noch tiefer als P. in rhetorische Dialektik einge-
   drungen waren, ..." Ihre Identifizierung mit den "Starken" wurde
   überzeugend durchgeführt von G.Theissen, EvTh 35 (1975) S.155-172.

10 R.Bultmann, Theologie, S.255.

11 R.Bultmann, Theologie, S.256f.

12 E.Stegemann, EvTh 37 (1977) S.508-535; P.v.d.Osten-Sacken, EvTh
   39 (1979) S.479-488.

13 R.Bultmann, Theologie, S.259.

14 Dazu: E.Käsemann, Ruf, S.88-93; ders., Thema, S.130: "Gerade die
   Apokalyptik des Apostels gibt der Wirklichkeit, was ihr gebührt, und
   widersteht der frommen Illusion."

15 P.v.d.Osten-Sacken, EvTh 39 (1979) S.481.

16 K.Niederwimmer, Kirche zwischen Planen und Hoffen (1972) S.18.

17 Dahinter steht die von B.Liebrucks (v.a. S.3-13) entwickelte Drei-
   strahligkeit der Semantik. Dazu: E.Heintel, Sprachphilosophie, S.
   70-79.

18 Dazu: E.Käsemann, Nichtobjektivierbarkeit, S.227-229.

19 Zu den fundamentalphilosophischen Fragen der Vermittlungsproble-
   matik: E.Heintel, Labyrinthe, S.529-608; 627-634.

20 So: E.Jüngel, S.342 unter Verweis auf Dion.Areop., ep.3 (MPG 3,1069).

21 So: G.Eichholz, S.39, der - im Gefolge von G.Bornkamm, Paulus, S.
   170f - schreibt: "Paulus bewegt sich, wenn er das Evangelium verkündigt, immer im Vorstoß in die Welt des Hörers hinein, bedient sich der
   Begriffe und Vorstellungen des Hörers, nicht ohne sie zugleich freilich
   umzuformen."

22 Insofern sich das Kerygma - aufgrund seiner Qualität als "Ereignis"
   (dazu: H.Noack, S.185-188) - der Worte im Sinne bloßer Sprachlichkeit entzieht. "Dieses 'Unbedingte' entzieht sich freilich immer zugleich
   auch. Keine Sprache wird seiner habhaft." (B.Casper, S.162).

23 Dazu: E.Jüngel, S.345; 391-393. Von daher ist es verständlich, daß
   E.Käsemann, 1.Kor 2,6-16, S.268 seine Meditation unter das Thema
   "Wahre und falsche Theologie" stellt: "Das Recht christlicher Theologie wird in unserem Abschnitt behandelt. Es wird so behandelt, daß
   einer falschen die Kennzeichen der rechten Theologie gegenüberge-
   stellt werden."

24 Die beiden Syntagmen nach R.Bultmann, Kirche, S.172f. Bultmann vertritt in dieser Untersuchung die Ansicht, daß sich Paulus zur Entwick-
   lung einer Theologie genötigt sah (und zwar in Auseinandersetzung
   mit Judentum und Gnosis, S.175) und formuliert so: "Deshalb treten
   bei Paulus das Kerygma als direkte Anrede und die Theologie als indirekte Anrede deutlich auseinander; d.h. Paulus ist wirklich Theologe.
   Symptomatisch wird das dadurch bezeichnet, daß das Kerygma Torheit
   ($\mu\omega\rho\acute{\iota}\alpha$) bringt, die nur paradox als Weisheit ($\sigma o\varphi\acute{\iota}\alpha$, nämlich von Gott
   her) ist, während die Theologie direkt Weisheit ($\sigma o\varphi\acute{\iota}\alpha$) vorträgt (1.Kor
   1-4)."

Zu S. 79-80

25 Dieses Mißverständnis liegt m.E. bei E.Jüngel, Paulus, S.267 vor,
    wenn er schreibt: "Dieser Zwang zur Interpretation nötigte Paulus
    dazu, eine Theologie zu entwerfen, so daß er gleichzeitig zu verkün-
    digen und zu interpretieren hatte." Jüngel widerspricht dem auf der-
    selben Seite, wenn er die Entstehung der Theologie nicht dem "Zwang
    zur Interpretation", sondern der Denkverpflichtung des Glaubens
    selbst zuschreibt: "Der Glaube brauchte eine Theologie. Denn er gab
    zu denken. Dieser Denkverpflichtung hat sich Paulus gestellt."

26 G.Ebeling, Kerygma, S.521.

27 G.Ebeling, Kerygma, S.519.

28 G.Ebeling, Kerygma, S.520.

29 So R.Bultmann, Kirche, S.172: "Im Kerygma ist also 'Theologie' als
    theoretische Besinnung des Menschen über sein Vor-Gott-gestellt-sein
    angelegt." S.186: "Im Kerygma ist eine Theologie begründet, die als
    kritisch-polemische Lehre je nach den Erfordernissen explizit werden
    muß, ...".

30 Wieder R.Bultmann, Kirche, S.186: "Da aber das Kerygma selbst sich
    immer nur in der Begrifflichkeit menschlichen Redens ausspricht, ist
    wohl grundsätzlich genau zwischen Kerygma und Theologie zu unter-
    scheiden, nicht aber ebenso praktisch; d.h. es läßt sich nie eindeu-
    tig sagen, was das Kerygma ist, wieviel und welche Sätze es umfaßt."
    So auch: L.Goppelt, S.365f. Von der Sache her stellt sich hier das
    Problem von Gesetz und Evangelium, worauf G.Ebeling, Wort Gottes,
    S.327f (Anm.15) aufmerksam gemacht hat.

31 R.Bultmann, Kirche, S.186.

LITERATUR

1. Quellen

a) Papyri und Inschriften

1 PAmh = B.P.Grenfell/A.S.Hunt (edd.), The Amherst Papyri, 2 Bde, London 1900-1901

2 PBad = F.Bilabel (ed.), Veröffentlichungen aus den badischen Papyrussammlungen, Heft 2, Heidelberg 1923, Heft 4, Heidelberg 1924

3 BGU = Ägyptische Urkunden aus den Museen zu Berlin, hrsg. von der Generalverwaltung: Griechische Urkunden, 8 Bde, Berlin 1895-1933

4 PBrem = U.Wilckens (ed.), Die Bremer Papyri, Bremen 1936

5 PCairoZen = C.C.Edgar (ed.), Zenon Papyri, 5 Bde, Kairo 1925-1940 (reprint Hildesheim 1971)

6 PFlor = G.Vitelli/D.Comparetti (edd.), Papiri Fiorentini, 3 Bde, Florenz 1906-1915

7 PGieß = O.Eger/E.Kornemann/P.M.Meyer (edd.), Griechische Papyri im Museum des Oberhessischen Geschichtsvereins zu Gießen, Bd 1 Heft 1-3, Leipzig-Berlin 1910-1912

8 PGrenf = B.P.Grenfell/A.S.Hunt (edd.), New Classical Fragments and Other Greek and Latin Papyri, Oxford 1897

9 PHamb = B.Snell (ed.), Griechische Papyri der Hamburger Staats- und Universitätsbibliothek, Hamburg 1954

10 PLond = F.G.Kenyon/H.I.Bell (edd.), Greek Papyri in the British Museum, 5 Bde, London 1893-1917

11 PMert = A Descriptive Catalogue of the Greek Papyri in the Collection of Wilfried Merton, Bd 1 (ed.: H.I.Bell/C.H.Roberts) London 1948, Bd 2 (edd.: B.R.Rees/H.I.Bell/J.W.B.Barns) Dublin 1959, Bd 3 (ed.: J.D.Thomas) London 1967

12 PMich = Papyri in the University of Michigan Collection, Bd 1: Zenon Papyri (ed. C.C.Edgar), Bd 2-3: Miscellaneous Papyri (ed. J.G.Winter), Ann Arbor 1931-1936

13 POxy = B.P.Grenfell/A.S.Hunt (edd.), The Oxyrhynchus Papyri, Bd 1ff, London 1898ff

14 PPar = B.de Presle (ed.), Notices et Textes des Papyrus grecs du Musée du Louvre et de la Bibliothèque Impériale, Notices et extraits des manuscripts de la Bibliothèque Impériale 18/2, Paris 1865

15 PRyl = A.S.Hunt u.a. (edd.), Catalogue of the Greek Papyri in the John Rylands Library, 4 Bde, Manchester 1911-1952

16 PSI   = G.Vitelli/M.Norza/V.Bartoletti u.a. (edd.), Papiri greci
              e latiini, Pubbl. della Soc.It. per la recerca dei Papiri
              greci e latini in Egitto, 14 Bde, Florenz 1912-1954
17 PStraßb   = F.Preisigke (ed.), Griechische Papyrus der Universitäts-
              und Landesbibliothek zu Straßburg, 2 Bde, Straßburg
              1906-1920; weitergeführt durch: P.Collomp/J.Schwartz
              u.a. (edd.), Papyrus grecs de la Bibliothèque Nationale
              et Universitaire des Strasbourg, Paris 1948-1963
18 PTebt   = B.P.Grenfell/A.S.Hunt u.a. (edd.), The Tebtunis Pa-
              pyri, 3 Bde, London 1902-1933
19 A.Deißmann, Licht vom Osten, Tübingen 1923 (4.Aufl.)
20 W.Dittenberger (ed.), Orientis Graeci Inscriptiones Selectae, 2 Bde,
              Leipzig 1903-1905 (Reprint Hildesheim 1960)
21 ders.,   Sylloge Inscriptionum Graecorum, 4 Bde, Leipzig 1921-
              1924 (4.Aufl.) (Reprint Hildesheim 1960)

b) Griechische und lateinische Schriftsteller

22 Anonymus, Ars rhetorica, ed.L.Spengel, Rhetores Graeci, Bd 1
              (cur. C.Hammer), Leipzig 1894, S.352ff
23 Apsinos, Ars rhetorica, ed.L.Spengel, Rhetores Graeci, Bd 1,
              (cur. C.Hammer), Leipzig 1894, S.217ff
24 Apulei Platonici Madaurensis Metamorphoseon libri XI, ed. R.Helm,
              BT, Leipzig 1907 (Reprint 1955)
25 Aristophanis Comoediae, edd. F.W.Hall/W.M.Geldart, OCT, Oxford,
              Bd 1 1906 (2.Aufl) (Reprint 1960), Bd 2 1907 (2.Aufl.)
              (Reprint 1959)
26 Aristotelis Opera, ed. I.Bekker (cur. O.Gigon), 5 Bde, Berlin 1960
              (2.Aufl.)
27 Aristoteles, Ars rhetorica, ed. W.D.Ross, OCT, Oxford 1959
28 Aristoteles, Ethica Nicomachea, ed. I.Bywater, OCT, Oxford 1970
29 Aristoteles, Fragmenta, ed. E.Diehl, Anthologia Lyrica Graeca,
              fasc.1, BT, Leipzig 1922 (Reprint 1954), S.115ff
30 M.T.Ciceronis Scripta quae manserunt omnia, ed. F.Marx u.a.,
              48 Bde, BT, Leipzig 1914-1934
31 De ratione dicendi ad C.Herennium, ed. H.Çaplan, LCL, London-
              Cambridge 1954
32 Curtius Rufus, De gestis Alexandri Magni/ Geschichte Alexanders
              des Großen, edd. u. übers. K.Müller/H.Schönfeld,
              TB, München 1954
33 Demetrios, De elocutione, ed. L.Radermacher, BT, Leipzig 1901
34 Demetrius, On Style, ed. W.R.Roberts, LCL, London-Cambridge 1953
35 Ps.-Demetrios, Formae epistolicae, edd. R.Foerster/E.Richtsteig
              (= Libanios, ed. R.Foerster, Bd 9), BT, Leipzig 1927
36 Diodorus Siculus, ed. C.H.Oldfather u.a., 12 Bde, LCL, London-
              Cambridge 1957-1967 (Bd 1-7.9.10. Reprint der Aufla-
              ge 1933-1954)
37 Diogenes Laertius, De clarorum philosophorum vitis, ed. R.D.Hicks,
              2 Bde, LCL, London-Cambridge 1925 (Reprint 1958-1959)

38 Dionysius Halicarnassus, Ars rhetorica, edd. H.Usener/L.Raderma-
       cher, BT, Leipzig 1899-1929
39 Epiktet, Dissertationes ab Arriano digestae, ed. H.Schenkl, Accedunt
       fragmenta. Enchiridion. Ex recensione Schweighaeuseri.
       Gnomologiorum Epicteteorum reliquiae, BT, Leipzig 1916
       (2.Aufl.) (Reprint Stuttgart 1965)
40 Euripides, Opera, ed. G.Murray, 3 Bde, OCT, Oxford 1902 (Re-
       print 1954)
41 Euripides, Fragmenta, ed. B.Snell, Tragicorum Graecorum Fragmenta
       (ed. A.Nauck, BT, Leipzig 1889), Hildesheim 1964, S.
       1023ff
42 C.Chirii Fortunatiani artis rhetoricae libri III, ed. C.Halm, Rhetores
       Latini minores, BT, Leipzig 1863 (Reprint Frankfurt/Main
       1964), S.79ff
43 Herakleitos, Fragmenta, edd. H.Diels/W.Kranz, Die Fragmente der
       Vorsokratiker, Bd 1, Zürich-Berlin 1964 (11.Aufl.),
       S.139ff
44 Hermogenis opera, ed. H.Rabe, Rhetores Graeci, Bd 6, BT, Leipzig
       1913
45 Isokrates, Orations and Letters, 3 Bde, LCL, Bd 1.2. ed. G.Norlin,
       London-Cambridge 1928-1929 (Reprint 1961-1962), Bd 3
       ed. L.VanHook, London-Cambridge 1945 (Reprint 1961)
46 Joseph Rhakendytes, De sermone, ed. Ch.Walz, Rhetores Graeci,
       Bd 3, Stuttgart-Tübingen 1832, S.558ff
47 C.Iulius Victor, Ars rhetorica, ed. C.Halm, Rhetores latini minores,
       BT, Leipzig 1863 (Reprint Frankfurt/Main 1964), S.371ff
48 Libanios, edd. R.Foerster/E.Richtsteig, 9 Bde, BT, Leipzig 1903-1927
49 Titus Livius, Ab urbe condita librorum periochae, edd. R.S.Conway/
       C.F.Walter/S.J.Johnson, 4 Bde, OCT, Oxford 1914-1934
       (Reprint 1955-1960)
50 Lucian's opera, ed. A.M.Harmon, 8 Bde, LCL, London-Cambridge
       1913-1967
51 Marcus Aurelius Antoninus, The Communings with himself, ed.
       C.R.Haines, LCL, London-Cambridge 1916 (Reprint 1961)
52 Maximus Tyrus, Philosophoumena, ed. H.Holbein, BT, Leipzig 1910
53 Menandri reliquiae selectae, ed. F.H.Sandbach, OCT, Oxford 1972
       (Reprint 1976)
54 P.Ovidius Naso, Tristia. Ex Ponto, ed. A.L.Wheeler, LCL, London-
       Cambridge 1924
55 P.Ovidius Naso, Tristia, ed., übers.u.erkl. von G.Luck, 2 Bde,
       Heidelberg 1967-1977
56 Philostratus Flavius, Vita soph., ed. W.C.Wright, LCL, London-
       Cambridge 1922
57 Platonis opera, ed. J.Burnet, 5 Bde, OCT, Oxford 1900-1907 (Re-
       print 1958-1959)
58 C.Plinius Caecilius Secundus, Epistulae, ed. E.T.Merill, BT, Leip-
       zig 1922

59 Plutarch's Moralia, ed. F.C.Babbitt u.a., 15 Bde, LCL, London-
        Cambridge 1927-1969
60 Plutarch, De Iside et Osiride, ed. J.G.Griffiths, Cambridge 1970
61 Ps.-Proklos, edd. R.Foerster/E.Richtsteig (= Libanios, ed. R.Foer-
        ster, Bd 9), BT, Leipzig 1927
62 M.Fabius Quintilianus, Institutio oratoria, ed. L.Radermacher,
        2 Bde, BT, Leipzig 1907-1935 (Reprint 1959 cur. V.Buch-
        heit)
63 Iulii Rufiniani de figuris sententiarum et elocutione liber, ed. C.Halm,
        Rhetores Latini minores, BT, Leipzig 1863 (Reprint Frank-
        furt/Main 1964), S.38ff
64 L.Annaeus Seneca, Epistulae morales, ed. O.Hense, Freiburg 1914
        (3.Aufl.)
65 L.Annaeus Seneca, Moral Essays, ed. J.W.Basore, 3 Bde, LCL,
        London-Cambridge 1928-1935 (Reprint 1958)
66 Sextus Empiricus, edd. H.Mutschmann/J.Mau/K.Janacek, BT, Leip-
        zig 1914-1961
67 Xenophon, Opera omnia, ed. E.C.Marchant, 5 Bde, OCT, Oxford
        1900-1920 (Reprint 1961-1963)

c) Jüdische und christliche Literatur

68 Die Apokryphen und Pseudepigraphen des Alten Testament, ed.
        E.Kautzsch u.a., 2 Bde, Hildesheim 1962
69 Neutestamentliche Apokryphen in deutscher Übersetzung, edd.
        E.Hennecke/W.Schneemelcher, Bd 1: Evangelien, Tübin-
        gen 1968 (4.Aufl.), Bd 2: Apostolisches, Apokalypsen
        und Verwandtes, Tübingen 1970 (3.Aufl.)
70 Acta Apostolorum Apocrypha, edd. R.A.Lipsius/M.Bonnet, Bd II/2:
        Acta Philippi et Acta Thomae, Leipzig 1903 (reprint Hil-
        desheim 1959)
71 Die Apostolischen Väter, edd. F.X.Funk/K.Bihlmeyer, Tübingen 1970
        (3.Aufl.)
72 Didascalia et Constitutiones Apostolorum, 2 Bde, ed. F.X.Funk, Pa-
        derborn 1905
73 Philon, Opera, edd. L.Cohn/P.Wendland, 7 Bde, Berlin 1896-1930
74 Flavius Josephus, Opera, ed. B.Niese, 7 Bde (Bd 6 zus. mit J.A.De-
        stinon), Berlin 1955 (2.Aufl.)
75 Flavius Josephus, De Bello Judaico, edd.u.übers. O.Michel/O.Bauern-
        feind, 2 Bde, Darmstadt 1959-1963
76 Das Evangelium nach Philippos, ed. W.Till, PTS 2, Berlin 1963
77 Corpus Hermeticum, edd. A.D.Nock/A.-J.Festugiere, Bd 1-2 Paris
        1960 (2.Aufl.), Bd 3-4 Paris 1954
78 Hippolyt, Refutatio omnium haeresium, Bd 3, ed. P.Wendland, GCS 26,
        Leipzig 1916
79 Ambrosiaster, Commentarius in epistulas Paulinas, ed. H.I.Vogels,
        2 Bde, CSEL 81/1-2, Wien 1966-1968
80 Aurelius Augustinus, De doctrina christiana, ed. J.Martin, CChr.
        SL 32, Turnhout 1962

81 M.Minucius Felix, Octavius, ed. B.Kytzler, München 1965
82 Isidori Hispalensis episcopi etymologiarum sive originum libri XX,
          ed. M.W.Lindsay, 2 Bde, Oxford 1911
83 Basileios, Epistulae, ed. Y.Courtonne, 3 Bde, Paris 1957-1966
84 Gregorius von Nyssa, Epistulae, ed. G.Pasquali (= Gregorii Nysseni
          opera, ed. W.Jaeger, Bd 8/2), Leiden 1959 (2.Aufl.)
85 Gregorius von Nazianz, Epistulae, ed. P.Gallay, 2 Bde, Paris
          1964-1967
86 Synesios, Epistulae, ed. R.Hercher, Paris 1873

2. Sekundärliteratur

87 Th.W.Adorno, Negative Dialektik, Frankfurt/Main 1975 (5.Aufl.)
88 M.v.Albrecht, Das Prooemium von Ciceros Rede pro Archia poeta
          und das Problem der Zweckmäßigkeit der argumentatio extra
          causam, Gym 76 (1969) S.419-429
89 E.-B.Allo, Saint Paul. Première Epître aux Corinthiens, Paris 1966
          (2.Aufl.)
90 K.-O.Apel, Die Idee der Sprache in der Tradition des Humanismus
          von Dante bis Vico, Archiv für Begriffsgeschichte 8, Bonn
          1963
91 S.Arai, Die Gegner des Paulus im I.Korintherbrief und das Problem
          der Gnosis, NTS 19 (1973) S.430-437
92 M.Bachmann, Zur Gedankenführung in 1.Kor 15,12ff, ThZ 34 (1978)
          S.265-276
93 K.E.Bailey, Recovering the poetic structure of 1 Cor 1,17-2,2,
          NT 17 (1975) S.265-296
94 W.Baird, Among the Mature. The Idea of Wisdom in I Corinthians
          2,6, Interp. 13 (1959) S.425-432
95 E.Bammel, Herkunft und Funktion der Traditionselemente in 1.Kor
          15,1-11, ThZ 11 (1955) S.401-419
96 W.Barner, Barockrhetorik, Tübingen 1970
97 C.K.Barrett, Cephas and Corinth, in: FS O.Michel, Leiden-Köln
          1963, S.1-12
98 K.Barth, Die Auferstehung der Toten, München 1924
99 G.Barth, Erwägungen zu 1.Kor 15,20-28, EvTh 30 (1970) S.515-527
100 H.W.Bartsch, Die Argumentation des Paulus in I Cor 15,3-11, ZNW
          55 (1964) S.261-274
101 R.Baumann, Mitte und Norm des Christlichen. Eine Auslegung von
          1.Kor 1,1-3,4, NTA 5, Aschaffenburg 1968
102 J.Becker, Auferstehung der Toten im Urchristentum, SBS 82, Stutt-
          gart 1976
103 H.Belke, Literarische Gebrauchsformen, Düsseldorf 1973
104 P.Benoit, Seneque et Saint Paul, RB 53 (1946) S.7-35
105 H.-D.Betz, Nachfolge und Nachahmung Jesu Christi im Neuen Testa-
          ment, BHTh 37, Tübingen 1967
106 -, Der Apostel Paulus und die sokratische Tradition, BHTh 45, Tü-
          bingen 1972

107 H.-D.Betz, The Literary Composition and Function of Paul's Letter
    to the Galatians, NTS 21 (1975) S.353-379

108 K.Berger, Apostelbrief und apostolische Rede. Zum Formular früh-
    christlicher Briefe, ZNW 65 (1974) S.190-231

109 -, Exegese des Neuen Testaments, UTB 658, Heidelberg 1977

110 C.J.Bjerkelund, Parakalô. Form, Funktion und Sinn der parakalô-
    Sätze in den paulinischen Briefen, BTN 1, Oslo 1967

111 H.Böhlig, Die Geisteskultur von Tarsos im augusteischen Zeitalter,
    FRLANT 19, Göttingen 1913

112 A.Bonhöffer, Epiktet und das Neue Testament, Gießen 1911

113 J.Bonsirven, Exégèse rabbinique et exégèse Paulinienne, 1939

114 G.Bornkamm, Paulus, Stuttgart 1977 (3.Aufl.)

115 W.Bousset, Der erste Brief an die Korinther, SNT 2, Göttingen
    1917 (3.Aufl.)

116 D.V.Bradley, The 'Topos' as a form in the Pauline paraenesis,
    JBL 72 (1953) S.238-246

117 H.Braun, Das "Stirb und Werde" in der Antike und im Neuen Te-
    stament, in: Gesammelte Studien zum Neuen Testament und
    seiner Umwelt, Tübingen 1971 (3.Aufl.), S.136-158

118 -, Exegetische Randglossen zum 1.Korintherbrief, in: Gesammelte
    Studien zum Neuen Testament und seiner Umwelt, Tübingen
    1971 (3.Aufl.), S.178-204

119 P.Brang, A.I.Beleckijs "Theorie der Leserrezeption", IASL 2
    (1977) S.40-55

120 T.G.Bucher, Die logische Argumentation in 1.Korinther 15,12-20,
    Bibl 55 (1974) S.465-486

121 V.Buchheit, Untersuchungen zur Theorie des Genos Epideiktikon
    von Gorgias bis Aristoteles, München 1960

122 K.Bühler, Die Axiomatik der Sprachwissenschaften, Frankfurt/Main
    1969

123 W.Bujard, Stilanalytische Untersuchungen zum Kolosserbrief, StUNT
    11, Göttingen 1973

124 R.Bultmann, Der Stil der paulinischen Predigt und die stoisch-
    kynische Diatribe, FRLANT 13, Göttingen 1910

125 -, Art.: δηλόω, ThWNT II, S.60-61

126 -, Kirche und Lehre im Neuen Testament, in: Glaube und Verstehen,
    Bd 1, Tübingen 1972 (7.Aufl.), S.153-187 ·

127 -, Karl Barth, "Die Auferstehung der Toten", in: a.a.O., S.38-64

128 -, Der zweite Brief an die Korinther, ed. E.Dinkler, KEK Sonder-
    band, Göttingen 1976

129 -, Theologie des Neuen Testaments, UTB 630, Tübingen 1977
    (7.Aufl.)

130 Chr.Burchard, Εἰ nach einem Ausdruck des Wissens oder Nichtwis-
    sens. Joh 9,25; Act 19,2; 1 Cor 1,16; 7,16; ZNW 52 (1962)
    S.73-81

131 -, Fußnoten zum neutestamentlichen Griechisch, ZNW 61 (1970)
    S.157-171

132 E.Brandenburger, Adam und Christus. Exegetisch-religionsgeschicht-
liche Untersuchung zu Röm 5,12-21 (1 Kor 15), WMANT 7,
Neukirchen 1962

133 H.v.Campenhausen, Kirchliches Amt und geistliche Vollmacht in den
ersten drei Jahrhunderten, BHTh 14, Tübingen 1953

134 H.Cancik, Untersuchungen zu Senecas Epistulae Morales, Spudasma-
ta 18, Hildesheim 1967

135 B.Casper, Sprache und Theologie. Eine philosophische Hinführung,
Freiburg-Basel-Wien 1975

136 C.J.Classen, Cicero Pro Cluentio 1-11 im Lichte der rhetorischen
Theorie und Praxis, RMP 108 (1965) S.104-142

137 H.Conzelmann, Zur Analyse der Bekenntnisformel 1 Kor 15,3-5,
EvTh 25 (1965) S.1-11

138 -, Der erste Brief an die Korinther, KEK V, Göttingen 1969 (11.Aufl.)

139 -/A.Lindemann, Arbeitsbuch zum Neuen Testament, UTB 52, Tübingen 1975

140 R.Cornely, Commentarius in S.Pauli Apostoli Epistolas. II Prior
Epistola ad Corinthios, Paris 1890

141 C.E.Cranfield, A Commentary on Romans 12-13, SJTh.OP 12, 1965

142 N.A.Dahl, Paul and the Church at Corinth according to I Corinthians
1-4, in: FS J.Knox, Cambridge 1967, S.313-335

143 D.Daube, Paul and Rabbinic Judaisme, London 1955

144 A.Deißmann, Bibelstudien, Marburg 1895

145 -, Licht vom Osten, Tübingen 1923 (4.Aufl.)

146 -, Paulus, Tübingen 1925 (2.Aufl.)

147 N.W.deWitt, St.Paul and Epicurus, Minneapolis 1956

148 E.Dhanis (ed.), Resurrexit. Actes du symposium international sur
la Resurrection de Jesus (Rome 1970), Rom 1974

149 M.Dibelius, Die Reden der Apostelgeschichte und die antike Ge-
schichtsschreibung, in: Aufsätze zur Apostelgeschichte,
Göttingen 1957 (3.Aufl.), S.120-162

150 E.Dinkler, Art.: Korintherbriefe, RGG IV (3.Aufl.), Sp.17-23

151 -, Zum Problem der Ethik bei Paulus, ZThK 49 (1952) S.167-200

152 E.v.Dobschütz, Die urchristlichen Gemeinden, Leipzig 1902

153 W.Döllstädt, Griechische Papyrusbriefe in gebildeter Sprache aus den
ersten vier Jahrhunderten nach Christus, Jena 1934

154 K.-P.Donfried, False Presuppositions in the Study of Romans, in:
K.-P.Donfried (ed.), The Romans Debate, Minneapolis 1977,
S.120-148

155 J.Dubois, Allgemeine Rhetorik, Pragmatische Texttheorie 2, München
1974

156 G.Ebeling, Wort Gottes und Hermeneutik, in: Wort und Glaube, Bd 1,
Tübingen 1967 (3.Aufl.), S.319-348

157 -, Kerygma, in: Wort und Glaube, Bd 3, Tübingen 1975, S.515-521

158 G.Eichholz, Die Theologie des Paulus im Umriß, Neukirchen 1972

159 W.Eisenhut, Einführung in die antike Rhetorik und ihre Geschichte,
Darmstadt 1977

160 E.E.Ellis, 'Weisheit' und 'Erkenntnis' im 1.Korintherbrief, in: FS
         W.G.Kümmel, Göttingen 1975, S.109-128

161 F.X.Exler, The Form of the Ancient Greek Letter, Washington DC 192

162 B.Farrington, The Faith of Epicurus, London 1967

163 L.Fischer, Rhetorik, in: H.L.Arnold/V.Sinemus (edd.), Grundzüge
         der Literatur- und Sprachwissenschaft, München 1974 (2.Aufl.),
         S.134-156

164 J.M.Ford, Rabbinic Humour behind the Baptism for the Dead (1 Cor.
         XV.29), TU 102 (1968) S.400-403

165 J.C.K.Freeborn, The Eschatology of 1 Corinthians 15, TU 87 (1964)
         S.557-568

166 E.Fuchs, Muß man an Jesus glauben, wenn man an Gott glauben will?
         ZThK 58 (1961) S.45-67

167 H.-N.Fügen, Wege der Literatursoziologie, Soziologische Texte 46,
         Neuwied-Berlin 1971 (2.Aufl.)

168 R.H.Fuller, The Formation of the Resurrection Narratives, New
         York 1971

169 H.-G.Gadamer, Wahrheit und Methode. Grundzüge einer philosophi-
         schen Hermeneutik, Tübingen 1975 (4.Aufl.)

170 -, Rhetorik, Hermeneutik und Ideologiekritik, in: Kleine Schriften,
         Bd 1, Tübingen 1967, S.113-130

171 B.E.Gärtner, The Pauline and Johannine Idea of 'to know God' against
         the Hellenistic Background, NTS 14 (1967/68) S.209-231

172 S.M.Gilmour, The Christophany to More than Five Hundred Brethren,
         JBL 80 (1961) S.248-252

173 -, Easter and Pentecost, JBL 81 (1962) S.62-66

174 O.Glombitza, Gnade - das entscheidende Wort, NT 2 (1958) S.281-290

175 L.Goldmann, Dialektische Untersuchungen, Neuwied-Berlin 1966

176 -, Soziologie des modernen Romans, Neuwied-Berlin 1970

177 L.Goppelt, Theologie des Neuen Testaments, Bd 2: Vielfalt und Ein-
         heit des apostolischen Christuszeugnisses, Göttingen 1976

178 H.Grass, Ostergeschehen und Osterberichte, Göttingen 1962 (2.Aufl.)

179 G.Grimm, Rezeptionsgeschichte, IASL 2 (1977) S.144-186

180 E.Güttgemanns, Χριστός in 1.Kor 15,3b - Titel oder Eigenname?,
         EvTh 28 (1968) S.533-554

181 J.Habermas, Der Universalitätsanspruch der Hermeneutik, in: Her-
         meneutik und Ideologiekritik, Frankfurt/Main 1975, S.120-159

182 I.Hadot, Seneca und die griechisch-römische Tradition der Seelen-
         leitung, Berlin 1969

183 A.v.Harnack, Die Verklärungsgeschichte Jesu, der Bericht des Pau-
         lus I Cor 15,3ff und die beiden Christusvisionen des Petrus,
         SB Berlin AK.W, Berlin 1922

184 S.Heine, Leibhafter Glaube, Freiburg-Basel-Wien 1976

185 G.Heinrici, Der erste Brief an die Korinther, KEK V, Göttingen 1896
         (8.Aufl.)

186 E.Heintel, Die beiden Labyrinthe der Philosophie, Überlieferung und
         Aufgabe VI, München-Wien 1968

187 -, Einführung in die Sprachphilosophie, Darmstadt 1972

188 R.Hercher, Epistolographi Graeci, Paris 1873
189 W.Heitmüller, Zum Problem Paulus und Jesus, ZNW 13 (1912) S.320-337
190 J.Hennig/L.Huth, Kommunikation als Problem der Linguistik, Göttin-
         gen 1975
191 J.Hermand, Synthetisches Interpretieren, München 1968
192 B.L.Hijmans, Inlaboratorus ac facilis. Aspects of Structure in Some
         Letters of Seneca, Mnemosyne Suppl.38, Leiden 1976
193 O.Hofius, Das Zitat 1 Kor 2,9 und das koptische Testament des Jakob,
         ZNW 66 (1975) S.140-142
194 F.R.M.Hitchcock, Who are 'the people of Chloe' in I Cor I 11? JThS
         25 (1923) S.163-167
195 P.Hoffmann, Die Toten in Christus. Eine religionsgeschichtliche und
         exegetische Untersuchung zur paulinischen Eschatologie, Mün-
         ster 1966
196 M.Hofmann, Antike Briefe, München 1935
197 K.-M.Hofmann, Philema Hagion, Gütersloh 1938
198 W.J.Hollenweger, Konflikt in Korinth. Memoiren eines alten Mannes.
         Zwei narrative Exegesen zu 1.Korinther 12-14 und Ezechiel 37,
         KT 31, München 1978
199 B.Holmberg, Paul and Power. The Structure of Authority in the Pri-
         mitive Church as reflected in the Pauline Epistles, CB.NT 11,
         Gleerup 1978
200 C.Holsten, Das Evangelium des Paulus, Berlin 1880
201 H.Holzer, Kommunikationssoziologie, Reinbek 1973
202 M.D.Hooker, 'Beyond the Things Which are Written': An Examination
         of I Cor IV.6, NTS 10 (1963/64) S.127-132
203 M.v.d.Hout, Studies in Early Greek Letter-Writing, Mnemos 4 (1949)
         S.19-41.138-153
204 N.Hugede, Saint Paul et la culture grecque, Genf 1966
205 H.Hunger, Die hochsprachliche profane Literatur der Byzantiner,
         HKAW V/1, München 1978
206 J.C.Hurd, The Origin of I Corinthians, London 1965
207 U.Jaeggi, Literatursoziologie, in: H.L.Arnold/V.Sinemus (edd.),
         Grundzüge der Literatur- und Sprachwissenschaft, München
         1973, S.397-412
208 W.A.Jennrich, Classical Rhetoric in the New Testament, CJ 44 (1948/
         49) S.30-32
209 J.Jeremias, 'Flesh and Blood cannot inherit the Kingdom of God'
         (I Cor. XV.50), in: Abba. Studien zur neutestamentlichen Theo-
         logie und Zeitgeschichte, Göttingen 1966, S.298-307
210 -, Die Abendmahlsworte Jesu, Göttingen 1967 (4.Aufl.)
211 -, Artikelloses Χριστός. Zur Ursprache von I Cor 15,3b-5, ZNW 57
         (1967) S.211-215
212 -, Nochmals: Artikelloses Χριστός in 1.Kor 15,3b, ZNW 60 (1969)
         S.214-219
213 W.Iser, Der implizite Leser, UTB 163, München 1972
214 -, Der Akt des Lesens, UTB 636, München 1976

215 E.A.Judge, Christliche Gruppen in nichtchristlicher Gesellschaft, Neue Studienreihe 4, Wuppertal 1964

216 -, St Paul and classical Society, JAC 15 (1972) S.19-36

217 E.Jüngel, Paulus und Jesus, Tübingen 1972 (4.Aufl.)

218 -, Gott als Geheimnis der Welt, Tübingen 1978 (3.Aufl.)

219 I.Kant, Kritik der Urteilskraft, Werke in 6 Bänden, Bd 4, ed. W.Weischedel, Darmstadt 1970

220 G.Karlsson, Formelhaftes in den Paulusbriefen, ErJB 54 (1956) S.138ff

221 E.Käsemann, Leib und Leib Christi. Eine Untersuchung zur paulinischen Begrifflichkeit, BHTh 9, Tübingen 1933

222 -, Die Legitimität des Apostels Paulus, ZNW 41 (1942) S.33-71; jetzt in: K.H.Rengstorf (ed.), Das Paulusbild in der neueren Forschung, Darmstadt 1964, S.475-521

223 -, Anliegen und Eigenart der paulinischen Abendmahlslehre, in: Exegetische Versuche und Besinnungen, Bd 1, Göttingen 1970 (6.Aufl.), S.11-33

224 -, Zum Thema der Nichtobjektivierbarkeit, in: a.a.O., S.224-236

225 -, 1.Korinther 2,6-16, in: a.a.O., S.276-280

226 -, Zum Thema der urchristlichen Apokalyptik, in: Exegetische Versuche und Besinnungen, Bd 2, Göttingen 1970 (3.Aufl.), S.105-130

227 -, Gottesgerechtigkeit bei Paulus, in: a.a.O., S.181-193

228 -, Der Ruf der Freiheit, Tübingen 1972 (5.Aufl.)

229 -, An die Römer, HNT 8a, Tübingen 1974 (3.Aufl.)

230 -, Einführung zu: F.Chr.Baur, Die Christuspartei in der korinthischen Gemeinde, Ausgewählte Werke in Einzelausgaben, Bd 1, ed. K.Scholder, Stuttgart-Bad Cannstatt 1963

231 G.Kennedy, The Art of Persuasion in Greece, Princeton 1963

232 -, The Present State of the Study of Ancient Rhetoric, CP 70 (1975) S.278-282

233 G.Kittel, Art.: θέατρον – θεατρίζομαι, ThWNT III, S.42-43

234 B.Klappert, Zur Frage des semitischen oder griechischen Urtextes von 1.Kor.XV.3-5, NTS 13 (1966/67) S.168-173

235 R.Knopf, Über die soziale Zusammensetzung der ältesten heidenchristlichen Gemeinden, ZThK 10 (1900) S.325-348

236 H.Köster, Einführung in das Neue Testament, Berlin-New York 1980

237 E.Kohn-Bramstedt, Probleme der Literatursoziologie, NJWJ 7 (1931) S.719-731

238 J.Kopperschmidt, Allgemeine Rhetorik. Einführung in die Theorie der Persuasiven Kommunikation, Stuttgart 1973

239 H.Koskenniemi, Studien zur Idee und Phraseologie des griechischen Briefes bis 400 n.Chr., Helsinki 1957

240 W.Kroll, Art.: Rhetorik, RECA Suppl. 7, Sp.1039-1138

241 W.G.Kümmel, Einleitung in das Neue Testament, Heidelberg 1973 (17.Aufl.)

242 O.Kuss, Die Briefe an die Römer, Korinther und Galater, RNT 6, Regensburg 1940

243 H.Lausberg, Handbuch der literarischen Rhetorik, 2 Bde, Mün-
         chen 1973 (2.Aufl.)

244 A.Legault, 'Beyond the Things which are written' (I Cor. IV.6),
         NTS 18 (1971/72) S.227-230

245 G.Lepschy, Die strukturale Sprachwissenschaft. Eine Einführung,
         München 1969 (2.Aufl.)

246 A.Lesky, Geschichte der griechischen Literatur, Bern-München
         1971 (3.Aufl.)

247 B.Liebrucks, Sprache und Bewußtsein, Bd 1, Frankfurt/Main 1964

248 H.Lietzmann, Geschichte der Alten Kirche, Bd 1, Berlin 1953
         (2.Aufl.)

249 -, An die Korinther I/II, HNT 9, Tübingen 1969 (5.Aufl.)

250 E.Lohmeyer, Die Briefe an die Philipper, an die Kolosser und an
         Philemon, KEK IX, Göttingen 1964 (13.Aufl.)

251 G.Luck, Brief und Epistel in der Antike, Das Alterum 7 (1961)
         S.77-84

252 G.Lüdemann, Zum Antipaulinismus im frühen Christentum, EvTh
         40 (1980) S.437-455

253 D.Lührmann, Das Offenbarungsverständnis bei Paulus und in den
         paulinischen Gemeinden, WMANT 16, Neukirchen 1965

254 W.Lütgert, Freiheitspredigt und Schwarmgeister in Korinth,
         BFchTh 12 Heft 3, Gütersloh 1908

255 M.Luther, D.Martin Luthers Werke, Kritische Gesamtausgabe,
         Tischreden, Bd 1, Weimar 1912

256 U.Luz, Das Geschichtsverständnis des Paulus, BEvTh 49, München
         1968

257 A.J.Malherbe, The Beasts at Ephesus, JBL 87 (1966) S.71-80

258 H.I.Marrou, Geschichte der Erziehung im klassischen Altertum,
         Freiburg-München 1957

259 A.Marth, Die Zitate des Heiligen Paulus aus der Profanliteratur,
         ZKTh 37 (1913) S.889-894

260 J.Martin, Antike Rhetorik, HKAW II/3, München 1974

261 W.Marxsen, Einleitung in das Neue Testament, Gütersloh 1964

262 G.Maurach, Der Bau von Senecas Epistulae Morales, Heidelberg 1970

263 H.Mayer, Rhetorik und Propaganda, in: FS G.Lukacs, Neuwied-Ber-
         lin 1965, S.119-131

264 W.A.Meeks (ed.), Soziologie des Urchristentums, Theol.Bücherei 62,
         München 1979

265 B.M.Metzger, A Textual Commentary on the Greek New Testament,
         Princeton NY 1971

266 E.Meyer, Ursprung und Anfänge des Christentums, Bd 3, Stutt-
         gart-Berlin 1923 (3.Aufl.)

267 W.Michaelis, Der Attizismus und das Neue Testament, ZNW 22 (1923)
         S.91-121

268 O.Michel/O.Bauernfeind, Die beiden Eleazarreden in Jos.Bell.7,
         323-336; 7,341-388, ZNW 58 (1967) S.267-272

269 O.Michel, Paulus und seine Bibel, Gütersloh 1929 (reprint Darm-
         stadt 1972)

270 G.Miller, ΑΡΧΟΝΤΩΝ ΤΟΥ ΑΙΩΝΟΣ ΤΟΥΤΟΥ - A New Look at 1 Co-
       rinthians 2:6-8, JBL 91 (1972) S.522-528
271 G.Misch, Geschichte der Autobiographie, Bd 1: Das Altertum, Bern
       1950 (3.Aufl.)
272 A.Momigliano, The Development of Greek Biography, Cambridge 1971
273 Ch.Morris, Signs, Language and Behaviour, New York 1946
274 J.H.Moulton/N.Turner, A Grammar of New Testament Greek,
       Bd 4: Style, Edinburgh 1976
275 C.Mühlfeld, Probleme der Literatursoziologie, Soziale Welt 26 (1975)
       S.332-347
276 T.G.Mullins, Petition as a Literary Form, NT 5 (1962) S.46-54
277 J.Munck, Die Gemeinde ohne Parteien. Studien über 1.Kor 1-4, in:
       Paulus und die Heilsgeschichte, Acta Jutlandica. Teologisk Serie
       6, Kopenhagen 1954, S.127-161
278 F.Mußner, "Schichten" in der paulinischen Theologie. Dargetan an
       1 Kor 15, in: Praesentia Salutis. Studien zu Fragen und Themen
       des Neuen Testamentes, Düsseldorf 1967 S.178-188
279 -, Zur stilistischen und semantischen Struktur der Formel 1 Kor 15,
       3-5, in: FS H.Schürmann, Leipzig 1977, S.405-416
280 Chr.Neumeister, Grundsätze der forensischen Rhetorik, Langue et
       Parole 3, München 1964
281 K.Niederwimmer, Die Gegenwart des Heiligen Geistes nach dem Zeugnis
       des Neuen Testaments, Kirche zwischen Planen und Hoffen 7
       (1972) S.9-34
282 -, Erkennen und Lieben. Gedanken zum Verhältnis von Gnosis und
       Agape im ersten Korintherbrief, KuD 11 (1965) S.75-102
283 -, Das Problem der Ethik bei Paulus, ThZ 24 (1968) S.81-92
284 -, Askese und Mysterium. Über Ehe, Ehescheidung und Eheverzicht
       in den Anfängen des christlichen Glaubens, FRLANT 113, Göttin-
       gen 1975
285 J.Niemirska-Pliszczynska, Paralelizm sytlistyczny w listach Pawla z
       Tarsu jako Kontynuacja retoryki antycznej, RoczHum 20 (1972)
       S.31-53
286 F.Nietzsche, Rhetorik, Gesammelte Werke Bd 5, München 1922,
       S.286-319·
287 H.Noack, Sprache und Offenbarung. Zur Grenzbestimmung von
       Sprachphilosophie und Sprachtheologie, Gütersloh 1960
288 E.Norden, Agnostos Theos. Untersuchungen zur Formgeschichte re-
       ligiöser Rede, Darmstadt 1956 (4.Aufl.)
289 E.v.Nordheim, Das Zitat des Paulus 1 Kor 2,9 und seine Beziehung
       zum koptischen Testament Jakobs, ZNW 65 (1974) S.112-120
290 P.T.O'Brien, Introductory Thanksgiving in the Letters of Paul,
       NT Suppl. 49, Leiden 1977
291 R.E.Osborne, Paul and the Wild Beasts, JBL 85 (1966) S.225-230
292 P.v.d.Osten-Sacken, Die Apologie des paulinischen Apostolats in
       1.Kor 15,1-11, ZNW 65 (1973) S.245-262
293 -, Die paulinische theologia crucis als Form apokalyptischer Theo-
       logie, EvTh 39 (1979) S.477-497

294 F.C.Overbeck, Über die Anfänge der patristischen Literatur, HZ 12
     (1882) S.417-472
295 W.Pesch, Der Sonderlohn für die Verkündiger des Evangeliums
     (1.Kor 3,8.14f und Parallelen), in: FS J.Schmid, Regensburg
     1963, S.199-206
296 E.Peterson, 1 Korinther 1,18f und die Thematik des jüdischen Buss-
     tages, Bibl 32 (1951) S.97-103
297 V.C.Pfitzner, Paul and the Agon Motif, NT Suppl. 1, Leiden 1967
298 K.-P.Philippi, Methodologische Probleme der Literatursoziologie,
     in: G.Grimm/H.Hermand (edd.), Methodenfragen der deut-
     schen Literaturwissenschaft, Darmstadt 1973, S.508-530
299 I.Plein, Zu E.Güttgemanns Χριστός in 1.Kor 15,3b, EvTh 29 (1969)
     S.222-223
300 H.F.Plett, Einführung in die rhetorische Textanalyse, Hamburg 1979
     (4.Aufl.)
301 H.Praake, Die Laswell-Formel und ihre rhetorischen Ahnen, Publi-
     zistik 10 (1965) S.285-291
302 C.Preisendanz, De Senecae rhetoris apud filium auctoritate, Philol.
     67 (1908) S.68-112
303 K.Prümm, Zur neutestamentlichen Gnosis-Problematik: Gnostischer
     Hintergrund und Lehreinschlag in den beiden Eingangskapiteln
     von 1 Kor? ZKTh 87 (1965) S.399-442; 88 (1966) S.1-50
304 P.Raabe, Art.: Brief/Memoiren, Fischer Lexikon Literatur 2/1,
     Frankfurt/Main 1973 (6.Aufl.), S.100-115
305 P.Rabbow, Seelenführung, München 1954
306 L.Radermacher, Neutestamentliche Grammatik, HNT 1, Tübingen
     1925 (2.Aufl.)
307 R.Reitzenstein, Die hellenistischen Mysterienreligionen, Leipzig-
     Berlin 1927 (3.Aufl.) (reprint Darmstadt 1956)
308 J.Reumann, "Stewards of God" - Pre-Christian Religious Approach
     of Oikonomos in Greek, JBL 77 (1958) S.339-349
309 H.Riesenfeld, Das Bildwort vom Weizenkorn bei Paulus (zu I Cor 15),
     TU 77 (1961) S.43-55
310 B.Rigaux, Paulus und seine Briefe, München 1964
311 M.Rissi, Die Taufe für die Toten, AThANT 42, Zürich 1962
312 W.R.Roberts, Greek Rhetoric and Literary Criticism, New York 1963
313 A.Robertson/A.Plummer, A Critical and Exegetical Commentary on
     the First Epistle of St Paul to the Corinthians, ICC, Edin-
     burgh 1955 (2.Aufl.)
314 O.Roller, Das Formular der paulinischen Briefe, BWANT IV/6, Stutt-
     gart 1933
315 L.Rydbeck, Fachprosa, vermeintliche Volkssprache und Neues Te-
     stament, AAU 5, Uppsala 1967
316 K.G.Sandelin, Die Auseinandersetzung mit der Weisheit in 1.Korin-
     ther 15, Abo 1976
317 W.Schadewaldt, Der Umfang des Begriffs der Literatur in der Antike,
     in: Jahrbuch 1963 der Deutschen Akademie für Sprache und
     Dichtung, Darmstadt 1964, S.98-115

318 J.Scharfschwerdt, Grundprobleme der Literatursoziologie, Stuttgart
     1977
319 W.Schenk, Der 1.Korintherbrief als Briefsammlung, ZNW 60 (1969)
     S.219-243
320 -, Textlinguistische Aspekte der Strukturanalyse, dargestellt am
     Beispiel von I Kor.XV.1-11, NTS 23 (1977) S.469-476
321 H.-M.Schenke, Auferstehungsglaube und Gnosis, ZNW 59 (1968)
     S.123-126
322 -/K.M.Fischer, Einleitung in die Schriften des Neuen Testaments,
     Bd 1: Die Briefe des Paulus und die Schriften des Paulinismus,
     Berlin 1978
323 A.Schlatter, Die korinthische Theologie, BFchTh 18 Heft 2, Güters-
     loh 1914
324 F.D.E.Schleiermacher, Hermeneutik, ed. H.Kimmerle, Heidelberg
     1959
325 H.Schlier, Die Erkennbarkeit Gottes nach den Briefen des Apostels
     Paulus, in: FS K.Rahner, Bd 1, Freiburg-Basel-Wien 1964,
     S.515-535
326 -, Vom Wesen der apostolischen Ermahnung, in: Die Zeit der Kirche,
     Freiburg 1958 (2.Aufl.), S.74-89
327 -, Kerygma und Sophia - zur neutestamentlichen Grundlegung des
     Dogmas, in: a.a.O., S.206-231
328 W.Schmid, Art.: Epikuros, RAC 5, Sp.681-819
329 S.J.Schmidt, Text als Forschungsobjekt der Texttheorie, Der
     Deutschunterricht 24 (1972) S.7-28
330 -, Texttheorie, UTB 202, München 1973
331 W.Schmithals, Die Gnosis in Korinth, FRLANT 48, Göttingen 1969
     (3.Aufl.)
332 -, Die Korintherbriefe als Briefsammlung, ZNW 64 (1973) S.263-288
333 N.Schneider, Die rhetorische Eigenart der paulinischen Antithese,
     HUTh 11, Tübingen 1970
334 J.Schniewind, Die Leugner der Auferstehung in Korinth, in: Nach-
     gelassene Reden und Aufsätze, ed. E.Kähler, Berlin 1952,
     S.239-275
335 W.Schottroff/W.Stegemann (edd.), Der Gott der kleinen Leute. Sozial-
     geschichtliche Bibelauslegungen, Bd 2: Neues Testament, Mün-
     chen-Gelnhausen 1979
336 W.Schrage, Die konkreten Einzelgebote der paulinischen Paränese,
     Gütersloh 1961
337 -, Art.: συναγωγή, ThWNT VII, S.798-850
338 P.Schubert, Form and Function of the Pauline Thanksgivings,
     BZNW 20, Tübingen 1939
339 L.L.Schücking, Die Soziologie der literarischen Geschmacksbildung,
     München 1923
340 K.Schwarzwäller, Die Wissenschaft von der Torheit, Stuttgart 1976
341 E.Schweizer, Zur Trichotomie von 1.Thess 5,23 und der Unterschei-
     dung des πνευματικόν vom ψυχικόν in 1.Kor 2,14; 15,44; Jak 3,15;
     Jud 19, ThZ 9 (1953) S.76-77

342 E.Schweizer, 1.Korinther 15,20-28 als Zeugnis paulinischer Eschato-
logie und ihrer Verwandtschaft mit der Verkündigung Jesu, in:
FS W.G.Kümmel, Göttingen 1975, S.301-314

343 A.Schweitzer, Die Mystik des Apostels Paulus, Tübingen 1930

344 R.Scroggs, Paul: ΣΟΦΟΣ and ΠΝΕΥΜΑΤΙΚΟΣ, NTS 14 (1967/68)
S.33-35

345 J.Sevenster, Paul and Seneca, NT Suppl. 4, Leiden 1961

346 E.G.Sihler, St.Paul and Seneca, Bibl.Rev. 12 (1927) S.540-560

347 F.C.Sleeper, Pentecost and Resurrection, JBL 84 (1965) S.389-399

348 H.v.Soden, Sakrament und Ethik bei Paulus, in: Gesammelte Aufsätze und Vorträge, Tübingen 1951, S.239-275

349 F.Solmsen, Demetrios Περὶ ἑρμηνείας und sein peripatetisches Quellen-
material, in: P.Stark/P.Steinmetz (edd.), Rhetorika. Schriften
zur aristotelischen und hellenistischen Rhetorik, Hildesheim
1968, S.285-312

350 K.Staab, I Kor 15,29 im Lichte der Exegese der griechischen Kirche,
Anal.Bibl. 17-18 (Studiorum Paulinorum Congressus I), Rom
1963, S.443-450

351 C.Spicq, Agape dans le Nouveau Testament, 3 Bde, Paris 1958-1959

352 B.Spörlein, Die Leugnung der Auferstehung, Regensburg 1971

353 H.F.D.Sparks, 1.Kor 2,9a Quotation from the Coptic Testament of
Jacob? ZNW 67 (1976) S.269-276

354 H.Steckel, Art.: Epikuros, RECA Suppl. XI, Sp.579-652

355 E.Stegemann, Alt und Neu bei Paulus und in den Deuteropaulinen,
EvTh 37 (1977) S.508-536

356 U.v.d.Steinen, Rhetorik - Instrument oder Fundament christlicher
Rede? EvTh 39 (1979) S.101-126

357 W.Stenger, Beobachtungen zur Argumentationsstruktur von 1 Kor
15, LingBibl 45 (1979) S.71-128

358 K.Stierle, Text als Handlung, UTB 423, München 1975

359 M.L.Stirewalt, The Form and Function of the Greek Letter-Essay,
in: K.-P.Donfried (ed.), The Romans Debate, Minneapolis 1977,
S.175-206

360 A.Strobel, Zum Verständnis von Rm 13, ZNW 47 (1956) S.67-93

361 W.Stroh, Taxis und Taktik. Die advokatische Dispositionskunst in
Ciceros Gerichtsreden, Stuttgart 1975

362 P.Stuhlmacher, Das Auferstehungszeugnis nach 1 Korinther 15,1-20,
in: Theologie und Kirche. Reichenau Gespräch, Stuttgart 1967
(2.Aufl.), S.33-59

363 A.Suhl, Paulus und seine Briefe, StNT 11, Gütersloh 1975

364 J.Sykutris, Art.: Epistolographie, RECA Suppl. V, Sp.185-220

365 -, Proklos, Περὶ ἐπιστολιμαίου χαρακτῆρος, BNJ 7 (1930) S.108-118

366 G.Theißen, Soziale Schichtung in der korinthischen Gemeinde, ZNW
65 (1974) S.232-272

367 -, Soziale Integration und Sakramentales Handeln, NT 16 (1974)
S.179-206

368 -, Die soziologische Auswertung religiöser Überlieferung, Kairos 17
(1975) S.284-299

369 G.Theißen, Legitimation und Lebensunterhalt. Ein Beitrag zur Soziologie urchristlicher Missionare, NTS 21 (1975) S.192-221

370 -, Die Starken und Schwachen in Korinth, EvTh 35 (1975) S.155-172

371 -, Soziologie der Jesusbewegung, ThExh 194, München 1977

372 -, Studien zur Soziologie des Urchristentums, WUNT 19, Tübingen 1979

373 K.C.Thompson, I Corinthians 15,29 and the Baptism for the Dead, TU 87 (1964) S.647-659

374 K.Thraede, Einheit - Gegenwart - Gespräch. Zur Christianisierung antiker Brieftopoi, Ev.-Theol.Diss., Bonn 1968

375 -, Ursprung und Form des "Heiligen Kusses" im frühen Christentum, JAC 11/12 (1968/69) S.124-180

376 -, Grundzüge griechisch-römischer Brieftopik, Zetemata 49, München 1970

377 A.Thumb, Die griechische Sprache im Zeitalter des Hellenismus, Straßburg 1901 (reprint Berlin-New York 1974)

378 H.Thyen, Der Stil der jüdisch-hellenistischen Homilie, FRLANT 65, Göttingen 1965

379 W.Trillitzsch, Senecas Beweisführung, Berlin 1962

380 N.Turner, The Literary Character of the New Testament Greek, NTS 20 (1974) S.107-115

381 H.Th.Ubbink, Seneca en Paulus, NTS 1 (1918) S.275-282

382 G.Ueding, Einführung in die Rhetorik, Stuttgart 1976

383 W.C.v.Unnik, First Century A.D. Literary Culture and Early Christian Literature, NedThT 25 (1971) S.28-43

384 W.Veit, Art.: Topos, Fischer Lexikon Literatur 2/2, Frankfurt/Main 1969 (3.Aufl.), S.563-571

385 Ph.Vielhauer, Paulus und die Kephaspartei in Korinth, NTS 21 (1975) S.328-352

386 -, Geschichte der urchristlichen Literatur, Berlin-New York 1975

387 P.Wallis, Ein neuer Auslegungsversuch der Stelle 1.Kor 4,6, ThLZ 75 (1950) Sp.506-508

388 B.J.Warneken, Zur Kritik positivistischer Literatursoziologie, in: Literaturwissenschaft und Sozialwissenschaft, Stuttgart 1971, S.81-150

389 A.J.M.Wedderburn, ἐν τῇ σοφίᾳ τοῦ θεοῦ - 1 Kor 1,21, ZNW 64 (1973) S.132-134

390 J.Weiß, Beiträge zur paulinischen Rhetorik, in: FS B.Weiß, Göttingen 1897, S.165-247

391 -, Der erste Korintherbrief, KEK V, Göttingen 1910 (9.Aufl.) (reprint 1970)

392 J.B.White, Introductory Formulae in the Body of the Pauline Letter, JBL 90 (1971) S.91-97

393 -, The Form and Function of the Body of the Greek Letter, SBL Diss.Ser. 2, Columbia Miss. 1972

394 M.Widmann, 1.Kor 2,6-16: Ein Einspruch gegen Paulus, ZNW 70 (1979) S.44-53

395 A.Wifstrand, Die alte Kirche und die griechische Bildung, Bern-
        München 1967
396 U.v.Wilamowitz-Moellendorf, Geschichte der griechischen Sprache,
        Berlin 1928
397 -, Asianismus und Attizismus, Hermes 35 (1900) S.1-52
398 H.-A.Wilcke, Das Problem eines messianischen Zwischenreiches bei
        Paulus, AThANT 51, Zürich 1967
399 U.Wilckens, Weisheit und Torheit, BhTh 26, Tübingen 1959
400 -, Der Ursprung der Überlieferung der Erscheinungen des Aufer-
        standenen. Zur traditionsgeschichtlichen Analyse von I Kor
        XV.1-11, in: FS E.Schlink, Göttingen 1963, S.56-95
401 A.Wilhelm, Der älteste griechische Brief, JÖAI 8 (1904) S.94-104
402 Chr.Wilke, Die neutestamentliche Rhetorik, ein Seitenstück zur
        Grammatik des neutestamentlichen Sprachidioms, Dresden-
        Leipzig 1843
403 J.H.Wilson, The Corinthians Who Say There Is No Resurrection of
        the Dead, ZNW 59 (1968) S.90-107
404 H.Windisch, Der zweite Korintherbrief, KEK VI, Göttingen 1924
        (9.Aufl.)
405 M.Winter, Pneumatiker und Psychiker in Korinth. Zum religionsge-
        schichtlichen Hintergrund von 1.Kor 2,6-3,4, MThSt 12, Mar-
        burg 1975
406 W.R.Winterowd, Rhetoric. A Synthesis, New York 1968
407 E.Wolff, Der intendierte Leser, Poetica 4 (1971) S.141ff
408 R.Wonneberger, Ansätze zu einer textlinguistischen Beschreibung
        der Argumentation bei Paulus, in: W.Meid/K.Heller (edd.), Text-
        linguistik und Semantik, Innsbrucker Beiträge zur Sprachwis-
        senschaft 17, Innsbruck 1976, S.159-178
409 -, Textgliederung bei Paulus, in: H.Weber/H.Weydt (edd.), Sprach-
        theorie und Pragmatik, Linguistische Arbeiten 31, Tübingen
        1976, S.305-314
410 W.Wuellner, Haggadic Homily Genre in I Corinthians 1-3, JBL 89
        (1970) S.199-204
411 -, Paul's Rhetoric of Argumentation in Romans, in: K.-P.Donfried
        (ed.), The Romans Debate, Minneapolis 1977, S.152-174
412 -, Ursprung und Verwendung der σοφός-, δυνατός-, εὐγενής-Formel in
        1 Kor 1,26, in: FS D.Daube, Oxford 1978, S.163-184
413 E.Ziebarth, Aus der antiken Schule, Kleine Texte 65, Berlin 1910
414 J.Zmijewski, Der Stil der paulinischen "Narrenrede". Analyse der
        Sprachgestaltung in 2 Kor 11,1-12,10 als Beitrag zur Methodik
        von Stiluntersuchungen neutestamentlicher Texte, BBB 52,
        Köln-Bonn 1978

Paulusstudien

Vandenhoeck & Ruprecht · Göttingen und Zürich

DATE DUE

HIGHSMITH   #LO-45220